Dieser Band gehört zu einem auf 16 Bände angelegten Abriß der deutschen Literatur vom Mittelalter bis zur Gegenwart, dessen Charakteristikum auf dem Wechselspiel von Text, Darstellung und Kommentar beruht.

Die Reihe ist als Einführung vor allem für Schüler und Studenten konzipiert. Sie dient selbstverständlich auch allen anderen Interessierten als Kompendium zum Lernen, als Arbeitsbuch für einen ersten Überblick über literarische Epochen.

Das leitende Prinzip ist rasche Orientierung, Übersicht und Vermittlung der literaturgeschichtlichen Entwicklung durch Aufgliederung in Epochen und Gattungen. Die sich hieraus ergebende Problematik wird in der Einleitung angesprochen, die auch die Grundlinien jedes Bandes gibt. Jedem Kapitel steht eine kurze Einführung als Überblick über den Themen- oder Gattungsbereich voran. Die signifikanten Textbeispiele und ihre interpretatorische Aufschlüsselung werden ergänzt durch bio-bibliographische Daten, durch eine weiterführende Leseliste, ausgewählte Forschungsliteratur und eine synoptische Tabelle, die die Literatur zu den wichtigsten Ereignissen aus Politik, Wirtschaft, Kunst und Wissenschaft in Beziehung setzt.

Die deutsche Literatur

Ein Abriß in Text und Darstellung

Herausgegeben von
Otto F. Best und Hans-Jürgen Schmitt

Band 6

Philipp Reclam jun. Stuttgart

Sturm und Drang und Empfindsamkeit

Herausgegeben von
Ulrich Karthaus

Philipp Reclam jun. Stuttgart

Allgemeine Angaben zu Leben und Werk der Autoren finden sich
an den im Inhaltsverzeichnis mit einem Sternchen versehenen Stellen

Universal-Bibliothek Nr. 9621 [4]
Alle Rechte vorbehalten
© 1976 Philipp Reclam jun. GmbH & Co., Stuttgart
Durchgesehene und bibliographisch ergänzte Ausgabe 1991
Gesamtherstellung: Reclam, Ditzingen. Printed in Germany 1991
RECLAM und UNIVERSAL-BIBLIOTHEK sind eingetragene
Warenzeichen der Philipp Reclam jun. GmbH & Co., Stuttgart
ISBN 3-15-009621-9

Inhalt

Einleitung 9

I. Theorie 29

    Johann Georg Hamann* 30
        Aesthetica in nuce (Auszug) 31

    Johann Wolfgang Goethe* 47
        Zum Shakespeares-Tag 47

    Johann Gottfried Herder* 52
        Auch eine Philosophie der Geschichte zur Bil-
        dung der Menschheit (Auszug) 52

    Friedrich Leopold Graf zu Stolberg* 76
        Über die Fülle des Herzens 76

    Friedrich Schiller* 90
        Die Räuber. Unterdrückte Vorrede 91
        Brief an Friedrich Scharffenstein 96

II. Lyrik 104

    Friedrich Gottlieb Klopstock* 106
        An Fanny 107
        Der Zürchersee 109
        Der Eislauf 112
        Die Frühlingsfeier, 1. Fassung 114

    Ludwig Christoph Heinrich Hölty* 119
        Die Nonne 121
        Elegie auf einen Dorfkirchhof 124
        Die Mainacht 127
        Das Landleben 127

    Friedrich Leopold Graf zu Stolberg 129
        Mein Vaterland 129

Die Freiheit 131
An die Natur 132

Gottfried August Bürger* 133
Lenore 134
Des Pfarrers Tochter von Taubenhain . . . 143
Der Bauer 150

Matthias Claudius* 151
Der Schwarze in der Zuckerplantage 152
Zufriedenheit 152
Abendlied 154
Der Mensch 155

Johann Wolfgang Goethe 156
Willkommen und Abschied 158
Maifest 159
Im Herbst 1775 160
Das Veilchen 160
Der untreue Knabe 161
Mahomets-Gesang 163
Prometheus 165
Ganymed 167

Christian Friedrich Daniel Schubart* 168
Freiheitslied eines Kolonisten 169
Die Fürstengruft 171
Kaplied 174

Friedrich Schiller 176
Monument Moors des Räubers 177
Die Herrlichkeit der Schöpfung 179

III. *Epik* 181

Friedrich Gottlieb Klopstock 183
Der Messias (Auszug) 183

Johann Wolfgang Goethe 194
Die Leiden des jungen Werthers (Auszüge) . 194

Johann Heinrich Jung-Stilling* 203
    Henrich Stillings Jugend (Auszug) 203

Johann Heinrich Voß* 214
    Luise (Zweite Idylle) 214

Karl Philipp Moritz* 231
    Anton Reiser (Auszug) 231

IV. Dramatik 239

Heinrich Wilhelm von Gerstenberg* 241
    Ugolino (3. Aufzug) 242

Johann Wolfgang Goethe 254
    Götz von Berlichingen mit der eisernen Hand
    (1. Akt. Herberge im Wald) 254
    Götter, Helden und Wieland. Eine Farce . . 262

Friedrich Maximilian Klinger* 278
    Sturm und Drang (1. Akt, 1. Szene) 278

Jakob Michael Reinhold Lenz* 284
    Der Hofmeister (1. Akt) 285

Johann Anton Leisewitz* 299
    Die Pfandung 299

Friedrich Schiller 301
    Kabale und Liebe (2. Akt, 2. Szene) 301

Weiterführende Leseliste 307

Ausgewählte Forschungsliteratur 310

Synoptische Tabelle 319

Quellenverzeichnis 331

Einleitung

Mit den Bezeichnungen Sturm und Drang, Empfindsamkeit oder Geniezeit benennt man die literarischen Stile, die zwischen der Dichtung der Aufklärung, der Anakreontik, dem literarischen Rokoko und der Klassik stehen. Empfindsamkeit und Sturm und Drang interessieren nicht zuletzt als revolutionäre Bewegungen; die Generation der Goethe, Klinger und Lenz, der Stolberg, Hölty und Voß, die in Straßburg, Göttingen und Frankfurt für kurze Zeit Kristallisationspunkte ihres Wirkens fand, eröffnete in nahezu allen poetischen Gattungen neue Ausdrucksbezirke. Sie berief sich dabei auf Klopstock, Hamann und Herder als ihre Anreger und Wegbereiter. Vor allem der Sturm und Drang im engeren Sinn – die Dichtung also des jungen Goethe, Klingers, Lenz', Bürgers, Schubarts und Schillers – gilt dabei zugleich als politisch akzentuierte Bewegung: mit der literarischen Revolution der Stile und Formen verbanden sich zu Beginn der 1770er Jahre poetisch artikulierte Freiheitsbestrebungen und demokratische Tendenzen. Der Sturm und Drang stellte nicht nur die herrschenden Ansichten der Aufklärung, sondern auch das Gesellschaftssystem des 18. Jahrhunderts in Frage.

Indes ist ein solches Bild nicht ohne Einseitigkeiten. Anders als in Frankreich, wo sich die große Revolution von 1789 allmählich vorbereitete, bestand in Deutschland keine revolutionäre Situation. Der deutsche Jakobiner Georg Friedrich Rebmann hat die Gründe dafür formuliert: »In Frankreich waren nur zwei Hauptinteressen, das Interesse des Hofes, dessen, was zum Hof gehört, des Adels, der Geistlichkeit, und das Interesse des Volks, der Bürger. Daher entstanden zwei Parteien, die miteinander um die Oberhand kämpften. In Deutschland hingegen haben wir dreihundert kleine Höfchen, zweierlei Religionen und statt einer gleich leidenden Nation mehrere ungleichartige, durch Religion, Sitten, Regierungsform getrennte, hie und da ganz leidlich regierte Völker, die nie gleichen Schritt halten können und werden, ehe eine gänzliche, jetzt noch nicht zu erwartende Konsolidierung erfolgt.«[1] Diese Situation bedingte ein starkes Gefälle in kultureller, ökonomischer, sozialer und politischer Hinsicht zwischen den deutschen Teilstaaten: neben dem verhältnismäßig liberal und fortschrittlich regierten Preußen, wo bereits mit dem Regierungsantritt Friedrichs II. 1740 die Folter als Mittel der Rechtsfindung abgeschafft wurde – Österreich folgte damit erst im Zusammenhang der sogenannten Josefinischen Reformen 1781 –, gab es kleinere und kleinste Territorialstaaten im Süden, wo Despotismus und mittelalterlich anmutende Herrschaftsformen noch in den siebziger Jahren unangefochten fortbestanden: 1777 wurde Schubart auf Befehl des Herzogs Karl Eugen von Württemberg (1737–93) verhaftet und ohne Gerichtsurteil mehr als zehn Jahre gefangengehalten, und ein Student namens Nickel wurde, 26 Jahre alt, am 1. Juni 1776 auf dem Territorium des Klosters Wiblingen bei Ulm hingerichtet, weil er sich »gegen die göttliche Majestät, die heilige Mutter Gottes, den heiligen Joseph und besonders die heilige Magdalena versündigt habe« (Gustav Hauff).

In dieser Situation entstanden zwar Dichtungen, die die Mißstände beim Namen nannten: Schubarts Gedicht *Die Fürstengruft* zum Beispiel aber macht deutlich, daß diese Dichtung in den seltensten Fällen politisch im heutigen Sinne war: die Frage nach Recht und Unrecht wird in die Subjektivität verlegt; die Tatsache, daß Fürsten Unrecht tun, führt nicht zu der Konsequenz, man müsse ihr Regiment abschaffen, sondern nur dazu, »gute« Fürsten zu fordern, von denen man sich den »Völkersegen« erhofft. Gedichte wie Bürgers *Der Bauer. An seinen durchlauchtigsten*

1. Zitiert nach Walter Grab: Die deutschen Jakobiner. In: Hans Werner Engels, Gedichte und Lieder deutscher Jakobiner. Stuttgart 1971. S. XX.

Tyrann sind durchaus vereinzelt. Auch Flugblätter, wie in der Zeit des Vormärz, gibt es noch nicht; ihre Geschichte in Deutschland beginnt erst mit der Wirksamkeit deutscher Jakobiner nach 1789. Das Freiheitspathos des Grafen Friedrich Leopold zu Stolberg mußte notwendig abstrakt bleiben: die Erfahrungen, die er als Sohn eines dänischen Kammerherrn sammeln konnte, werden ihn schwerlich mit der Realität von Despotismus, Unterdrückung und Ausbeutung vertraut gemacht haben; bekannt ist die von Goethe berichtete Anekdote, wie seine Mutter den »poetischen Tyrannenhaß« der Brüder Stolberg mit altem Wein zu stillen wußte. Auch dort, wo das Unrecht ganz konkret namhaft gemacht wird, wie in Schillers *Kabale und Liebe*, wird eine politische Tendenz kaum greifbar; Auerbach kommentiert, es sei »zu bedauern, daß Schiller viel genauer wußte, wogegen als wofür er kämpfte« – eine Formulierung, die für die Stürmer und Dränger insgesamt gilt. Auch Goethe, dessen *Götz von Berlichingen* sich auf die Seite der Unterdrückten schlägt und das Unrecht der Herrschenden bekämpft, wird nicht als Revolutionär dargestellt, sondern als treuer Untertan des Kaisers. Er demonstriert in erster Linie den Satz des Klosterbruders Martin: »Es ist eine Wollust, einen großen Mann zu sehen.«

War der Sturm und Drang auch nicht im präzisen Sinne eine politische Bewegung, so doch gleichsam auf einem Umweg, indem nämlich die junge Generation der etwa Zwanzigjährigen um 1770 das Recht auf Behauptung und Verwirklichung des Individuums verfocht. Wie immer man den Beginn dieser literarischen Bewegung datiert: mit Hamanns *Sokratischen Denkwürdigkeiten* 1759, mit seinen *Kreuzzügen des Philologen* 1762, mit Herders Fragmenten *Über die neuere deutsche Literatur* 1767, mit seinen *Kritischen Wäldern* und dem *Reisejournal* 1769 oder erst mit der Begegnung zwischen Herder und Goethe im Oktober 1770 auf der Treppe des Gasthofes »Zum Geist« in Straßburg –

in jedem Fall erkennt man den Anspruch, gegenüber der erstarrenden Formkultur des spätbarocken Stils und den herrschenden Überzeugungen in moralischen, ästhetischen und theologischen Fragen das Recht des einzelnen und seiner Subjektivität auf Selbstbestimmung zu verfechten.

Johann Georg Hamanns Denken wurzelt im Pietismus; man spricht von seiner Bekehrung, die er während seiner Englandreise erfahren habe, von einer »Erweckung« (Richard Newald) und »Umkehr« (Sven-Aage Jørgensen), die ihm einerseits deutlich machte, daß er für einen praktischen Beruf nicht geeignet sei, die ihn andererseits als Schriftsteller bestimmte. Sein Bemühen geht – wie das der Aufklärung – dahin, auf allen Gebieten wirksam zu sein. Aber im Gegensatz zur Aufklärung unternimmt er dies nicht als Rationalist, sondern versucht, die Phänomene des Glaubens, der Dichtung und der Moral auf dem Wege der Intuition zu erhellen. So gelangt er zwar nicht zu einem rational geschlossenen System wie die Ästhetiker der Aufklärung, er wirkt aber, vor allem über Herder, mit dem er seit 1762 zeitweilig in engem Kontakt steht, auf die junge Generation. Eine seiner grundlegenden Erkenntnisse umreißt das Programm der literarischen Bewegung und seine Stellung gegenüber der Aufklärung: »Die Natur würkt durch Sinne und Leidenschaften. Wer ihre Werkzeuge verstümmelt, wie mag der empfinden? Sind auch gelähmte Sennadern zur Bewegung aufgelegt? – – Eure mordlügnerische Philosophie hat die Natur aus dem Wege geräumt, und warum fordert ihr, daß wir selbige nachahmen sollen? – Damit ihr das Vergnügen erneuern könnt, an den Schülern der Natur auch Mörder zu werden –«[2] Hier ist das Verhältnis von Empfindsamkeit und Sturm und Drang zur Aufklärung angedeutet. Auch die Aufklärung hatte sich auf die Natur berufen; Gottsched fordert in seinem *Versuch einer criti-*

---

2. Johann Georg Hamann: Sokratische Denkwürdigkeiten. Aesthetica in nuce. Hrsg. von Sven-Aage Jørgensen. Stuttgart 1968. (Reclams UB Nr. 926 [3].) S. 113.

schen Dichtkunst immer wieder, daß Gedichte »Nachahmungen der Natur« zu sein hätten; er steht mit dieser Forderung in der Tradition des über Frankreich vermittelten Klassizismus. Albrecht von Hallers Lehrgedicht *Die Alpen* (1732) behauptete die Identität von Natur und aufgeklärter, von der Stoa beeinflußter Moral; Barthold Hinrich Brockes gar demonstrierte die Einheit von göttlicher Vernunft und Natur in seinem neun Gedichtbände umfassenden *Irdischen Vergnügen in Gott* (1721–48). Demgegenüber wird von Hamann als erstem eine neue Vorstellung von Natur realisiert. Die angeführte Textstelle spricht von »Sinnen« und »Leidenschaften«, und wenn man – wie es Hamanns Nachfolger taten – die darin liegende Konsequenz zu Ende denkt, so ist eine Gegenposition zum Konsensus aufklärerischen Denkens bezogen. Ihm wird vorgeworfen, die Natur eliminiert zu haben, und das mußte den Zeitgenossen äußerst paradox in den Ohren klingen, denn auch sie hatten sich ja auf die Natur berufen. Der Begriff von schöner Natur, den die Aufklärungsästhetik kultiviert hatte, hatte die Spontaneität des produktiven Künstlers unterdrückt. Diese wieder in den Mittelpunkt ästhetischer Reflexion gerückt zu haben ist die Tat Hamanns und Herders.

Für diese schöpferische Energie des Künstlers benutzt der Sturm und Drang das Wort Genie in der am präzisesten von Kant definierten Bedeutung, die er in der *Kritik der Urteilskraft* 1789 in § 46 formulierte, als der Begriff sich bereits durchgesetzt hatte: »Genie ist die angeborene Gemütsanlage (ingenium), durch welche die Natur der Kunst die Regel gibt.« Hieraus folgert er erstens »Originalität«, zweitens, daß das Genie »exemplarisch« schaffe, drittens daß »der Urheber eines Produkts, welches sich dem Genie verdankt, selbst nicht weiß, wie sich in ihm die Ideen herbeifinden, auch es nicht in seiner Gewalt hat, dergleichen nach Belieben oder planmäßig auszudenken und anderen in solchen Vorschriften mitzuteilen, die sie instand setzen, gleichmäßige Produkte hervorzubringen«. Die vierte Bestimmung begrenzt die Wirksamkeit des Genies auf die »schöne Kunst«. Wichtig ist besonders das dritte Moment: es markiert den endgültigen Abschied der Kunstphilosophie von einer normativen Poetik und bezeichnet ihre Wende zur (Produktions- oder Rezeptions-)Ästhetik.

Die Stürmer und Dränger versuchen, den Begriff Genie zum Teil noch weiter zu fassen als Kant mit der Herleitung von »genius, dem eigentümlichen, einem Menschen bei der Geburt mitgegebenen schützenden und leitenden Geist, von dessen Eingebung jene originalen Ideen« stammen. So schreibt Herder über Shakespeare: »Da aber das Genie bekanntermaßen mehr ist als Philosophie und Schöpfer ein ander Ding als Zergliederer, so wars ein Sterblicher, mit Götterkraft begabt [. . .].« Diese neue Definition des Künstlers hebt ihn über gewöhnliches Menschenmaß hinaus; sie bestimmt zugleich die Kunst anders als zuvor: sie ist nicht mehr erlernbar, sondern wurzelt in Vermögen, die rational nicht faßbar sind. Ebenso wie die Natur nicht ausdefiniert werden kann, kann auch der ihr Nahestehende sein Verhältnis zu ihr nicht des näheren bestimmen. Der Kritik kommt es mithin nicht mehr zu, Kunstwerke zu analysieren und auf ihre Baugesetze zu reduzieren, sondern sich in sie hineinzuversetzen, um sie mit Gefühl und Empfindung zu erfassen. Goethe geht noch einen Schritt weiter, indem er radikal postuliert: »Schädlicher als Beyspiele sind dem Genius Principien.« Denn der »Halbgott«, als welchen er Erwin von Steinbach, den Erbauer des Straßburger Münsters, bezeichnet, folgt einem natürlichen Triebe, indem er der Materie seinen Geist einhaucht; er verwirklicht seine »bildende Natur«. Das Genie wird somit selbst Natur: »natura naturans«, schöpferisches Prinzip. Der Künstler ist nicht mehr nur Teil der »natura naturata«, er ist mehr als Geschöpf. Damit entsteht jener Geniekult, der in Goethes »Gebet« angesichts des Münsters im Jahre 1775 seinen Höhepunkt findet: »Anbetung des Schaffenden, ewiges Leben, unauslöschliches Gefühl des, das da ist und da war und da sein wird.«

Man hat aus derartigen Äußerungen häufig die Folgerung gezogen, die Geniezeit sei eine irrationale Bewegung, die der Vernunft und Verstandeskultur der Aufklärung mit Gefühl und Empfindung begegne und diese an die Stelle jener setze. Dieser Eindruck ist aber falsch: Die Verstandeskultur der Aufklärung wird nicht durch den Gefühlskult der empfindsamen Stürmer und Dränger ersetzt, sondern ergänzt. Die Theoretiker und Dichter der Epoche sind von der Aufklärung geprägt und erzogen, als Söhne von Pfarrern und Kleinbürgern sind sie den Denkstrukturen des 18. Jahrhunderts so stark verpflichtet, daß sie sich kaum davon zu lösen vermögen. Herders *Shakespeare*-Aufsatz zeigt das mit beispielhafter Deutlichkeit: er argumentiert nicht gegen die grundsätzliche Geltung der Regel von den drei Einheiten der Zeit, des Ortes und der Handlung im Drama, sondern er bemüht sich um den Nachweis, daß es Shakespeares Recht sei, sich seine eigene Welt, Zeit und die dafür passenden Maße zu schaffen, denn Raum und Zeit werden subjektiv verschieden empfunden. Und *Auch eine Philosophie der Geschichte* (1774) weist deutliche Beziehungen zu Lessings *Erziehung des Menschengeschlechts* (1780) auf, die weithin als abschließender Höhepunkt der Aufklärung gilt: der Gedanke, daß die Menschheit sich durch verschiedene Stadien vom Kindes- zum Greisenalter entwickle, ist eine für die Aufklärung charakteristische Vorstellung, die bereits in Herders Fragmenten *Über die neuere deutsche Literatur* (1767) erscheint. Und beispielsweise Hölty, der aufgrund seiner Naturlyrik der Empfindsamkeit und aufgrund seiner Balladen dem Sturm und Drang zugezählt werden kann, zeigt andererseits seine Bindung an die Aufklärung in Gedichten wie *Die Beschäftigungen der Menschen*, das deutliche Einflüsse von Horaz erkennen läßt, *Der rechte Gebrauch des Lebens* (1775) oder *Üb immer Treu und Redlichkeit* (1776).

Werner Krauss hat mit guten Gründen die These verfochten, daß die Aufklärung nicht mit dem Sturm und Drang
ende, sondern »in ein neues dynamisches Stadium« trete.
Man wird ihm zustimmen, wenn man, wie er, die Aufklärung als bürgerliche Emanzipationsbewegung mit einer
»plebejische[n] Unterströmung« versteht. Man wird in diesem Fall die unterscheidenden Merkmale des Sturm und
Drang gegenüber der Aufklärung vorwiegend in ästhetischen und thematischen Kriterien der seit etwa 1770 entstehenden Literatur erblicken müssen.

Für die Lyrik bedeutet dies zunächst das Bemühen vor
allem Herders, »karaktheristische Kunst« als »die einzige
wahre« – wie Goethe formuliert – aufzuspüren und bekannt
zu machen. Er legte die Resultate seiner Forschungen in der
zweibändigen Volksliedersammlung 1778 und 1779 vor.
Der von der Romantik geprägte Begriff des Volksliedes ist
zur Bezeichnung dessen, was der Sturm und Drang dar-
unter versteht, zu eng. Für Herder sind nicht nur aus an-
onymer Überlieferung stammende Lieder mit dem Begriff
gedeckt, sondern auch Produkte von Zeitgenossen, wie
etwa Goethes *Heidenröslein*. Er bezeichnet Homer als
Volksdichter und definiert, was er als volksliedartig ansieht, in der Vorrede des zweiten Teils seiner Sammlung als
»leicht, einfach, aus Gegenständen und in der Sprache der
Menge sowie der reichen und für alle fühlbaren Natur«.
Goethe übernimmt diesen Begriff und legt ihn dem Vaga-
bunden Crugantino in dem Singspiel *Claudine von Villa
Bella* (1776) in den Mund; er nennt »Balladen, Romanzen,
Bänkelgesänge«, die neuerdings »zu singen und zu machen«
wieder Mode sei. So war es denn bei dem Ossian-Fieber,
das die Generation ergriffen hatte, von verhältnismäßig
geringer Bedeutung, daß es sich in den Gesängen des schottischen Barden um Fälschungen handelte, wie man heute
weiß; viel wichtiger war für Herder und seine Zeitgenos-

sen, daß sich hier »Geschichte, Begebenheit, Geheimnis, Wunder und Zeichen« begab, wie Herder schreibt.

Hier hat die Lyrik von Sturm und Drang und Empfindsamkeit ihre Wurzeln. Sie erstrebte nicht das kunstgemäße Gedicht, wie es Rokoko und Anakreontik gepflegt hatten, sondern den möglichst adäquat gestalteten Ausdruck von Empfindungen. Man hat demgemäß in der germanistischen Literatur von Erlebnisdichtung gesprochen, die entstehe, »wenn Dichtung unter dem unmittelbaren Druck gegenwärtigen Erlebens zustande kommt und das Erlebte deshalb gewissermaßen keine Zeit mehr hat, ordnungsgemäß die Kontrolle der Vernunft zu passieren, so daß alle diejenigen umgestaltenden Einwirkungen ausfallen, als deren Quelle wir die Vernunft betrachten« (Hermann August Korff). Noch weiter geht Erich Trunz in seinem Kommentar zu Goethes Gedichten 1952: »Der 20jährige erfuhr die beglückende innere Lösung zum Gesang und die Sehnsucht des Weltumfassens in allen Künsten, allen Wissenschaften. Seither quoll Dichtung in ihm unerschöpflich empor, beglückend und quälend zugleich; es war wie eine Stimme; es dichtete in ihm.« Derartige Äußerungen, die den Irrationalismus über den Rationalismus stellen, die geneigt sind, von einer Überwindung der Aufklärung zu sprechen zugunsten unreflektierter Empfindung, sind verständlich aus der um die Jahrhundertwende entstehenden und bis weit in die Zeit nach dem Zweiten Weltkrieg reichenden Neuromantik. Vor allem nach 1918 schob man die historische Katastrophe einer einseitigen Verwissenschaftlichung der Welt zu und suchte die Heilung des Übels im Unbewußten. Diese Tendenz zur Überbewertung des Sturm und Drang gegenüber der Aufklärung scheint in den letzten Jahren überwunden zugunsten einer Neubewertung der einander ergänzenden Phänomene Rationalismus und Irrationalismus, Aufklärung und Empfindsamkeit, so daß heute der Begriff Erlebnisdichtung durchweg in seinem Recht bestritten wird. Es läßt sich an der Dichtung des jungen Goethe, an der ihn Korff entwickelt, demonstrieren, mit welcher Gewissenhaftigkeit diese Gedichte durchgearbeitet sind. Ein Vergleich zum Beispiel der beiden Fassungen des *König in Thule* macht das einsichtig.

Die Lyriker der Epoche sind in hohem Maße beeinflußt von Klopstock. Er als erster hatte in seinen Dichtungen die Abwertung der von Gottsched vertretenen Dichtungstheorien vollzogen, die die Poesie auf das Wirkliche als das Vernünftige einschränken wollten; *Der Messias* führt in überirdische Bezirke und ist allein deshalb als eine Manifestation poetischer Einbildungskraft eine Tat von großer Bedeutung; die Ode *An Fanny* ist eine Phantasie über die Unsterblichkeit, wo die von gesellschaftlichen Zwängen gezogenen Schranken aufgehoben sein werden. Klopstock bereicherte darüber hinaus in seinen Dichtungen und theoretischen Schriften die poetische Sprache, indem er die Aufmerksamkeit auf Momente wie die Stellung im Zusammenhang mit Bedeutung und Klang eines Wortes lenkte und von der Nutzlosigkeit von Regeln sprach. *Der Messias*, an dem er immer wieder änderte und verbesserte, wurde zum Paradigma einer modernen, ausdrucksstarken poetischen Sprache; Lessing schrieb im 19. Literaturbrief schon 1759: »Verbesserungen aber, die ein Dichter, wie Klopstock, in seinen Werken macht, verdienen nicht allein angemerkt, sondern mit allem Fleiße studieret zu werden. Man studieret in ihnen die feinsten Regeln der Künste; denn was die Meister der Kunst zu beobachten für gut befinden, das sind Regeln.« Zu Klopstocks Leistungen gehören die Anpassung des Hexameters an den natürlichen Rhythmus des Deutschen, indem er Trochäen an die Stelle von Spondeen setzte, und die Einführung von freien Rhythmen in seinen Hymnen.

Unmittelbar und persönlich hat Klopstock auf die Mitglieder des Göttinger Hainbundes gewirkt, in den er 1774 aufgenommen wurde. Die Göttinger überreichten ihm ihre Gedichte, feierten seine Geburtstage und ließen sich thematisch von seiner vaterländischen Poesie anregen. Auch sie feilten an ihren Gedichten: bei den regelmäßigen Zusammenkünften wurden die Produkte eines jeden vorgelesen, kritisiert und verbessert, ehe sie in das Bundesbuch eingetragen wurden. In einem Fall wirkte sich das freilich zum Nachteil aus: Voß, der 1783 die Gedichte Höltys aus dem Nachlaß edierte, verbesserte an ihnen vor allem in der zweiten Auflage von 1804 im Sinne seiner dogmatisch erstarrten Verslehre.

Vielleicht die dem Sturm und Drang gemäßeste lyrische Gattung ist die Ballade, die im Umkreis des Göttinger Hainbundes entstand. Man nahm lange Zeit hindurch an, daß Gottfried August Bürgers *Lenore*, die zwischen April und September 1773 entstand, das erste Beispiel der Gattung sei; vorher aber schon schrieb Hölty *Die Nonne*, die am 23. März 1773 in der 28. Versammlung des Bundes verlesen wurde, und *Adelstan und Röschen*, wovon eine erste Niederschrift bereits 1772 entstand. Die Ballade, der Romanze und dem Zeitungs- und Bänkellied verpflichtet, ist eine volkstümliche Gattung im Sinne Herders. Goethe, der sie unabhängig von den Göttingern für sich entdeckte, schuf 1771 im *Heidenröslein* seine erste Ballade; sie weist noch nicht jene im Sturm und Drang später dominierenden Züge auf, wie sie sich bei den Balladen der Göttinger von Beginn an feststellen lassen: die Wirksamkeit übersinnlicher, naturmagischer Mächte und die Bestrafung irdischen Fehlverhaltens durch sie.

Eine eigene, für die Epoche typische Gattung schuf sich Goethe in seinen frühen Hymnen. Auch hier konnte er an Klopstock anknüpfen. Handelte es sich in dessen *Frühlingsfeier* um eine pietistisch beeinflußte religiöse Hymne, so sind die frühen Hymnen Goethes Naturhymnen; in *Prometheus* erscheint das gegen bürgerliche Konventionen sich erhebende individuelle Bewußtsein zum poetischen Bild verdichtet.

Darüber hinaus ist die Lyrik der Zeit durch das Vordringen der von Werner Krauss erwähnten »plebejischen« Traditionen bestimmt. Sie manifestieren sich in Schubarts Gedichten, die erklärtermaßen für ein breites Publikum geschrieben sind und ebenso wie die Lyrik von Matthias Claudius im Zusammenhang mit der journalistischen Tätigkeit ihres Verfassers gesehen werden müssen. Die beiden von Claudius und Schubart herausgegebenen Zeitschriften *Der Wandsbecker Bote* (1771–75) und die *Deutsche Chronik* (1774–78) können als die ersten »Volkszeitungen« (Richard Newald) in Deutschland bezeichnet werden. An die hier begründeten Traditionen eines populären Journalismus knüpften Johann Peter Hebel an und nach ihm zahlreiche Almanache, Kalender und »Landboten«. Auch mundartliche Dichtung entstand als Kunstprodukt zwischen 1774 und 1780; ihr Verfasser war Johann Heinrich Voß, der in diesen Jahren seine wichtigsten niederdeutschen Hexameter-Idyllen schrieb. Sie sind nicht allein wegen ihrer plattdeutschen Sprache populär, sondern Werke wie *De Winterawend* und *De Geldhapers* werfen realistische Schlaglichter auf das Leben der kleinen Leute, ähnlich wie später die bürgerliche Lebenssphäre in *Luise* beschrieben wird. Voß knüpft mit seinen Idyllen an die bukolische Dichtung Theokrits an; in seinen Werken aber, die die Leibeigenschaft behandeln, begibt er sich jeder Stilisierung und Idealisierung, wie sie noch die Idyllen Salomon Geßners aus den fünfziger Jahren bestimmten. Diese Wendung zum Volkstümlichen ist im Zusammenhang mit dem von Herder verwendeten Begriff einer »deutschen« Kunst zu sehen. Hans Dietrich Irmscher hat auf die Nähe von Herders Verständnis dieser Vokabel zum ursprünglichen Wortsinn hingewiesen. Der am Beginn nationaler Identitätssuche stehende Begriff deutsch weist noch nichts von jener Verabsolutierung und Verengung auf, die er heute hat, da sich der Nationalismus in Deutschland historisch widerlegt hat.

Diese Bemerkungen weisen bereits darauf hin, daß die Literatur in den siebziger Jahren eine neue Funktion im allge-

meinen Bewußtsein gewinnt. Die Entstehung des bürgerlichen Romans, die sich 1770 etwa vollzogen hat, bestätigt
das eindrucksvoll. Sie ist im Zusammenhang mit der Entstehung eines Lesepublikums zu sehen, das es zuvor nicht
gegeben hatte. Rudolf Jentzsch hat statistisches Material
zur Entstehungsgeschichte dieses Publikums im Zuammen-
hang einer Auswertung der Leipziger Ostermeßkataloge
von 1740, 1770 und 1800 zusammengetragen. Danach stieg
die Produktion von Büchern aus dem Bereich der »Schönen
Künste und Wissenschaften« zwischen 1740 und 1770 von
40 deutschen Titeln auf 181. Im Jahre 1800 erschienen sogar 523 Bücher dieses Gebietes. Die »Erzählungsliteratur«
wuchs von 20 Titeln auf mehr als das Doppelte, das heißt
auf 46 im Jahre 1770, und im Jahre 1800 erschienen allein
300 Romane. Man kann aus dieser Entwicklung schließen,
daß für diese Produktion auch Nachfrage bestand, und
andere Indizien bestätigen den Befund von Jentzsch. Das
Publikum noch der frühen sechziger Jahre stand weitgehend
unter italienischem und französischem Einfluß, erst um
1770 entstand das bürgerliche Lesepublikum, das im Gegensatz zu den gelehrten Lesern der früheren Aufklärung
deutschsprachige Belletristik der lateinischen wissenschaft-
lichen Literatur vorzog.
An der Kontroverse um *Die Leiden des jungen Werthers*
wird sichtbar, welchen Rang ein Roman nun in den Augen
von Gegnern und Apologeten einzunehmen vermochte. Die
Angriffe des Hauptpastors Goeze in Hamburg, der den
Roman in seiner Streitschrift *Kurze aber notwendige Erinnerung über die Leiden des jungen Werthers* unter die
»sichtbare[n] Beyspiele der Ausbrüche des Verderbens
unserer Zeiten« subsumiert, und die Parodie des Berliner
Buchhändlers und Schriftstellers Friedrich Nicolai *Freuden
des jungen Werthers* signalisieren, daß sich in Goethes Roman die Gattung vom allgemeinen Konsensus der Aufklärung gelöst hat und daß das Verständnis dessen, was sie zu
leisten imstande ist, sich gewandelt hat. Der Roman ist

nicht mehr moralisches Instruktionsmittel, sondern er stellt hier das Recht des autonomen Individuums dar, sich selbst seine Gesetze zu geben. Der Freitod Werthers ist vor allem ein Akt der Freiheit, die sich nicht nur über gesellschaftliche Bindungen und Normen erhebt, sondern über das Leben selbst entscheidet. Man hat Goethes Jugendwerk in der älteren Literatur zum *Werther* vor allem als Dokument der Empfindsamkeit interpretiert; die zustimmenden Zeugnisse der jungen Generation unter den Zeitgenossen bestätigen diese Deutung. Man hat ihn auch als geistesgeschichtliches Dokument der Säkularisation interpretiert (Herbert Schöffler): darüber sollte aber nicht übersehen werden, daß die provokante Wirkung des Romans ihm neben diesen immanenten Qualitäten auch die objektive eines Politikums zuwies (vgl. Peter Müller, Klaus Scherpe).

Werther nahm die Ideale der Aufklärung beim Wort, indem er seinem Leben Gesetze gab, die von den sanktionierten Normen abwichen. Anstoß erregten seine berufliche Untätigkeit, die unerlaubte Liebe zu Lotte und sein Freitod. An diesem Beispiel wird deutlich, daß der Sturm und Drang die Aufklärung fortsetzte, sie sogar radikalisierte, aber nicht beiseite schob oder gar »überwand«. Ferner wird deutlich, daß der Sturm und Drang von der Empfindsamkeit nicht scharf zu trennen ist: selbstverständlich ist Werther ein besonders sensibler und intensiv empfindender Mensch; gerade dies macht ihn aber zum Vorkämpfer für die Rechte des sich emanzipierenden und seine Möglichkeiten realisierenden Individuums und damit zum Exponenten des Sturm und Drang. Auch an anderen Autoren, ja bisweilen an ein und demselben Werk läßt sich beobachten, wie individuelle Sensibilisierung und der Anspruch, dem eigenen Genius zu folgen, Hand in Hand gehen. Entschließt man sich, den *Werther* mit dem ohnehin weiten und ungenauen Begriff Entwicklungsroman zu belegen, so wird man diese Gattung als bestimmend für den nun entstehenden bürgerlichen Roman ansehen dürfen. Er definiert sich for-

mal in der Abgrenzung zu verwandten Prosaformen wie
der Novelle oder der Prosa-Idylle sehr viel schwerer als
andere Gattungen. Man wird aber das Typische gegenüber
dem Roman der Aufklärung vor allem in der Gestaltung
eines »originalen« und »exemplarischen« Weltverhältnisses
aus der Perspektive einer Romanperson zu suchen haben.
Der Roman der Aufklärung erzählte das Geschehen zu-
meist aus der Perspektive eines auktorialen Erzählers; so
verfuhr noch Wieland in den *Abderiten*, die im selben Jahr
wie der *Werther* erschienen. Als vorzüglich geeignetes Mittel, das demgegenüber den Ich-Erzähler, also die Perspektive des dargestellten Individuums, in den Vordergrund
rückte, erwies sich der Brief. Er gewinnt bis zu Goethes
Werther immer mehr an Bedeutung. Man muß ihn als moralisches Dokument sehen, das Auskunft gibt über den inne-
ren Zustand einer Person. Erfahrungen, Reflexionen und
Empfindungen finden hier das zeitbedingte, adäquate Medium. Goethe beschreibt es in *Dichtung und Wahrheit*
(13. Buch): »Man spähte sein eigen Herz aus und das Herz
der andern«, so daß »bei der durchgreifenden Schnelligkeit
der Taxisschen Posten, der Sicherheit des Siegels, dem leid-
lichen Porto« ein »sittliche[r] und literarischer[r] Ver-
kehr« entstand.
Genese und Blüte des Briefromans beleuchten die Situation
des eben entstehenden literarischen Publikums: weit verstreut und isoliert, nur selten in der Lage, die Mühsal beschwerlicher und teurer Reisen auf sich zu nehmen, war es
auf den Brief als Kommunikationsmittel angewiesen. Er ge-
stattet dem auf sich selbst verwiesenen Werther zum Beispiel, seine Empfindungen zu objektivieren. Insofern ist er
die adäquate literarische Artikulationsform der Empfindsamkeit.
Eine andere ist die aus der pietistischen Überlieferung er-
wachsende Darstellung und Analyse der eigenen Seelen-
regungen. In dieser Tradition stehen die Romane von Jung-
Stilling und Moritz. Hat sich Moritz auch in seiner Berliner

Zeit während der Niederschrift des *Anton Reiser* von dieser Tradition gelöst mit dem für einen Pietisten revolutionären Satz »die Natur, die alles heilet, fing auch hier allmählich an, wiedergutzumachen, was die Gnade verdorben hatte« *(Anton Reiser)*, auf den Wolfgang Martens aufmerksam macht, so ist doch die Struktur der pietistischen Seelenerforschung für diesen »psychologischen Roman« ebenso bestimmend wie für Jung-Stillings Lebensgeschichte. Beide bedienen sich zwar der distanzierenden Er-Form, sind aber auf den personalen Erzählstil festzulegen, der das Romangeschehen aus der Perspektive einer Gestalt erzählt. Beide Werke sind darüber hinaus insofern bedeutungsvoll für die weitere Entwicklung des Romans, als sie Angehörige des Kleinbürgertums in den Mittelpunkt stellen. Die Tradition des realistischen Romans in Deutschland im 19. Jahrhundert hat hier eine ihrer Wurzeln.

Ähnliches gilt für die Dramatik des Sturm und Drang. Im Jahre 1740 waren nur zwei deutsche Dramen zur Ostermesse gebracht worden: eine Voltaire-Übersetzung und die Dramatisierung der Telemach-Sage; 1770 sind es 42 Titel, und 1800 beträgt ihre Zahl 64. Es gab zur Zeit des Rokoko eine höfische Theaterkultur, die aber weitgehend französisch beeinflußt war. Daneben entwickelten sich durch das Wirken einiger Schauspieltruppen, die meist von Ort zu Ort zogen, im Laufe der dem Sturm und Drang voraufgehenden Jahrzehnte allmählich Ansätze eines bürgerlichen Theaters. Welche Schwierigkeiten in der wirtschaftlichen und sozialen Stellung des Schauspielers, in Interesse und Geschmack des Publikums, in den Vorurteilen der Geistlichkeit und des Bürgertums lagen und dem Unternehmen eines Nationaltheaters entgegenstanden, läßt Lessings Ankündigung der *Hamburgischen Dramaturgie* noch 1767 deutlich durchblicken. Intellektuelle, Schriftsteller und Schauspieler mußten sich ihre gesellschaftliche Achtung mühsam erkämpfen in der Auseinandersetzung mit überkommenen Meinungen. Immer wieder wird in den damaligen Stücken der Zeit das Theater von Dramengestalten, die der älteren Generation angehören, als Ort der Sittenverderbnis im besonderen und die Lektüre von empfindsamer Belletristik im allgemeinen als Schule des Lasters gebrandmarkt. Erst 1776 wurde das Wiener Burgtheater, erst 1779 das Mannheimer Nationaltheater eröffnet.

Die Dramen des Sturm und Drang sind realistisch in einem ähnlichen Sinn wie der Roman der Epoche. In vielen Werken erscheint die kleinbürgerliche Lebenssphäre: die engen Stuben, in denen der polternde Hausvater herrscht, in denen die moralische Ordnung mit Hilfe von strengen Sanktionen aufrechterhalten wird. Diese in sich geschlossene Welt wird meist durch eine Rebellion der Jugend, die sich gegen das von der Familie als verlängertem Arm der kirchlichen Obrigkeit bestimmte Leben auflehnt, gestört und verwirrt. Häufig kommt es zur Katastrophe durch das Unverständnis der älteren Generation, durch die einengende Macht der in ihnen manifestierten Normen. Das Motiv der Liebe eines Mädchens über seine Standesgrenzen hinaus *(Die Soldaten, Der Hofmeister, Die Kindermörderin, Kabale und Liebe)*, das Problem der unehelichen Mutter *(Faust, Die Kindermörderin)* lassen den Sturm und Drang hier als Revolte der jungen Generation gegen die der Väter erscheinen. Doch auch ohne diese Thematik wirkt die Dramatik des Sturm und Drang bereits revolutionierend durch die Abkehr von der Lehre von den drei Einheiten, womit sich die Abkehr vom hohen Stil der klassizistischen Tragödie verbindet.

Theoretisch wurde diese realistische Wendung durch die Berufung auf Shakespeare begründet. Er konnte zum Vorbild werden, weil er den Weg zu einer eigenen, nicht an antiken, sondern an nationalen Traditionen orientierten Form des Dramas wies. Die Bedeutung von Herders *Shakespeare*-Aufsatz 1773 besteht in der Berufung auf das Geschichtliche, Besondere, Einmalige, das als Bedingung für die Entstehung des Kunstwerkes angesehen wurde. Gattungen der Literatur und Kunstwerke werden dadurch zu historischen Gegenständen; dem Regelkanon der klassizistischen Bühne wird die »Natur« entgegengestellt, worunter man weder die schöne Natur der Aufklärung noch auch nur das Genie verstand, sondern die historischen Entstehungsbedingungen. Auch hier folgt Goethe Herders Anregungen, wenn er im Sendschreiben *Zum Shakespeares-Tag* ausruft: »Natur! Natur! nichts so Natur als Shakespeares Menschen!«

Mit der Forderung nach einer eigenen, nationalen Überlieferungen folgenden Dramatik ergab sich zwangsläufig auch der Rückgriff auf nationale Dramenstoffe. Goethes *Götz* dürfte das bekannteste Beispiel sein. Auch *Faust* spielt in einem historisch ungenau fixierten deutschen Mittelalter. Maler Müller folgte mit dem 1775–81 entstandenen Legendendrama *Genoveva*. Klopstock griff mit seinen Hermanns-Dramen in noch weitere, germanische Vorzeit zurück. Die Wendung zur eigenen nationalen Vergangenheit wurde geradezu zur Mode; der Mannheimer Intendant Wolfgang Heribert von Dalberg ließ Schillers *Räuber* für die Uraufführung zu einem mittelalterlichen Ritterstück umarbeiten.

Die Entwicklung eines deutschsprachigen bürgerlichen Theaters über die von Gottsched inspirierten Formen der Aufklärungsdramatik ist noch unter einem anderen Aspekt zu sehen. Die Bühne artikulierte nicht nur die Probleme des Bürgertums, sie war nicht nur Manifestation der nationalen Identität, sondern sie bot dem in die Enge der bürgerlichen Gesellschaft eingeschlossenen Menschen die Möglichkeit, aus der Misere der eigenen Existenz zu entfliehen. Eckehard Catholy hat auf diese Funktion der Theaterleidenschaft für den Werdegang Anton Reisers aufmerksam gemacht. Das Theater wird ihm Ersatz für gelebtes Leben angesichts einer Wirklichkeit, die ihm die reale Erfüllung seiner Existenz auf nahezu allen Gebieten versagt. Anton Reiser strebt als Gymnasiast in Hannover zum Theater, nachdem er sich zuvor als Hutmacherlehrling in Braunschweig mit einem wirkungsmächtigen Kanzelredner identifiziert hat. Insofern ließe sich seine Theatromanie auch als Säkularisationsphänomen auffassen. Schillers Schrift *Die Schaubühne als eine moralische Anstalt betrachtet* (1785) definiert die gesellschaftliche Funktion des Theaters in ähnlichem Sinn wie die der Religion. Das subjektiv empfundene »Verlangen, sich in einem leidenschaftlichen Zustande zu fühlen«, auf das Schiller im Anschluß an Sulzer die Entstehung der Bühne zurückführt, zieht das Publikum an; Schiller selbst will die »Anschauung und lebendige Gegenwart« des Theaters nutzen, um sittlich zu wirken, »tiefer und dauernder als Moral und Gesetze«.

Doch mit diesem Programm ist die Position des Sturm und Drang fast schon verlassen; datiert man das Ende der Epoche mit Schillers *Kabale und Liebe* auf 1784 oder mit dem Beginn von Goethes Italienreise auf den Herbst 1786, oder schon mit seiner Erhebung in den Adelsstand auf 1782: in jedem Falle hört der Sturm und Drang auf, sobald seine führenden Repräsentanten in bürgerlichen oder höfischen Ämtern die Intention auch ihrer künstlerischen Tätigkeit auf moralische und pädagogische Wirkung konzentrieren oder gar verstummen wie Lenz, Schubart, Hölty, Leisewitz und andere.

Man tut dieser literarischen Bewegung unrecht, wenn man sie nur als Vorbereitung der Klassik ansieht; sie ist ebenso wie von der persönlichen Zukunft einiger ihrer Vertreter auch von ihrer Vergangenheit in der Aufklärung her zu verstehen und in noch älteren Traditionen, für die sie den Blick öffnete.

Das eigene Bild dieser literarischen Bewegung bestimmt sich durch eine Reihe von neuen oder neu definierten Gattungen, die ihrerseits weitergewirkt haben. Die »nordische« Ballade unterscheidet sich merklich von der »Legendenballade« (Walter Hinck) der Klassik. Die bürgerlichen Dramenformen weisen im Unterschied zu den wieder enger an antiken Vorbildern orientierten der Klassik ins 19. Jahrhundert: Hebbels *Maria Magdalena* oder *Agnes Bernauer* haben mehr mit dem Sturm und Drang zu tun als mit der Klassik. Die Wiederentdeckung von Wagners *Kindermörderin* durch den Naturalismus 1904 ist kein Zufall. Vor allem aber Lyrik und Roman gewinnen in den siebziger Jahren des 18. Jahrhunderts den Gattungscharakter, den sie bis ins zwanzigste Jahrhundert behalten haben. All diese Leistungen des Sturm und Drang kumulieren in der Neubestimmung, die die Literatur überhaupt durch den Geniebegriff erfahren hat. Wird man auch die Bindung des Genies »an kosmogonische Mächte«[3] heute nicht mehr akzeptieren und die Vokabel Genie selbst vermeiden, so bleibt doch ihre von Kant formulierte Substanz der exemplarischen Originalität bestimmend für die Kunst weit über Empfindsamkeit und Sturm und Drang hinaus.

---

3. Ernst Robert Curtius: Europäische Literatur und Lateinisches Mittelalter. Bern u. München ⁵1965. S. 401.

I. Theorie

Die theoretischen Bemühungen der Sturm-und-Drang-Autoren streben eine Fundierung der Kunst an außerhalb der unter französischem Einfluß stehenden und weithin herrschenden Formkultur. Zwar hatten sich neben den Höfen und den von ihnen ausgehenden kulturellen Impulsen auch bürgerliche Kunst- und Lebensformen ausbilden können, aber erst um 1770 wurden sie bestimmend für das Gesamtbild der deutschen Kultur.

Die ästhetische Revolution des Sturm und Drang besteht in der Entdeckung, daß es außer der französisch-klassizistischen auch andere nationale Traditionen gibt: Herder entdeckte das Volkslied; er wurde dadurch zum Vorläufer der Romantik auf diesem Gebiet. Diese volkstümliche Kunst war keineswegs immer anonym tradiert; Herders Sammlung von 1778/79 enthielt auch Monologe Shakespeares und Gedichte des jungen Goethe. Er nennt diese Kunst auch »deutsch«. Um die Vokabel nicht im Sinne des späteren Nationalismus mißzuverstehen, sei an die ursprüngliche Bedeutung erinnert: der erste Beleg aus dem Jahre 786 bezeichnet als »theodiscus« das Angelsächsische. »Deutsch« meint auch für Herder in erster Linie die Volkssprache, im Gegensatz zur französischen der spätbarocken Kultur oder der lateinischen der gelehrten Welt. So konnte er in »Von deutscher Art und Kunst« zwanglos seine Arbeiten über Shakespeare und Ossian einreihen. Goethe spricht von »deutscher Baukunst« und meint ein Produkt der französischen Gotik, das Straßburger Münster. Das Wort bezeichnet weniger ein Programm historischer Forschung als vielmehr eigener künstlerischer Produktion.

Das wird vor allem an der Shakespeare-Begeisterung dieser Generation deutlich. Es ist die Zeit der ersten deutschen Shakespeare-Ausgaben; Wieland hatte eine achtbändige

Übersetzung 1762–66 erscheinen lassen; Johann Joachim Eschenburg gab 1775–82 eine dreizehnbändige heraus. Der englische Dramatiker galt Gerstenberg, Goethe und Herder in erster Linie als große Persönlichkeit, der es nachzueifern gelte. Wenn Goethe seine Werke mit dem Wort »Natur« charakterisiert, so formuliert er damit, daß es ihm um die Freiheit der eigenen Person geht. Was diese »Natur« eigentlich sei, wird aus einer bestimmten Perspektive von Schiller und Stolberg beschrieben: Natur stellt sich durch die Fähigkeit dar, stark und intensiv zu empfinden. Hatte die spätbarocke Formkultur, die zum Beispiel von Schiller in »Kabale und Liebe« karikiert wird, das Ideal des Lebens in der höfischen Repräsentanz erblickt, so tritt an deren Stelle nun die Freundschaft. Rang und Wert des Individuums bemessen sich nicht an seiner Stellung in der Gesellschaft, sondern an der immanenten natürlichen Substanz seiner Person.

JOHANN GEORG HAMANN

Geb. 27. August 1730 in Königsberg, gest. 21. Juni 1788 in Münster, Sohn eines Wundarztes. 1746–52 Studium der Rechts- und Staatswissenschaft, Philosophie, Sprachen und Literatur in Königsberg, 1752–56 als Hauslehrer in Livland, 1756–58 Anstellung im Handelshaus Berens zu Riga, 1757 Reise nach London, vermutlich in handelspolitischem Auftrage der Firma, 1758/59 wieder in Riga, 1759 Königsberg. 1764–67 Reisen nach Frankfurt, Berlin (Umgang mit Mendelssohn und Nicolai), Mitau, wo er als Sekretär eines Rechtsanwaltes Anstellung fand, und Warschau. 1767 durch Vermittlung Kants Stellung bei der Zollverwaltung, 1772 Verwalter des Packhofes in Königsberg. 1787 wurde sein Gesuch um Urlaub mit dem Abschied und einer kleinen Pension beschieden; Hamann reiste nach Westfalen. Als er über Weimar nach Königsberg zurückreisen wollte, starb er.
Werke: *Sokratische Denkwürdigkeiten* (1759); *Kreuzzüge des Philologen* (1762); *Des Ritters vom Rosenkreuz letzte Willensmeynung* (1772); *Hieropanthische Briefe* (1775); *Metakritik* (1784).

Aesthetica in nuce.
Eine Rhapsodie in Kabbalistischer Prose (Auszug)

Hamann gilt aufgrund dieser 1762 in dem Sammelband
»Kreuzzüge des Philologen« erschienenen Schrift weithin
als Vorläufer und Wegbereiter des Sturm und Drang. Mög-
licherweise beruht aber die Bedeutung dieses Werkes vor
allem auf seiner Wirkung auf den jungen Herder, mit dem
Hamann 1762 in Königsberg zusammentraf und Freund-
schaft schloß. Der dunkle Stil Hamanns, der in der »Aesthe-
tica in nuce« seine Rechtfertigung findet, hat das Verständ-
nis des Werkes zweifellos erschwert. Daß es sich hier um
ein gegen den Rationalismus der Aufklärung gerichtetes
ästhetisches Programm handelt, dürfte deutlich werden:
das Plädoyer für Leidenschaften und Natur ist unüberhör-
bar. Goethe hat Hamann in einem Aperçu in »Dichtung
und Wahrheit« umrissen: »Das Prinzip, auf welches die
sämtlichen Äußerungen Hamanns sich zurückführen lassen,
ist dieses: ›Alles, was der Mensch zu leisten unternimmt, es
werde nun durch Tat oder Wort oder sonst hervorgebracht,
muß aus sämtlichen vereinigten Kräften entspringen; alles
Vereinzelte ist verwerflich‹« (III. Teil, 12. Buch). Hierin ist
zugleich die Schwierigkeit des Hamannschen Denkens be-
gründet, »denn das Wort muß sich ablösen, es muß sich
vereinzeln, um etwas zu sagen, zu bedeuten«.

Seht! die große und kleine Masore[1] der Weltweisheit hat
den Text der Natur, gleich einer Sündfluth, überschwemmt.
Musten nicht alle ihre Schönheiten und Reichthümer zu
Wasser werden? – Doch ihr thut weit größere Wunder-
werke, als die Götter sich jemals belustiget* haben, durch

* – φιλοπαιγμονες γαρ και οι Θεοι. Sokrates im Kratylus.[2]

1. ›Überlieferung‹, Apparat und Kommentare der jüdischen Gelehrten
des 8. Jh.s zur hebr. Bibel.

2. denn diese Götter selbst lieben den Scherz (Platon: Kratylos 406 c).

Eichen* und Salzsäulen, durch petrificirte und alchymische
Verwandlungen und Fabeln, das menschliche Geschlecht zu
überreden – Ihr macht die Natur blind, damit sie nämlich
eure Wegweiserin seyn soll! oder ihr habt euch selbst vielmehr durch den Epikurismum[4] die Augen ausgestochen, damit man euch ja für Propheten halten möge, welche Eingebung und Auslegung aus ihren fünf Fingern saugen. – Ihr
wollt herrschen über die Natur, und bindet euch selbst
Hände und Füße durch den Stoicismus, um desto rührender
über des Schicksals diamantene Fesseln in euren vermischten
Gedichten fistuliren[5] zu können.

Wenn die Leidenschaften Glieder der Unehre sind, hören
sie deswegen auf, Waffen der Mannheit zu seyn? Versteht
ihr den Buchstaben der Vernunft klüger, als jener allego-
rische Kämmerer[6] der alexandrinischen Kirche den Buchstaben der Schrift, der sich selbst zum Verschnittenen
machte, um des Himmelreichs willen? Die grösten Böse-
wichtiger gegen sich selbst, macht der Fürst dieses Äons[7] zu
seinen Lieblingen; – – seine Hofnarren sind die ärgsten

---

* Sokrates zum Phädrus: Οι δε ω φιλε εν τω του Διος του Δωδωναιου
ιερω δρυος λογους εφασαν μαντικους πρωτους γενεσθαι· τοις μεν ουν
τοτε ατε ουκ ουσι σοφοις, ωσπερ υμεις οι νεοι, απεχρη δρυος δε και
πετρας ακουειν υπ' ευηθειας, ει μονον αληθη λεγοιεν. Σοι δ' ισως
διαφερει, τις ο λεγων και ποδαπος, ου γαρ εκεινο μονον σκοπεις, ειτε
ουτως ειτε αλλως εχει.[3]

3. Sollen doch, o Freund, in des Zeus dodonäischem Tempel einer
Eiche Reden die ersten prophetischen gewesen sein. Den damaligen nun,
weil sie eben nicht so weise waren als ihr Jüngeren, genügte es in ihrer
Einfalt, auch der Eiche und dem Stein zuzuhören, wenn sie nur wahr
redeten. Dir aber macht es vielleicht einen Unterschied, wer der Re-
dende ist und von wannen. Denn nicht darauf allein siehst du, ob so
oder anders sich die Sache verhält (Platon: Phaidros 275 b/c).

4. Nach der Lehre Epikurs wird die Natur ›blind‹, weil die Welten durch
zufällige Atomkombinationen entstehen und vergehen.

5. mit unnatürlich hoher Stimme singen.

6. An der wegen ihrer allegorischen Exegese berühmten Theologen-
schule von Alexandria wirkte der Kirchenlehrer Origenes (185–254), der
sich entmannte.

7. vielleicht Anspielung auf Friedrich II. und seine Tafelrunde: Voltaire, d'Argens, La Mettrie, Maupertuis.

Feinde der schönen Natur, die freylich Korybanten[8] und Gallier zu Bauchpfaffen, aber starke Geister zu wahren Anbetern hat.

Ein Philosoph, wie Saul*, stellt Mönchengesetze – – Leidenschaft allein giebt Abstractionen sowohl als Hypothesen Hände, Füße, Flügel; – Bildern und Zeichen Geist, Leben und Zunge – – Wo sind schnellere Schlüsse? Wo wird der rollende Donner der Beredsamkeit erzeugt, und sein Geselle – der einsylbichte Blitz** – –

Warum soll ich Ihnen, nach Stand, Ehr und Würden unwissende Leser! Ein Wort durch unendliche umschreiben, da sie die Erscheinungen der Leidenschaften allenthalben in der menschlichen Gesellschaft, selbst beobachten können; wie alles, was noch so entfernt ist, ein Gemüth im Affect mit einer besonderen Richtung trift; wie jede einzelne Empfindung sich über den Umkreis aller äußeren Gegenstände verbreitet***; wie wir die allgemeinsten Fälle durch eine persönliche Anwendung uns zuzueignen wissen, und jeden ein-

---

* 1 Sam. XIV, 24.

** Brief as the lightning in the collied night, / That (in a spleen) unfolds heav'n and earth / And ere man has power to say: Behold! / The jaws of darkness do devour it up (Shakespeare im Midsummer-Night's Dream).[9]

*** C'est l'effet ordinaire de notre ignorance de nous peindre tout semblable à nous et de repandre nos portraits dans toute la nature, sagt Fontenelle in der Histoire du Theatre Franç. Une grande passion est une espece d'Ame, immortelle à sa maniere et presque independante des Organes. Fontenelle in Eloge de M. du Verney.[10]

8. *Begleiter oder Priester der phrygischen Muttergottheit Kybele, die sie mit ausgelassenen Tänzen und wilder Musik feierten.*

9. *Schnell, wie der Blitz, der in geschwärzter Nacht / Himmel und Erd' in einem Wink entfaltet; / Doch eh' ein Mensch vermag zu sagen: schaut! / Schlingt gierig ihn die Finsternis hinab (Shakespeare: Ein Sommernachtstraum I, 1 [Schlegel]).*

10. *Es ist die gewöhnliche Wirkung unserer Unwissenheit, daß wir uns alles als uns ähnlich ausmalen und unser Bild über die ganze Natur breiten (Fontenelle: Œuvres de Monsieur de Fontenelle. Nouvelle Edition. 3. Bd. S. 27 f.). Eine große Leidenschaft ist eine Art Seele, auf ihre Weise unsterblich und von den Organen fast unabhängig (Fontenelle, a. a. O., Bd. 6, S. 460).*

heimischen Umstand zum öffentlichen Schauspiele Himmels und der Erden ausbrüten. – Jede individuelle Wahrheit wächst zur Grundfläche eines Plans, wunderbarer als jene Kuhhaut[11] zum Gebieth eines Staats; und ein Plan, geraumer als das Hemisphär, erhält die Spitze eines Sehpuncts. – – Kurz, die Vollkommenheit der Entwürfe, die Stärke ihrer Ausführung; – die Empfängnis und Geburt neuer Ideen und neuer Ausdrücke; die Arbeit und Ruhe des Weisen, sein Trost und sein Eckel daran, liegen im fruchtbaren Schooße der Leidenschaften vor unsern Sinnen vergraben.

»Des Philologen Publicum, seine Welt von Lesern, scheint jenem Hörsaal ähnlich zu seyn, den ein einziger Platon füllte*. – Antimachus fuhr getrost fort, – wie geschrieben steht:

Non missura cutem nisi plena cruoris hirudo.[13]«

Gerade, als wenn unser Lernen ein bloßes Erinnern wäre, weist man uns immer auf die Denkmale der Alten, den Geist durch das Gedächtnis zu bilden. Warum bleibt man aber bey den durchlöcherten Brunnen der Griechen stehen, und verläst die lebendigsten Qvellen des Alterthums? Wir wissen vielleicht selbst nicht recht, was wir in den Griechen und Römern bis zur Abgötterey bewundern. Daher kommt der verfluchte Widerspruch** in unsern symbolischen Lehrbüchern, die bis auf diesen Tag in Schaafsfell zierlich ge-

---

* Plato enim mihi VNVS instar omnium est. Cicero in Brut.[12]
** Ps. LIX, 13.

11. Nach der Sage erbat Dido auf der Flucht vor ihrem Bruder Pygmalion von König Jarbas so viel Land, wie sie mit einer Kuhhaut umspannen konnte. Sie zerschnitt die Haut in Streifen und errichtete auf dem so gewonnenen Gebiet die Stadt Karthago.
12. (Als er [Antimachus] jenes lange und euch wohlbekannte Gedicht vor einer Versammlung las, verließen sie alle Zuhörer, ausgenommen Platon. »Ich werde nichtsdestoweniger weiterlesen, sagte er,) denn Platon allein ist mir allen gleichwertig« (Cicero: Brutus 51, 191).
13. gleich dem Egel, der nicht abläßt, bis er voll ist [wird er ihn mit Lesen quälen, bis der Patient den Geist vor Gähnen aufgegeben hat] (Horaz: De arte poetica 476 [Wieland]).

bunden werden, aber inwendig – ja inwendig, sind sie voller Todtenbeine, voller hypo-kritischer Untugend*.

Gleich einem Manne, der sein leiblich Angesicht im Spiegel beschaut, nachdem er sich aber beschaut hat, von Stundan davon geht und vergißt, wie er gestaltet war; eben so gehen wir mit den Alten um – Gar anders sitzt ein Maler zu seinem eignen Contrefait. – Narciß, (das Zwiebelgewächs schöner Geister) liebt sein Bild mehr als sein Leben**.

* Siehe den ganzen XI. Theil der Briefe, die neueste Litteratur betreffend, hie ein wenig, da ein wenig, eigentlich aber Seite 131.

** Ouid. Metamorph. Lib. III.

– bibit visae correptus imagine formae. / Spem sine corpore amat, corpus putat esse, quod vmbra est. / Adstupet ipse sibi, vultuque immotus eodem / Haeret vt e Pario formatum marmore signum. / Spectat humi positus geminum, sua lumina, sidus, / Et dignos Baccho, dignos & Apolline crines, / Impubesque genas & eburnea colla, decusque / Oris, & in niueo mistum candore ruborem; / Cunctaque miratur, quibus est mirabilis ipse. / – – opaca fusus in herba / Spectat inexpleto mendacem lumine formam, / Perque oculos perit ipse suos; paulumque leuatus / Ad circumstantes tendens sua brachia siluas; / »Ecquis io! siluae, crudelius, inquit, amauit? / (Scitis enim & multis latebra opportuna fuistis) – – – / Et placet & video; sed quod videoque placetque / Non tamen inuenio. Tantus tenet error amantem! / Quoque magis doleam, nec nos mare separat ingens / Nec via, nec montes, nec clausis moenia portis. / Exigua prohibemur aqua – – – / Posse putes tangi. Minimvm est quod amantibus obstat. / Quisquis es, huc exi! – – – / Spem mihi nescio quam vultu promittis – / – – lacrymas quoque saepe notaui / Me lacrymante tuas, nutu quoque signa remittis – / In te ego sum. Sensi, nec me mea fallit imago – / Quod cupio, meum est: inopem me copia fecit. / O vtinam nostro secedere corpore possem! / Votum in amantem nouum – –« / Dixit & ad faciem rediit male sanus eandem, / Et lacrymis turbauit aquas, obscuraque moto / Reddita forma lacu est. Quam quum vidisset abire / – – clamauit: »Liceat quod tangere non est / Aspicere & misero praebere alimenta furori « – / Ille caput viridi fessum submisit in herba; / Lumina nox clausit domini mirantia formam. / Tum quoque se, postquam est inferna sede receptus, / In Stygia spectabat aqua – – – / Planxerunt Dryades; plangentibus assonat Echo, / Iamque rogum quassasque faces feretrumque parabant, / Nusquam corpus erat. Croceum pro corpore florem / Inueniunt foliis medium cingentibus albis.[14]

14. . . . *er trinkt; von dem Bilde gesehener Reize bezaubert,* / *Liebet er nichtigen Trug; und Leib erscheint ihm der Schemen.* / *Selber staunt er sich an; unbewegt in einerlei Stellung* / *Haftet er, wie ein Gebild aus*

Das Heil kommt von den Juden – Noch hatte ich sie nicht
gesehen; ich erwartete aber in ihren philosophischen Schriften gesundere Begriffe – zu eurer Beschämung – Christen! –
Doch ihr fühlt den Stachel des guten Namens, davon ihr
genennt seyd*, eben so wenig als die Ehre, die sich GOTT
aus dem Eckelnamen des Menschensohns machte – – – –

* Jakob. II, 7.

*parischem Marmor gemeißelt. | Gierig schaut er, im Grase gelehnt,
zwei Sterne, die Augen; | Schaut, wie werth des Lyäus, wie werth des
Apollo das Haar sei, | Wie unmännlich die Wang', und wie schim-
mernd der Hals, und die Anmut | Seines Gesichts, wie gesellt zur
schneeigen Weiße die Röthe. | Alles bewundert er selbst, was er selbst
der Bewunderung darbeut. | ... Im dunkelen Grase gelagert, | Schaut
er den trügenden Reiz mit unsättlichem Anblick, | Selbst von den
eigenen Augen verzehrt. Nun hebt er sich etwas, | Und zu den Wal-
dungen rings die gebreiteten Arme gestrecket: | Hat unglücklicher einer,
o Waldungen, sagt er, geliebet? | Denn ihr wißts, die ihr oft mitkun-
dige Lauben geboten! ... | Jenes gefällt, und ich seh' es; doch was
mit Gefallen ich sehe, | Nirgendwo find' ich es auf: so schlägt mich
Liebenden Wahnsinn! | Ja, was den Schmerz noch mehrt: nicht trennt
ein gewaltiges Meer uns, | Nicht ein Gebirg, nicht Ferne, nicht rie-
gelnde Barren und Mauern. | Nur ein Wässerchen hemmt! ... | Fast,
fast scheint er berührt; nur ein weniges scheidet die Sehnsucht. | Wer
du auch bist, komm her! ... | Hofnung, ich weiß nicht welche, ver-
heißt dein freundliches Antliz. ... | Oft sah ich dir Thränen entrol-
len, | Wann Ich Thränen vergoß; und dem Wink auch winkst du ent-
gegen ... | Du bist Ich, nun merk' ich, und nicht mehr teuscht mich
mein Bildnis! ... | Was ich begehr', ist bei mir; zum Darbenden macht
mich der Reichthum. | O wie möcht' ich so gern vom eigenen Leibe
mich sondern! | Was kein Liebender wünscht ... | Jener sprach's; und
zur selben Gestalt umkehrend wie sinnlos, | Trübt er mit Thränen die
Flut, und getilgt von kreisender Wallung | Schwand in dem Spiegel das
Bild. Da es unter ihm zitternd hinwegfloh ... | ... rief er ... Laß
mich, was zu rühren verwehrt ist, | Wenigstens schaun, und nähren den
mitleidswürdigen Wahnsinn! ... | Jezo senkt er das Haupt kraftlos im
grünenden Grase; | Nacht umschattet die Augen, womit sich der Schöne
bewundert. | Aber auch dann, nachdem in die untere Wohnung er ein-
ging, | Schaut' er sich selbst in stygischer Flut ... | Auch wehklagten
Dryaden: zur Wehklag' hallete Echo. | Schon ward Bahre besorgt und
Brand und geschwungene Fackel: | Doch war nirgend der Leib; für den
Leib ein gelbliches Blümlein | Fanden sie, rings um den Kelch weiß-
schimmernde Blätter gegürtet (Ovid, Metamorph. III 415–510, mit Aus-
lassungen [Voß]).*

Natur und Schrift also sind die Materialien des schönen, schaffenden, nachahmenden Geistes – – Bacon[15] vergleicht die Materie der Penelope; – ihre freche Buhler sind die Weltweisen und Schriftgelehrten. Die Geschichte des Bettlers, der am Hofe zu Ithaka erschien, wißt ihr; denn hat sie nicht Homer in griechische und Pope in englische Verse übersetzt? – –

Wodurch sollen wir aber die ausgestorbene Sprache der Natur von den Todten wieder auferwecken? – – Durch Wallfahrten nach dem glücklichen Arabien, durch Kreuzzüge nach den Morgenländern, und durch die Wiederherstellung ihrer Magie, die wir durch alte Weiberlist, weil sie die beste ist, zu unserer Beute machen müssen. – Schlagt die Augen nieder, faule Bäuche! und lest, was Bacon* von der Magie dichtet. – Weil euch seidene Füße in Tanzschuhen

---

* Magia in eo potissimum versabatur, vt architecturas & fabricas rerum naturalium & ciuilium symbolisantes notaret – – Nec similitudines merae sunt (quales hominibus fortasse parum perspicacibus videri possint) sed plane vna eademque naturae vestigia aut signacula diversis materiis & subiectis impressa. Bacon im dritten Buch de augmentis scientiarum[16]; wo er die Magie auch durch eine scientiam consensuum rerum vniuersalium[17] und bey diesem Schimmer die Erscheinung der Weisen zu Bethlehem zu erklären meynt.

15. Nach einer der von Bacon allegorisch interpretierten Mythen ist Pan (die Natur) der Sohn Penelopes (der formlosen Materie) mit den Freiern (den platonischen oder aristotelischen Ideen oder Formen). Richtig ist, sagt Bacon, daß er der Sohn der Materie mit dem Merkur (Wort Gottes, Logos) ist. Diese Auslegung bestimmt Hamanns Deutung der Odyssee.
16. Die Magie beschäftigte sich hauptsächlich damit, Übereinstimmungen im Grundriß und Bau zwischen der Welt der Natur und der des Menschen wahrzunehmen. Auch sind diese keine bloßen Ähnlichkeiten (wie es vielleicht den weniger einsichtsvollen Menschen scheinen könnte), sondern deutlich dieselben Fußstapfen der Natur oder Zeichen, verschiedenem Stoff und Grund eingedrückt (Bacon: Works I, 542).
17. Wissenschaft von der Übereinstimmung aller Dinge.

eine so beschwerliche Reise nicht tragen werden: so laßt
euch einen Richtweg[18] durch die Hyperbel[19] zeigen –*
Du, der Du den Himmel zerrissest und herabfuhrst! – vor
Dessen Ankunft Berge zerfließen, wie heiß Wasser vom
heftigen Feuer aufseudet, damit Dein Name unter Feinden
desselben, die sich gleichwol nach Ihm nennen, kund werde,
und gesalbte Heyden zittern lernen vor den Wundern, die
Du thust, derer man sich nicht versieht! – Laß neue Irrlich-
ter im Morgenland aufgehen! – Laß den Vorwitz ihrer
Weisen durch neue Sterne erweckt werden, uns ihre Schätze
selbst ins Land zu führen – Myrrhen! Weyrauch! und ihr
Gold! woran uns mehr gelegen als an ihrer Magie! – Laß
Könige durch sie geäfft[21] werden, ihre philosophische Muse
gegen Kinder und Kinderlehren vergeblich schnauben; Ra-
hel aber laß nicht vergeblich weinen! – –
Wie sollen wir nun den Tod in den Töpfen[22] verschlingen,
um das Zugemüse für die Kinder der Propheten schmack-
haft zu machen? Wodurch sollen wir den erbitterten Geist
der Schrift versöhnen? »Meynst du, daß ich Ochsenfleisch
essen wolle oder Bocksblut trinken?« Weder die dogma-
tische Gründlichkeit pharisäischer Orthodoxen, noch die
dichterische Üppigkeit sadducäischer Freygeister wird die
Sendung des Geistes erneuren, der die heiligen Menschen
GOttes trieb (ευκαιρως ακαιρως[23]) zu reden und zu schreiben. – – Jener Schooßjünger des Eingebornen, der in des
Vaters Schooß ist, hat es uns verkündiget: daß der Geist der
Weissagung im Zeugnisse des Einigen Namens lebe, durch

---

* – και ετι καθ' υπερβολην οδον υμιν δεικνυμι.[20] 1. Kor. XII, 31.

18. Weg, der in die Richte führt, der näher ist als die Hauptstraße
(Grimm).
19. 1. Übergang, Paßweg; 2. stilistisch: starke Steigerung des Aus-
drucks (über die Glaubwürdigkeit hinaus).
20. Und ich will euch noch einen köstlicheren Weg zeigen.
21. Vgl. Matth. 2, 16–18; bezieht sich auf Friedrich II. und seine
»philosophische Muse«.
22. Vgl. 2. Kön. 4, 38–42.
23. zu rechter Zeit oder zur Unzeit.

den wir allein seelig werden, und die Verheißung dieses und
des zukünftigen Lebens ererben können; – des Namens, den
niemand kennt, als der ihn empfäht, der über alle Namen
ist, daß in dem Namen JESU sich beugen sollen alle derer
Knie, die im Himmel und auf Erden und unter der Erden
sind; auch alle Zungen bekennen sollen, daß JESUS CHRI-
STUS der HERR sey zur Ehre GOttes! – des Schöpfers,
der da gelobt ist in Ewigkeit! Amen!

Das Zeugnis JESU also ist der Geist der Weissagung*, und
das erste Zeichen, womit er die Majestät seiner Knechtsgestalt offenbart, verwandelt die heiligen Bundesbücher in
alten guten Wein, der das Urtheil der Speisemeister hinter-
geht, und den schwachen Magen der Kunstrichter stärkt.
Lege libros propheticos non intellecto CHRISTO²⁴, sagt der
punische** Kirchenvater³¹, quid tam insipidum & fatuum
inuenies? Intellige ibi CHRISTUM, non solum sapit, quod

---

* Offenb. XIX, 10.
** S. die Beantwortung der Frage von dem Einflusse der Meynungen in
die Sprache und der Sprache in die Meynungen, welche den von der
königlichen Akademie der Wissenschaften für das Jahr 1759. gesetzten
Preiß erhalten hat. S. 66. 67. Hiebey kann füglich zu Rath gezogen
werden: Ars Pun-ica, siue Flos Linguarum: The Art of Punning, or the
Flower of Languages in seventy-nine Rules for the farther Improvement
of Conversation and Help of Memory. By the Labour and Industry of
Tum Pun-Sibi.²⁵

Ex ambiguo dicta vel argutissima putantur; sed non semper in ioco,
sed etiam in grauitate versantur – Ingeniosi enim videtur vim verbi in
aliud atque ceteri accipiant, posse dicere.²⁶ Cicero de Orat. lib. 2. The
second Edition 1719. 8. Dieses gelehrte Werk (von dem ich leider! nur

24. *Lies die prophetischen Bücher, ohne Christus verstanden zu haben.*
25. *Die Kunst des Wortspiels, oder die Blüte der Sprachen in neun-
undsiebzig Regeln für weitere Verbesserung der Gesprächskunst und
um das Gedächtnis zu stützen. Durch die Arbeit und den Fleiß von
Tum-Pun-Sibi.*
26. *Der Witz, der seinen Ursprung in Doppelsinnigkeit hat, wird als
der geistreichste betrachtet; er beschäftigt sich aber nicht nur mit dem
Scherzhaften, sondern auch mit dem Ernsten – Es scheint in der Tat die
Sache eines Talentvollen zu sein, dem Wort eine ganz andere Bedeutung
geben zu können als die, in der es die übrigen Menschen verstehen.*

ein defectes Exemplar besitze) hat zum Verfasser – Swift, den Ruhm
der Geistlichkeit,   Hagedorn.
(The glory of the Priesthood and the shame!)

Essay on Criticism.[27]

und fängt sich mit einer logischen, physischen und moralischen Definition an. Im logischen Verstande Punnata dicuntur id ipsum quod sunt
aliorum esse dicuntur aut alio quovis modo ad aliud referuntur.[28] Nach
der Naturlehre (des äbentheuerlichen und grillenfängerischen Cardans)
in Punning is an Art of harmonious Jinggling upon Words, which pass-
ing in at the Ears and falling upon the Diaphragma, excites a titillary
Motion in those Parts, and this being convey'd by the Animal Spirits
into the Muscles of the Face raises the Cockles of the Heart.[29] Nach
der Casuistick aber ist es a Virtue, that most effectually promotes the
End of good Fellowship[30] – – Ein Exempel von dieser künstlichen Tugend findt man unter andern von gleichem Schlage, in obangeführter
Beantwortung an der punischen Vergleichung zwischen Mahometh, dem
Propheten und Augustin, dem Kirchenvater, die einem amphibologischen
Liebhaber der Poesie von halb enthusiastischer halb scholastischer Einbildungskraft ähnlich sieht, der noch lange nicht gelehrt genug zu seyn
scheint, den Gebrauch der figürlichen Sprache gehörig einzusehen, geschweige geistliche Erfahrungen prüfen zu können. Der gute Bischof
sprach ohne es zu wissen hebräisch, wie der bürgerliche Edelmann ohne
es zu wissen Prose, und wie man noch heut zu Tage durch gelehrte
Fragen und ihre Beantwortung ohne es zu wissen, die Barbarey seiner
Zeiten und die Tücke seines Herzens verrathen kann, zum Preiß der
tiefsinnigen Wahrheit: daß alle Sünder sind und des Ruhms mangeln,
der ihnen angedichtet wird, der arabische Lügenprophet sowohl als der
gute afrikanische Hirte und dem witzige Kopf, (den ich zuerst hätte
nennen sollen) dem es eingefallen durch so lächerliche Parallelstellen
jene zween Bekenner der Providentz bey den Haaren in Vergleichung
zu ziehen, der punischen Vernunftlehre unserer heutigen Kabbalisten
gemäß, denen jedes Feigenblatt einen zureichenden Grund, und jede
Anspielung eine Erfüllung abgiebt.

27. *Der Ruhm der Geistlichkeit und ihre Schande! (Pope über Erasmus
in: Essay on Criticism 694).*
28. *Das Wortspiel ist seinem Wesen nach etwas, wovon gesagt wird,
daß es anderem zukommt oder in jeder beliebigen Art auf anderes bezogen wird.*
29. *Im Wortspiel liegt eine Kunst des harmonischen Wortgeklingels,
das durch die Ohren eindringend zum Zwerchfell gelangt, hier eine
angenehm kitzelnde Bewegung erregt, die, von den Lebensgeistern in
die Muskeln des Gesichts befördert, das Innerste des Herzens belebt.*
30. *eine Tugend, die sehr wirksam zum Ende guter Freundschaft bei-
trägt.*
31. *Aurelius Augustinus (354–430).*

legis, sed etiam inebriat.[32] »Aber den freveln und hochfah-
renden Geistern hier ein Mal zu stecken, – – muß Adam
zuvor wohl todt seyn, ehe er dies Ding leide und den starken Wein trinke. Darum siehe dich für, daß du nicht Wein
trinkst, wenn du noch ein Säugling bist; eine jegliche Lehre
hat ihre Maße, Zeit und Alter.«*

Nachdem GOTT durch Natur und Schrift, durch Geschöpfe
und Seher, durch Gründe und Figuren, durch Poeten und
Propheten sich erschöpft, und aus dem Othem geredt hatte:
so hat er am Abend der Tage zu uns geredt durch Seinen
Sohn, – gestern und heute! – bis die Verheißung seiner Zukunft[34] – nicht mehr in Knechtsgestalt – auch erfüllt seyn
wird –

> Du Ehrenkönig, HERR JESU CHRIST!
> GOTTES VATERS ewiger SOHN Du bist;
> Der Jungfraun Leib nicht hast verschmäht – –**

Man würde ein Urtheil der Lästerung fällen, wenn man
unsere witzige Sophisten, die den Gesetzgeber der Juden

---

* Worte unsers Luthers (der sich durch Lesung des Augustins seinen
Geschmack ein wenig verdorben haben soll) aus dessen bekannter Vorrede über den Brief an die Römer, an der ich mich eben so wenig müde
lesen kann, als an seiner Vorrede zum Psalter. Ich habe diese Stelle
durch eine sogenannte Accommodation[33] hier angeführt, weil Luther am
angeführten Orte von dem Abgrunde Göttlicher Vorsehung spricht, und
nach seiner löblichen Gewohnheit auf seinen Ausspruch versichert, »daß
man ohne Leiden, Kreuz und Todesnöthen die Vorsehung nicht ohne
Schaden und heimlichen Zorn wider Gott handeln könne«.

** Den Kirchenliederischen Fall dieses Abschnittes wird der andächtige
Leser selbst ergänzen. Mein Gedächtnis verläßt mich aus bloßem Eigensinn; – Semper ad euentum – – & quae desperat – relinquit[35].

*32. Was findest du, das ebenso fade und albern wäre. Verstehe Chri-
stus darin, dann schmeckt nicht allein, was du liest, sondern es be-
rauscht dich.*

*33. Anpassung, in der Theologie der Aufklärung besonders die Anpas-
sung der Verkündigung überzeitlich gültiger Wahrheiten an das Fas-
sungsvermögen der Zuhörer.*

34. Ankunft.

35. Stets zum Ende fort – – und was er aufgibt – läßt er liegen.

einem Eselskopf, und die Sprüche ihrer Meistersänger dem
Taubenmist gleich schätzen, für dumme Teufel schelten
wollte; aber doch wird sie der Tag des HERRN – – – ein
Sonntag, schwärzer als die Mitternacht, in der unüberwind-
liche Flotten Stoppeln sind[36] – – Der verbuhlteste West, ein
Herold des jüngsten Ungewitters, – so poetisch – als es der
HERR der Heerschaaren nur denken und ausdrücken kann,
wird da den rüstigsten Feldtrompeter überschmettern: – –
Abrahams Freude den höchsten Gipfel erreichen; – sein
Kelch überlaufen – Die allerletzte Thräne! unschätzbar
köstlicher als alle Perlen[37], womit die letzte Königin in
Egypten Übermuth treiben wird; – diese allerletzte Thräne
über Sodoms letzten Brand und des letzten Märtyrers* Ent-
führung, wird GOTT eigenhändig von den Augen Abrahams, des Vaters der Gläubigen! abwischen – –
Jener Tag des HERRN, der Christen Muth macht des
HERRN Tod zu predigen, wird die dummsten Dorfteufel
unter allen Engeln, denen ein höllisches Feuer bereitet ist,
offenbar machen. Die Teufel glauben und zittern! – aber
eure durch die Schalkheit der Vernunft verrückte Sinne
zittern nicht – Ihr lacht, wenn Adam, der Sünder, am
Apfel, und Anakreon, der Weise, am Traubenkern erstickt!
– Lacht ihr nicht, wenn Gänse das Capitol entsetzen – und
Raben[38] den Patrioten ernähren, in dessen Geist Israels Ar-
tillerie und Reuterey bestand? – Ihr wünscht euch heimlich
zu eurer Blindheit Glück, wenn GOTT am Kreuz unter die
Missethäter gerechnet wird – und wenn ein Gräuel zu Genf
oder Rom, in der Oper oder Moschee, apotheosirt und
koloqvintisirt[39] wird. – –

* 2 Petr. II, 8.

36. Anspielung auf die 1588 vernichtete spanische Armada.
37. Als Antonius über ein verschwenderisches Festessen zu seinen Ehren
bei Kleopatra erstaunte, nahm sie eine Perle von ihrem Ohr, löste sie
in Essig auf, trank ihm zu und sagte, daß dieser Becher, auf sein Wohl
getrunken, viel kostbarer sei.
38. Vgl. 1. Kön. 17, 6.
39. Vgl. 2. Kön. 4, 39–41. Die Koloquinte oder Purgiergurke ist ›der

Pinge duos angues! pueri, sacer est locus; extra
Meiite; discedo − − −

PERS.[40]

Der Geburtstag eines Genies wird, wie gewöhnlich, von
einem Märtyrerfest unschuldiger Kinder begleitet − Man
erlaube mir, daß ich den Reim und das Metrum mit unschuldigen Kindern vergleichen darf, die über unsere neueste Dichtkunst einer drohenden Lebensgefahr ausgesetzt zu
seyn scheinen.

Wenn der Reim zum Geschlechte der Paronomasie*[41] gehört: so muß das Herkommen desselben mit der Natur der
Sprachen und unserer sinnlichen Vorstellungen beynahe
gleich alt seyn. − − Wem das Joch des Reims zu schwer
fällt, ist dadurch noch nicht berechtigt, das Talent** desselben zu verfolgen. Der Hagestolze hätte dieser leichtsin-
nigen Feder sonst so viel Anlaß zu einer Stachelschrift gegeben, als Platon haben mochte den Schlucken des Aristo-
phanes im Gastmal, oder Scarron[42] seinen eigenen durch ein
Sonnet zu verewigen.

---

* Siehe zu Lowthii Praelect. XV. die 76. Note des Herausgebers. Alga-
rotti. Vol. III.
** Sanft schleichet sich der Reim ins Herz, wenn er sich ungezwungen
findet; / Er stützt und ziert die Harmonie, und leimt die Rede ins Gedächtnis / (Elegien und Briefe. Strasburg, 1760).

*Tod im Topfc. In kleinen Mengen ist sie Abführmittel, in größeren
Gift. Sinn: der antichristliche Rationalismus wird auch an diesen heiligen Stätten vergottet und den nichtsahnenden ›Kindern der Propheten‹, obwohl er ein tödliches Gift ist, in die Seelenspeise getan.*
*40. Male dann / zwei Schlangen nebst den Worten: »Heilig ist, / ihr
Kinder, dieser Ort − woanders pißt!« − / ich geh beiseit' (Persius:
Sat. I, 113 [Weinreich]). Schlangen waren heilige Haustiere, die den
Genius loci vertraten. Sie wurden als Warnung gegen Verunreinigung
angemalt. Die Verse sind die höhnische Antwort des Satirikers, als er
wegen seiner bissigen Kritik mit dem Verlust der Gunst der Vornehmen
bedroht wird.*
*41. Wortspiel durch Zusammenstellung ähnlich klingender Wörter mit
verschiedener, oft entgegengesetzter Bedeutung.*
42. Paul Scarron (1610–60): frz. Dichter.

Das freye Gebäude, welches sich Klopstock, dieser große Wiederhersteller des lyrischen Gesanges, erlaubt, ist vermuthlich ein Archaismus, welcher die rätzelhafte Mechanick der heiligen Poesie bey den Hebräern glücklich nachahmt, in welcher man nach der scharfsinnigen Beobachtung der gründlichsten Kunstrichter unserer Zeit* nichts mehr wahrnimmt als »eine künstliche Prose in alle kleine Theile ihrer Perioden aufgelöst, deren jeden man als einen einzelnen Vers eines besondern Sylbenmaaßes ansehen kann; und die Betrachtungen oder Empfindungen der ältesten und heiligsten Dichter scheinen sich von selbst« (vielleicht eben so zufälliger weise wie Epikurs Sonnenstäubchen[43]) »in symmetrische Zeilen geordnet zu haben, die voller Wohlklang sind, ob sie schon kein (vorgemaltes noch Gesetzkräftiges) Sylbenmaas haben.«

Homers monotonisches Metrum sollte uns wenigstens eben so paradox vorkommen, als die Ungebundenheit des deutschen Pindars**. Meine Bewunderung oder Unwissenheit von der Ursache eines durchgängigen Sylbenmaaßes in dem

---

* Siehe zu Lowths dritten Vorlesung die vierte Anmerkung des Herausgebers S. 149 und im dritten Theil der Briefe die neueste Litteratur betreffend den ein und funfzigsten.
** Würde es nicht poßierlich seyn, wenn Herr Klopstock seinem Setzer, oder einer Margot la Ravaudeuse[44], wie die Muse des Philologen ist, die Ursachen angeben wollte, warum er seine dichterische Empfindungen, die qualitates occultas[45] für den Pöbel zum Gegenstande haben und in galanter Sprache Empfindungen par excellence heissen, mit abgesetzten Zeilen drucken läßt. Ohngeachtet meiner kauderwelschen Mundart würde ich sehr willig seyn, des Herrn Klopstocks prosaische Schreibart für ein Muster von klaßischer Vollkommenheit zu erkennen. Aus kleinen Proben davon trau ich diesem Autor eine so tiefe Kenntnis seiner Muttersprache, und besonders ihrer Prosodie zu, daß sein musikalisches Sylbenmaaß einem Sänger, der nicht gemein seyn will, zum Feyerkleide der lyrischen Dichtkunst am angemessensten zu seyn scheint. – Ich unterscheide die Originalstücke unsers Assaphs[46] von seinen Verwand-

---

43. *Atome.*
44. *Roman von Fougeret de Monbron; ravauder: plappern, schwätzen.*
45. *verborgene Eigenschaften.*
46. *Vgl. Ps. 50–83 passim, 1. Chron. 15, 19; 2. Chron. 29, 30. Gemeint ist Klopstock, der alte Kirchenlieder veränderte, wo er »veraltete Wör-*

griechischen Dichter ist bey einer Reise durch Curland und Liefland gemäßigt worden. Es giebt in angeführten Gegenden gewisse Striche, wo man das lettische oder undeutsche Volk bey aller ihrer Arbeit singen hört, aber nichts als eine Cadenz von wenig Tönen, die mit einem Metro viel Ähnlichkeit hat. Sollte ein Dichter unter ihnen aufstehen: so wäre es ganz natürlich, daß alle seine Verse nach diesem eingeführten Maasstab ihrer Stimmen zugeschnitten seyn würden. Es würde zu viel Zeit erfordern, diesen kleinen Umstand (ineptis gratum fortasse – qui volunt illa calamistris inurere[49]) in sein gehörig Licht zu setzen, mit mehreren Phaenomenen zu vergleichen, den Gründen davon nachzuspüren, und die fruchtbaren Folgen zu entwickeln –

> Iam satis terris niuis atque dirae
> Grandinis misit Pater, & rubente
> Dextera sacras iaculatus arces
>   Terruit vrbem,
>
> Terruit gentes; graue ne rediret
> Seculum Pyrrhae, noua monstra questae,
> Omne quum Proteus pecus egit altos
>   Visere montes. – –

HORATIVS[50]

lungen der alten Kirchenlieder, ja selbst von seiner Epopee[47], deren Geschichte bekannt, und mit Miltons[48] seiner, wo nicht ganz, doch im Profil, ähnlich ist.

ter«, »Härte des Sylbenmaßes« fand und vor allem, wo der Verfasser »der Religion unwürdig wurde«. Vgl. Geistliche Lieder. Kopenhagen u. Leipzig 1758.

47. Der Messias.

48. John Milton (1608–74) verfaßte das Epos »Paradise Lost« (1667).

49. vielleicht den Leuten von verdorbenem Geschmack zu Gefallen – die es (das Geschriebene) mit ihrem Brenneisen kräuseln wollen (Cicero: Brutus 75, 262).

50. Schon zu lange sandte der Göttervater / Schnee und grause Schlossen; die glühend rothe / Rechte schlug die heiligen Zinnen, schreckte Rom und die Völker / Mit der wiederkehrenden Zeit der Pyrrha, / Die von grassen Wundern umringt erseufzte, / Da der alte Proteus auf

Apostille[51].

Als der älteste Leser dieser Rhapsodie in kabbalistischer
Prose seh ich mich vermöge des Rechts der Erstgeburt verpflichtet, meinen jüngern Brüdern, die nach mir kommen
werden, noch ein Beyspiel eines barmherzigen Urtheils zu
hinterlassen, wie folget:

Es schmeckt alles in dieser ästhetischen Nuß nach Eitelkeit!
– nach Eitelkeit! – Der Rhapsodist* hat gelesen, beobachtet,
gedacht, angenehme Worte gesucht und gefunden, treulich
angeführt, gleich einem Kaufmannsschiffe seine Nahrung
weit her geholt, und von ferne gebracht. Er hat Satz und
Satz zusammengerechnet, wie man die Pfeile** auf einem
Schlachtfelde zählt; und seine Figuren abgezirkelt, wie man
die Nägel zu einem Gezelt abmißt. Anstatt Nägel und
Pfeile hat er mit den Kleinmeistern und Schulfüchsen seiner
Zeit ******** und – – – – – – – – Obelisken und Aste-
risken*** geschrieben.

Laßt uns jetzt die Hauptsumme seiner neusten Ästhetick,
welche die älteste ist, hören:

Fürchtet GOtt und gebt Ihm die Ehre, denn die Zeit Seines
Gerichts ist kommen, und betet an Den, der gemacht hat
Himmel und Erden und Meer und die Wasserbrunnen!

---

* – οι ραψϕδοι – εϱμηνεων εϱμενεις.   Sokrates in Platons Ion.[52]

** Procop. de bello persico. I. 18.

*** Asteriscus illucescere facit; obeliscus iugulat et confodit[53]: Hierony-
mus in praefat. Pentateuchi. Conf. Laertius in Platone. Ein geschickter
Gebrauch dieser massoretischen Zeichen könnte eben so gut dienen, die
salomonischen Schriften zu verjüngen, als einer der neuesten Ausleger
zween Briefe Pauli durch die Methode der §. §. und Tabellen erläutert
hat.

*hoher Berge Spitzen sein Vieh trieb. (Horaz: Oden I, 2 [Ramler]). –
Anspielung auf die antike Sintflutsage. Pyrrha ist die Gattin Deuka-
lions, Proteus der alte Seegott.*

*51. erläuternde oder kritische Randanmerkung, eingeleitet durch »post
illa verba« (nach diesen Worten).*

52. die Rhapsoden – Ausleger der Ausleger (Platon: Ion 535 a).

*53. Sternchen macht leuchten, Spieß ersticht und niedersticht. – Bei
Diogenes Laertius heißt es über die kritischen Zeichen in den damaligen
Platon-Ausgaben, daß Asterisk übereinstimmende Meinung, Obelisk Un-
echtes bezeichne.*

JOHANN WOLFGANG GOETHE

Geb. 28. August 1749 in Frankfurt a. M., gest. 22. März 1832 in Weimar, stammte aus einer Patrizierfamilie. 1765–68 Studium der Jurisprudenz in Leipzig, 1768/69 Unterbrechung wegen einer Krankheit, 1770/71 Beendigung in Straßburg, dort Herbst 1770 Begegnung mit Herder. 1771–75 Tätigkeit als Rechtsanwalt in Frankfurt, Sommer 1772 in Wetzlar. November 1775 Berufung nach Weimar durch Herzog Karl August, 1776 Geheimer Legationsrat, 1782 geadelt, 1786–88 Italienreise, 1788 Bekanntschaft mit Schiller in Rudolstadt, 1791–1817 Direktor des Weimarer Hoftheaters, 1792/93 Teilnahme am Feldzug gegen Frankreich, seit 1794 Freundschaft mit Schiller, 1808 Begegnung mit Napoleon, 1815 Staatsminister.
Werke: *Zum Shakespeares-Tag* (1771); *Friederiken-Lieder* G. (1771); *Urgötz* Dr. (1771); *Von deutscher Baukunst* (1773); *Urfaust* (1775); *Götz von Berlichingen* Sch. (1773); *Die Leiden des jungen Werthers* R. (1774); *Clavigo* Tr. (1774); *Götter, Helden und Wieland* Farce (1774). (Die Werke der Klassik siehe Bd. 7 dieser Reihe.)

Zum Shakespeares-Tag

Dieses Sendschreiben wurde in Frankfurt verfaßt und sollte bei der Shakespeare-Feier im Kreise der Deutschen Gesellschaft zu Straßburg am 14. Oktober 1771 verlesen werden. Der Text wurde erst 1854 gedruckt. Er macht die Bedeutung Shakespeares für den Sturm und Drang deutlich: die Absage an die über das französische Theater vermittelte Form der griechischen Tragödie war nicht nur eine formalästhetische Revolution, sondern entsprang dem Bemühen der jungen Generation um 1770, das eigene Verhältnis zur Welt zu gestalten. Kunst ist demnach nicht mehr etwas Erlernbares, in Regeln Vermitteltes, sondern sie entsteht und wird rezipiert vermöge des dem Menschen eigenen »Genius«. Er manifestiert die »prätendierte Freiheit unseres Wollens«.

Mir kommt vor, das sei die edelste von unsern Empfindungen, die Hoffnung, auch dann zu bleiben, wenn das Schick-

sal uns zur allgemeinen Nonexistenz zurückgeführt zu
haben scheint. Dieses Leben, meine Herren, ist für unsre
Seele viel zu kurz, Zeuge, daß jeder Mensch, der geringste
wie der höchste, der unfähigste wie der würdigste, eher alles
müd' wird als zu leben; und daß keiner sein Ziel erreicht,
wornach er so sehnlich ausging – denn wenn es einem auf
seinem Gange auch noch so lang' glückt, fällt er doch endlich, und oft im Angesicht des gehofften Zwecks, in eine
Grube, die ihm, Gott weiß wer, gegraben hat, und wird für
nichts gerechnet.

Für nichts gerechnet! Ich! Der ich mir alles bin, da ich alles
nur durch mich kenne! So ruft jeder, der sich fühlt, und
macht große Schritte durch dieses Leben, eine Bereitung für
den unendlichen Weg drüben. Freilich jeder nach seinem
Maß. Macht der eine mit dem stärksten Wandertrab sich
auf, so hat der andre Siebenmeilenstiefel an, überschreitet
ihn, und zwei Schritte des letzten bezeichnen die Tagreise
des ersten. Dem sei, wie ihm wolle, dieser emsige Wandrer
bleibt unser Freund und unser Geselle, wenn wir die gigan-
tischen Schritte jenes anstaunen und ehren, seinen Fußstapfen folgen, seine Schritte mit den unsrigen abmessen.

Auf die Reise, meine Herren! die Betrachtung so eines einzigen Tapfs macht unsre Seele feuriger und größer als das
Angaffen eines tausendfüßigen königlichen Einzugs.

Wir ehren heute das Andenken des größten Wandrers und
tun uns dadurch selbst eine Ehre an. Von Verdiensten, die
wir zu schätzen wissen, haben wir den Keim in uns.

Erwarten Sie nicht, daß ich viel und ordentlich schreibe,
Ruhe der Seele ist kein Festtagskleid; und noch zurzeit
habe ich wenig über Shakespearen gedacht; geahndet, empfunden, wenn's hoch kam, ist das höchste, wohin ich's habe
bringen können. Die erste Seite, die ich in ihm las, machte
mich auf zeitlebens ihm eigen, und wie ich mit dem ersten
Stücke fertig war, stund ich wie ein Blindgeborner, dem
eine Wunderhand das Gesicht in einem Augenblicke schenkt.
Ich erkannte, ich fühlte aufs lebhafteste meine Existenz um

eine Unendlichkeit erweitert, alles war mir neu, unbekannt, und das ungewohnte Licht machte mir Augenschmerzen. Nach und nach lernt' ich sehen, und, Dank sei meinem erkenntlichen Genius, ich fühle noch immer lebhaft, was ich gewonnen habe.

Ich zweifelte keinen Augenblick, dem regelmäßigen Theater zu entsagen. Es schien mir die Einheit des Orts so kerkermäßig ängstlich, die Einheiten der Handlung und der Zeit lästige Fesseln unsrer Einbildungskraft. Ich sprang in die freie Luft und fühlte erst, daß ich Hände und Füße hatte. Und jetzo, da ich sahe, wie viel Unrecht mir die Herrn der Regeln in ihrem Loch angetan haben, wie viel freie Seelen noch drinne sich krümmen, so wäre mir mein Herz geborsten, wenn ich ihnen nicht Fehde angekündigt hätte und nicht täglich suchte, ihre Türne zusammenzuschlagen.

Das griechische Theater, das die Franzosen zum Muster nahmen, war nach innrer und äußerer Beschaffenheit so, daß eher ein Marquis den Alcibiades nachahmen könnte, als es Corneillen dem Sophokles zu folgen möglich wär'.

Erst Intermezzo des Gottesdiensts, dann feierlich politisch, zeigte das Trauerspiel einzelne große Handlungen der Väter dem Volk mit der reinen Einfalt der Vollkommenheit, erregte ganze, große Empfindungen in den Seelen, denn es war selbst ganz und groß.

Und in was für Seelen!

Griechischen! Ich kann mich nicht erklären, was das heißt, aber ich fühl's und berufe mich der Kürze halber auf Homer und Sophokles und Theokrit, die haben's mich fühlen gelehrt.

Nun sag' ich geschwind hintendrein: »Französchen, was willst du mit der griechischen Rüstung, sie ist dir zu groß und zu schwer.«

Drum sind auch alle französche Trauerspiele Parodien von sich selbst.

Wie das so regelmäßig zugeht, und daß sie einander ähnlich sind wie Schuhe und auch langweilig mitunter, besonders in genere im vierten Akt, das wissen die Herren leider aus der Erfahrung, und ich sage nichts davon.

Wer eigentlich zuerst drauf gekommen ist, die Haupt- und Staatsaktionen aufs Theater zu bringen, weiß ich nicht, es gibt Gelegenheit für den Liebhaber zu einer kritischen Abhandlung. Ob Shakespearen die Ehre der Erfindung gehört, zweifl' ich: genung, er brachte diese Art auf den Grad, der noch immer der höchste geschienen hat, da so wenig Augen hinaufreichen, und also schwer zu hoffen ist, einer könne ihn übersehen oder gar übersteigen.

Shakespeare, mein Freund, wenn du noch unter uns wärest, ich könnte nirgend leben als mit dir, wie gern wollt' ich die Nebenrolle eines Pylades spielen, wenn du Orest wärst, lieber als die geehrwürdigte Person eines Oberpriesters im Tempel zu Delphos.

Ich will abbrechen, meine Herren, und morgen weiter schreiben, denn ich bin in einem Ton, der Ihnen vielleicht nicht so erbaulich ist, als er mir von Herzen geht.

Shakespeares Theater ist ein schöner Raritätenkasten, in dem die Geschichte der Welt vor unsern Augen an dem unsichtbaren Faden der Zeit vorbeiwallt. Seine Plane sind, nach dem gemeinen Stil zu reden, keine Plane, aber seine Stücke drehen sich alle um den geheimen Punkt (den noch kein Philosoph gesehen und bestimmt hat), in dem das Eigentümliche unsres Ichs, die prätendierte Freiheit unsres Wollens, mit dem notwendigen Gang des Ganzen zusammenstößt. Unser verdorbner Geschmack aber umnebelt dergestalt unsere Augen, daß wir fast eine neue Schöpfung nötig haben, uns aus dieser Finsternis zu entwickeln.

Alle Franzosen und angesteckte Deutsche, sogar Wieland haben sich bei dieser Gelegenheit wie bei mehreren wenig Ehre gemacht. Voltaire, der von jeher Profession machte, alle Majestäten zu lästern, hat sich auch hier als ein echter Thersit[1] bewiesen. Wäre ich Ulysses, er sollte seinen Rücken

---

1. Thersites: der häßlichste Grieche im Heer von Troja, feige und frech, von Odysseus wegen seiner Schmähreden gezüchtigt.

unter meinem Szepter verzerren.

Die meisten von diesen Herren stoßen auch besonders an seinen Charakteren an.

Und ich rufe: Natur! Natur! nichts so Natur als Shakespeares Menschen.

Da hab' ich sie alle überm Hals.

Laßt mir Luft, daß ich reden kann!

Er wetteiferte mit dem Prometheus, bildete ihm Zug vor Zug seine Menschen nach, nur in *kolossalischer Größe*; darin liegt's, daß wir unsre Brüder verkennen; und dann belebte er sie alle mit dem Hauch *seines* Geistes, *er* redet aus allen, und man erkennt ihre Verwandtschaft.

Und was will sich unser Jahrhundert unterstehen, von Natur zu urteilen? Wo sollten wir sie her kennen, die wir von Jugend auf alles geschnürt und geziert an uns fühlen und an andern sehen. Ich schäme mich oft vor Shakespearen, denn es kommt manchmal vor, daß ich beim ersten Blick denke, das hätt' ich anders gemacht! Hintendrein erkenn' ich, daß ich ein armer Sünder bin, daß aus Shakespearen die Natur weissagt, und daß meine Menschen Seifenblasen sind, von Romanengrillen aufgetrieben.

Und nun zum Schluß, ob ich gleich noch nicht angefangen habe.

Das, was edle Philosophen von der Welt gesagt haben, gilt auch von Shakespearen, das, was wir bös nennen, ist nur die andre Seite vom Guten, die so notwendig zu seiner Existenz und in das Ganze gehört, als Zona torrida[2] brennen und Lappland einfrieren muß, daß es einen gemäßigten Himmelsstrich gebe. *Er* führt uns durch die ganze Welt, aber wir verzärtelte, unerfahrne Menschen schreien bei jeder fremden Heuschrecke, die uns begegnet: »Herr, er will uns fressen.«

Auf, meine Herren! trompeten Sie mir alle edle Seelen aus dem Elysium des sogenannten guten Geschmacks, wo sie

2. *die heiße Zone der Erde.*

schlaftrunken in langweiliger Dämmerung halb sind, halb
nicht sind, Leidenschaften im Herzen und kein Mark in den
Knochen haben und, weil sie nicht müde genug zu ruhen
und doch zu faul sind, um tätig zu sein, ihr Schattenleben
zwischen Myrten und Lorbeergebüschen verschlendern und
vergähnen.

JOHANN GOTTFRIED HERDER

Geb. 25. August 1744 in Mohrungen (Ostpreußen), gest. 18. Dezember
1803 in Weimar, Sohn eines Küsters und Mädchenschullehrers. 1762–64
Studium der Theologie in Königsberg, Besuch von Vorlesungen Kants,
Freundschaft mit Hamann. 1764 Berufung an die Domschule in Riga.
1769 Seereise nach Frankreich, 1770 Erzieher des Erbprinzen von Hol-
stein-Gottorp, in Straßburg Begegnung mit Goethe, 1771 Berufung zum
Konsistorialrat beim Grafen von Schaumburg-Lippe in Bückeburg. 1776
durch Vermittlung Goethes Berufung zum Generalsuperintendenten nach
Weimar. 1788/89 Reise nach Italien. In Weimar Unzufriedenheit über
Isolierung von der Hofgesellschaft, zunehmende Abkühlung des Ver-
hältnisses zu Goethe, Arbeitsüberlastung und eine hinfällige Gesundheit
in den letzten Lebensjahren.
Werke: *Über die neuere deutsche Literatur* (1767/68); *Kritische Wälder*
(1769); *Reisejournal* (1769); *Über den Ursprung der Sprache* (1772);
Briefwechsel über Ossian (1773); *Shakespeare* (1773); *Von deutscher Art
und Kunst* (1773); *Auch eine Philosophie der Geschichte zur Bildung
der Menschheit* (1774); *Volkslieder* (2 Bde., 1778/79; 1807 u. d. T.
Stimmen der Völker in Liedern).

Auch eine Philosophie der Geschichte zur Bildung der Menschheit (Auszug)

*In Herders theoretischen Schriften ist der Geist des Sturm
und Drang fast am deutlichsten greifbar. »Auch eine Philosophie der Geschichte zur Bildung der Menschheit« entstand 1773 und erschien 1774. Der Untertitel »Beytrag zu
vielen Beyträgen des Jahrhunderts« bezeichnet ein Programm: das Problem der Aufklärung war die Frage ge-*

wesen, ob die Fortschritte in Künsten und Wissenschaften, die seit der Antike zu beobachten sind, auch Fortschritte in moralischer Hinsicht bedeuten. Herders Antwort weist weit voraus ins 19. Jahrhundert: »Jede Nation hat ihren Mittelpunkt der Glückseligkeit in sich, wie jede Kugel ihren Schwerpunkt!« *Seine Konzeption der Geschichte beläßt zwar den Fortschrittsgedanken in seinem Recht, begründet aber zugleich das Recht jeder Nation und jeder Stufe kultureller Entwicklung auf den eigenen Charakter – ein heute wohl selbstverständlicher Gedanke, der aber den Fortschrittsoptimismus der Aufklärung in seiner Gültigkeit einschränkte. Die Schrift Herders kann als Grundlegung des Historismus verstanden werden.*

Ταράσσει τοὺς ἀνθρώπους οὐ
τὰ πράγματα, ἀλλὰ τὰ περὶ
τῶν πραγμάτων δόγματα –[1]

Erster Abschnitt

Je weiter hin es sich in Untersuchung der ältesten Weltgeschichte, ihrer Völkerwandlungen, Sprachen, Sitten, Erfindungen, und Traditionen aufklärt: desto wahrscheinlicher wird mit jeder neuen Entdeckung auch *der Ursprung des ganzen Geschlechts von Einem.* Man nähert sich immer mehr *dem glücklichen Klima,* wo *Ein Menschenpaar* unter den mildesten Einflüßen der *schaffenden Vorsehung,* unter *Beistande* der erleichterndsten *Fügungen* rings um sich her, den Faden anspann, der sich nachher mit solchen Wirrungen weit und lang fortgezogen: wo also auch alle erste *Zufälle* für Anstalten einer Mütterlichen Vorsehung gelten können, einen zarten Doppelkeim des ganzen Geschlechts mit alle der Wahl und Vorsicht zu entwickeln, die wir im-

---

1. *Es verwirren die Menschen nicht die Dinge, sondern die Meinungen über die Dinge (Epiktet: Encheiridion 5).*

mer dem Schöpfer einer so edeln Gattung und seinem Blick
auf Jahrtausend und Ewigkeit hinaus zutrauen müssen.

Natürlich, daß diese erste Entwickelungen *so simpel, zart*
und *wunderbar* waren, wie wir sie in *allen Hervorbringun-
gen der Natur* sehen. Der Keim fällt in die Erde und er-
stirbt: der Embryon wird im Verborgnen gebildet, wie's
kaum die Brille des Philosophen a priori gutheißen würde,
und tritt ganz gebildet hervor: die Geschichte der frühesten
Entwicklungen des Menschlichen Geschlechts, wie sie uns
das älteste Buch beschreibt, mag also so *kurz* und *apokry-
phisch*² klingen, daß wir vor dem Philosophischen Geist
unsres Jahrhunderts, der nichts mehr als *Wunderbares* und
Verborgnes haßet, damit zu erscheinen erblöden: eben deswegen ist sie *wahr*. Nur Eins also angemerkt. Scheint nicht
selbst für das Maulwurfsauge dieses lichtesten Jahrhunderts
doch ein *längeres Leben*, eine *stiller und zusammenhangen-
der würkende Natur*, kurz eine *Heldenzeit des Patriarchen-
alters* dazu gehören, die erste *Formen des Menschengeschlechts*, welche es auch seyen? den Stammvätern aller
Nachkommenschaft ein- und für die Ewigkeit anzubilden?
Wir laufen jetzt nur vorüber, und durch die Welt her;
Schatten auf Erden! Alles Gute und Böse, was wir mitbringen, (und wir bringen wenig mit, weil wir alles hier erst
empfangen) haben wir meist auch das Schicksal wieder mit
zu nehmen: unsre Jahre, Lebensläufe, Vorbilder, Unterneh-
mungen, Eindrücke, die Summe unsrer Hinwürkung auf
Erden, ist Kraftloser Traum Einer Nachtwache – *Geschwätz!* – *Du lässest sie dahin fahren* usw. So wie das nun
bei dem *großen Vorrath von Kräften* und *Fertigkeiten*, den
wir *entwickelt* vor uns finden, bei dem *schnellern Lauf*
unsrer *Säfte* und *Regungen*, *Lebensalter* und *Gedanken-
plane*, wo Eins das Andre, wie eine Wasserblase die andre
zu verfolgen und zu zerstöhren eilt, bei dem so oft *mis-
helligen Verhältniß* zwischen *Kraft* und *Besonnenheit*, *Fä-

2. *verborgen, unecht.*

higkeit und *Klugheit, Anlage* und *gutem Herzen,* die ein
Jahrhundert des Verfalls immer bezeichnen – wies bei dem
allen *Absicht* und *abwägende Weisheit* scheint, eine *große
Maße Kindischer Kräfte* durch *kurze, Kraftlose Dauer des
Lebensspiels* zu *mäßigen* und zu *sichern:* gehörte nicht auch
allein jenes *erste, stille, ewige Baum- und Patriarchenleben*
dazu, um die Menschheit in ersten Neigungen, Sitten und
Einrichtungen zu *wurzeln* und zu *gründen?*

Was waren diese Neigungen? Was sollten sie seyn? Die
natürlichsten, stärksten, einfachsten! für alle Jahrhunderte
der Menschenbildung die ewige Grundlage: *Weisheit* statt
Wißenschaft, *Gottesfurcht* statt Weisheit, *Eltern-Gatten-
Kindesliebe* statt Artigkeit und Ausschweifung, *Ordnung
des Lebens, Herrschaft und Gottregentschaft eines Hauses,*
das Urbild aller Bürgerlichen Ordnung und Einrichtung
– in diesem allen der *einfachste Genuß* der Menschheit,
aber zugleich der *tiefste* – wie konnte das alles, ich will
nicht fragen, erbildet, nur angebildet, fortgebildet werden,
als – durch jene *stille ewige Macht des Vorbilds,* und *einer
Reihe Vorbilde* mit ihrer Herrschaft um sich her? Nach
unserm Lebensmaaße wäre jede Erfindung hundertfach verlohren gangen; wie Wahn entsprungen und wie Wahn ent-
flohen – welcher Unmündige sollte sie annehmen? welcher
zu bald wieder Unmündige sie anzunehmen zwingen? Es
zerfielen also die ersten Bande der Menschheit im Ursprung,
oder vielmehr damals so dünne kurze Fäden, wie hätten sie
je die starke Bande werden können, ohne die selbst nach
Jahrtausenden der Bildung das Menschliche Geschlecht
durch bloße Schwächung noch immer zerfällt? – Nein! mit
frohem Schauer stehe ich dort vor der heiligen Ceder eines
Stammvaters der Welt! Ringsum schon hundert junge blühende Bäume, ein schöner Wald der Nachwelt und Ver-
ewigung! aber siehe! die alte Ceder blüht noch fort, hat
ihre Wurzeln weit umher und trägt den ganzen jungen Wald
mit Saft und Kraft aus der Wurzel. Wo der Altvater auch
seine Kenntniße, Neigungen, und Sitten *her habe?* was und

wie wenig diese auch seyn mögen? ringsum hat sich schon
eine Welt und Nachwelt zu diesen Neigungen und Sitten,
blos durch die *stille, kräftige, ewige Anschauung seines
Gottesbeispiels* gebildet und vestgebildet! zwei Jahrtausende
waren nur zwo Generationen.

Indeß auch von diesen Heroischen Anfängen der Bildung
Menschlichen Geschlechts weggesehen: nach den blossen
Trümmern der weltlichen Geschichte und nach dem flüch-
tigsten Raisonnement über dieselbe à la Voltaire – welche
Zustände können erdacht werden, *erste Neigungen des
Menschlichen Herzens* hervorzulocken, zu bilden, und vest-
zubilden, als die wir schon in den *Traditionen unsrer ältesten Geschichte* würklich angewandt finden? *Das Hirtenleben im schönsten Klima der Welt*, wo die freiwillige
Natur den einfachsten Bedürfnißen so zuvor oder zu Hülfe
kommt, *die ruhige und zugleich wandernde Lebensart der
väterlichen Patriarchenhütte*, mit allem, was sie gibt, und
dem Auge entziehet, der *damalige Kreis Menschlicher Bedürfniße, Beschäftigungen und Vergnügen*, nebst allem, was
nach Fabel oder Geschichte dazu kam, diese *Beschäftigungen* und *Vergnügen zu lenken* – man denke sich alles in sein
natürliches, lebendiges Licht – welch ein erwählter *Garten
Gottes* zur Erziehung der ersten, zartesten *Menschenge-
wächse*! Siehe diesen Mann voll *Kraft* und *Gefühl Gottes*,
aber so *innig* und *ruhig* fühlend, als hier der Saft im Baume
treibt, als der Instinkt, der tausendartig dort unter Geschöpfe vertheilt, der in jedem Geschöpfe einzeln so gewaltig treibet, als dieser in ihn gesammlete stille, gesunde
Naturtrieb nur würken kann! Die ganze Welt ringsum, voll
Segen Gottes: eine große, muthige Familie des Allvaters:
diese Welt sein täglicher Anblick: an sie mit Bedürfniß und
Genuße geheftet: gegen sie mit Arbeit, Vorsicht und mildem
Schutze strebend – unter diesem Himmel, in diesem Elemente Lebenskraft *welche Gedankenform, welch ein Herz
muste sich bilden*! Groß und heiter wie die Natur! wie sie,

im ganzen Gange still und muthig! *langes Leben, Genuß sein selbst* auf die unzergliederlichste Weise, *Eintheilung der Tage* durch *Ruhe und Ermattung, Lernen und Behalten* – siehe das war der Patriarch *für sich* allein. – – Aber was *für sich allein*? Der Segen Gottes durch die ganze Natur wo war er inniger, als im *Bilde der Menschheit, wie es sich fortfühlt* und *fortbildet*: im *Weibe für ihn* geschaffen, im *Sohn seinem Bilde* ähnlich, im *Gottesgeschlecht* das ringsum und nach ihm die Erde fülle. Da war Segen Gottes *sein* Segen: sein die er regiert, *sein* die er erzieht; *sein* die Kinder und Kindeskinder um ihn ins *dritte und vierte Glied*, die er alle mit Religion und Recht, Ordnung und Glückseligkeit leitet. – Dies das unausgezwungene Ideal einer *Patriarchenwelt*, auf welches alles in der Natur trieb: außer ihm kein Zweck des Lebens, kein Moment Behaglichkeit oder Kraftanwendung zu denken – Gott! welch ein Zustand zu Bildung der Natur in den einfachsten, nothwendigsten, angenehmsten Neigungen! – *Mensch, Mann, Weib, Vater, Mutter, Sohn, Erbe, Priester Gottes, Regent* und *Hausvater*, für alle Jahrtausend sollt er da gebildet werden! und ewig wird, außer dem tausendjährigen Reiche und dem Hirngespinste der Dichter, ewig wird *Patriarchengegend* und *Patriarchenzelt das goldne Zeitalter der Kindlichen Menschheit* bleiben.

Daß nun zu dieser Welt von Neigungen selbst *Zustände* gehören, die wir uns aus einem Betruge unsrer Zeit oft viel *zu fremde und schrecklich dichten*, dörfte eine Induktion nach der andern zeigen. – Wir haben uns einen *Despotismus des Orients* aus den übertriebensten, gewaltsamsten Erscheinungen meist verfallender Reiche abgesondert, die sich mit ihm nur in ihrer letzten Todesangst sträuben, (eben dadurch aber auch Todesangst zeigen!) – und da man nun nach unsern Europäischen Begriffen (und vielleicht Gefühlen) von nichts schrecklicherm als Despotismus sprechen kann: so tröstet man sich, ihn von sich selbst ab, *in Umstände zu bringen*, wo er gewiß *nicht das schreckliche Ding* war, das

wir uns *aus unserm Zustande an ihm träumen.** Mags seyn,
daß im Zelte des Patriarchen allein *Ansehen, Vorbild, Autorität* herrschte, und daß also, nach der aufgefädelten
Sprache unsrer Politik, *Furcht* die Triebfeder dieses Regi-
ments war – laß dich doch, o Mensch, vom *Worte des Fach-
philosophen*** nicht irren, sondern siehe erst, was es denn
für ein *Ansehen*, was für eine *Furcht* sey? Gibts nicht in
jedem Menschenleben ein Alter, wo wir durch trockne und
kalte Vernunft nichts, aber durch *Neigung, Bildung,* nach
Autorität Alles lernen? wo wir für Grübelei und Raisonnement des Guten, Wahren und Schönen kein Ohr, keinen
Sinn, keine Seele; aber für die sogenannten *Vorurtheile* und
Eindrücke der Erziehung Alles haben – siehe! diese sogenannte Vorurtheile, ohne Barbara celarent[4] aufgefaßt, und
von keiner Demonstration des Naturrechts begleitet, wie
stark, wie *tief*, wie *nützlich* und *ewig*! – *Grundsäulen* alles
deßen, was später über sie gebaut werden soll, oder vielmehr schon ganz und gar *Keime,* aus denen sich alles Spätere und Schwächere, es heiße so glorwürdig als es wolle
(jeder vernünftelt doch nur nach seiner Empfindung) *entwickelt* – also die stärksten, ewigen, fast Göttlichen *Züge*,
die unser ganzes Leben *beseligen* oder *verderben*; mit denen,
wenn sie uns verlaßen, uns alles verläßt – – Und siehe, was
jedem *einzelnen Menschen in seiner Kindheit* unumgänglich
noth ist: dem *ganzen Menschengeschlecht in seiner Kindheit*
gewiß nicht weniger. Was du *Despotismus* in seinem zartesten Keime nennest, und eigentlich nur *Vaterautorität* war,
Haus und Hütte zu regieren – siehe wies Dinge ausrichtete,
die du jetzt mit alle deiner *kalten Philosophie des Jahrhunderts* wohl unterlaßen müstest! wies das, was *Recht* und

---

* *Boulanger* du despotisme oriental: *Voltaire* phil. de l'histoir. – de la
Tolerance etc. *Helvet.* de l'Esprit Disc. III etc. etc.
** Montesquieu's Schaaren Nachfolger und imitatorum servum p. –[3]

3. O *imitatores, servum pecus!* (Horaz: *I. Ep. XIX,* 19. – Ihr, nachahmende Herd', ihr Lastvieh! [Voß]).
4. *Kennworte in der formalen Logik für den ersten und zweiten Modus
der Schlußfigur.*

Gut war, oder wenigstens so *dünkte*, zwar nicht demon-
strirte, aber dafür in *ewige Formen vestschlug*, mit einem
Glanze *von Gottheit und Vaterliebe*, mit einer süßen
Schlaube[5] *früher Gewohnheit*, und *allem Lebendigen der
Kindesideen* aus *seiner* Welt, mit allem *ersten Genuß der
Menschheit* in Ein Andenken zauberte, dem Nichts, nichts
auf der Welt zu gleichen. Wie nothwendig! wie gut! fürs
ganze Geschlecht wie nützlich! da wurden *Grundsteine* gelegt, die auf andre Art nicht gelegt werden konnten, nicht
so leicht und tief gelegt werden konnten – sie liegen! Jahrhunderte haben drüber *gebaut*, Stürme von Weltalter haben
sie, wie den Fuß der Pyramiden mit Sandwüsten *über-
schwemmet*, aber nicht zu *erschüttern vermocht* – sie liegen
noch! und glücklich, da *alles auf ihnen ruht*.

Morgenland, du hiezu recht auserwählter Boden Gottes!
Die *zarte Empfindlichkeit* dieser Gegenden, mit der raschen,
fliegenden Einbildung, die so gern alles in Göttlichen Glanz
kleidet: *Ehrfurcht* vor Allem, was Macht, Ansehn, Weisheit,
Kraft, Fußstapfe Gottes ist, und so dann gleich Kindliche
Ergebung, die sich ihnen natürlich, uns Europärn unbegreiflich, mit dem Gefühl von Ehrfurcht mischet: der wehr-
lose, zerstreute, Ruheliebende, *Heerdenähnliche Zustand* des
Hirtenlebens, das sich auf einer Ebne Gottes milde und ohn
Anstrengung *ausleben will* – alle das, mehr und weniger
von Umständen unterstützt, freilich hats in der spätern
Folge auch dem *Despotismus der Eroberer* volle Materialien
geliefert, so volle Materialien, daß Despotismus vielleicht
ewig in Orient seyn wird, und noch kein Despotismus in
Orient durch *fremde äußere Kräfte* gestürzt worden: er
muste nur immer, weil *ihm nichts entgegenstand*, und er
sich *unermäßlich ausbreitete*, allein durch *eigne Last zer-
fallen*. Allerdings hat dieser Despotismus auch oft die
schrecklichsten Würkungen hervorgebracht, und wie der
Philosoph sagen wird, die schrecklichste von allen, daß

5. *Fruchthülle, -schale.*

kein Morgenländer, als solcher, noch kaum *von einer Menschlichen, beßern Verfaßung, innigen Begrif haben* kann. – Aber alle das später dahingestellt, und zugegeben: Anfangs unter der *milden Vaterregierung* war nicht eben der Morgenländer mit seinem *zarten Kindessinne* der *glücklichste* und *folgsamste Lehrling?* Alles ward als Muttermilch und väterlicher Wein gekostet! Alles in Kindesherzen aufbewahrt und da mit dem Siegel *Göttlicher Autorität* versiegelt! der Menschliche Geist bekam die erste Formen von Weisheit und Tugend mit einer *Einfalt, Stärke* und *Hoheit,* die nun – gerade herausgesagt – in unsrer Philosophischen, kalten Europäischen Welt wohl nichts, gar nichts ihres gleichen hat. Und eben weil wir so unfähig sind, sie mehr zu *verstehen!* zu *fühlen!* geschweige denn zu *genießen* – so *spotten* wir, *läugnen* und *mißdeuten!* der beste Beweis!

Ohne Zweifel gehörte hiezu auch *Religion,* oder vielmehr war *Religion* »das *Element, in dem das alles lebt' und webte«.* Auch von allem *Göttlichen Eindruck* bei *Schöpfung* und frühester *Pflege* des Menschengeschlechts, (dem *Ganzen* so nöthig, als jedem *einzelnen* Kinde nach seiner Geburt, Pflege der Eltern) von alle dem auch den Blick entfernt, wenn Greis, Vater, König so natürlich *Gottes Stelle* vertrat, und sich eben so natürlich der *Gehorsam unter Väterlichen Willen,* das *Ankleben* an *alte Gewohnheit,* und die *Ehrfurchtvolle Ergebung* in den *Wink des Obern,* der das Andenken alter Zeiten hatte, mit einer Art von *Kindlichem Religionsgefühl* mischet – mustens denn, wie wir aus dem Geist und Herzen unsrer Zeit so sicher wähnen,* nichts anders als *Betrüger* und *Bösewichter* seyn, die dergleichen Ideen *aufdrangen,* arglistig *erdichtet hatten,* und argwüterisch *mißbrauchten?* Mags seyn, daß dergleichen Religionsgefühl, als Element unsrer Handlungen, für *unsern Philosophischen Welttheil,* für unsre gebildete Zeit, für *unsre* freidenkende Verfaßung von innen und außen

* *Voltaire* phil. de l'hist. *Helvet. Boulanger* etc.

äußerst schändlich und schädlich wäre (ich glaube, sie ist,
was noch mehr ist, leider! für ihn *gar unmöglich*) laß es
seyn, daß die Boten Gottes, wenn sie jetzt erschienen, Betrüger und Bösewichter wären: siehst du nicht, daß es mit
dem dortigen Geist der Zeit, des Landes, der Stufe des
Menschengeschlechts ganz anders ist? Blos schon die älteste
Philosophie und Regierungsform hat so natürlich in allen
Ländern ursprünglich *Theologie* seyn müssen! – – Der
Mensch *staunt* alles an, ehe er *sieht*: kommt nur durch *Verwunderung* zur *hellen Idee* des Wahren und Schönen; nur
durch *Ergebung* und *Gehorsam* zum ersten Besitz des Guten – so gewiß auch das *Menschliche Geschlecht*. Hast du
je einem Kinde aus der *Philosophischen Grammatik* Sprache
beigebracht? aus der abgezogensten *Theorie der Bewegung*
es gehn gelernt? hat ihm die leichteste oder schwereste
Pflicht aus einer *Demonstration* der *Sittenlehre* begreiflich
gemacht werden müssen? und dürfen? und können? Gottlob
eben! daß sies *nicht dürfen* und *können*! Diese zarte Natur,
unwißend und dadurch auf alles begierig, *leichtgläubig* und
damit alles *Eindrucks fähig*, *zutrauendfolgsam* und damit
geneigt, auf *alles Gute* geführt zu werden, alles mit Einbildung, Staunen, Bewundrung erfaßend, aber eben damit
auch alles *um so vester* und *wunderbarer sich zueignend* –
»*Glaube, Liebe* und *Hofnung* in seinem zarten Herzen, die
einzigen *Saamenkörner* aller *Känntniße, Neigungen* und
Glückseligkeit« – tadelst du die Schöpfung Gottes? oder
siehst du nicht in jedem deiner so genannten Fehler *Vehikulum, einziges Vehikulum alles Guten*? Wie thöricht, wenn
du diese Unwißenheit und Bewundrung, diese Einbildung
und Ehrfurcht, diesen Enthusiasmus und Kindessinn mit
den *schwärzesten Teufelsgestalten deines Jahrhunderts, Be-
trügerei* und *Dummheit, Aberglaub'* und *Sklaverei*, brand-
marken, dir ein Heer von *Priesterteufeln* und *Tyrannen-
gespenstern* erdichten willt, die nur in deiner Seele exsisti-
ren! Wie tausendmal mehr thöricht, wenn du einem Kinde
deinen *Philosophischen Deismus*, deine *ästhetische Tugend*

und *Ehre*, deine *allgemeine Völkerliebe* voll toleranter
Unterjochung, Aussaugung und *Aufklärung* nach hohem
Geschmack deiner Zeit großmüthig gönnen wolltest! Einem
Kinde? O du das ärgste, thörichtste Kind! und raubtest ihm
damit seine *beßre* Neigungen, die *Seligkeit* und *Grundveste*
seiner Natur; machtest es, wenn dir der unsinnige Plan ge-
länge, zum unerträglichsten Dinge in der Welt – einem
Greise von drei Jahren.

Unser Jahrhundert hat sich den Namen: *Philosophie!* mit
Scheidewaßer vor die Stirn gezeichnet, das tief in den Kopf
seine Kraft zu äußern scheint – ich habe also den Seiten-
blick *dieser philosophischen Kritik der ältesten Zeiten*, von
der jetzt bekanntlich alle *Philosophien der Geschichte*, und
Geschichte der Philosophie voll sind, mit einem Seitenblicke
obwohl Unwillens und Eckels erwiedern müßen, ohne daß
ich mich um die *Folgen des Einen* und *des Andern* zu be-
kümmern nöthig finde. Gehe hin, mein Leser, und fühle
noch jetzt hinter Jahrtausenden die so lang erhaltne *reine
Morgenländische Natur*, belebe sie dir aus der *Geschichte
der ältesten Zeiten*, und du wirst »*Neigungen* antreffen,
wie sie nur *in dem Lande, auf die Art,* zu den *großen
Zwecken der Vorsehung aufs Menschengeschlecht* hinab gebildet werden konnten« – welch ein Gemälde, wenn ichs
dir liefern könnte, *wie es war!*

Die Vorsehung leitete den Faden der Entwicklung weiter –
vom *Euphrat, Oxus* und *Ganges* herab, *zum Nil* und an die
Phönicische Küsten – große Schritte!

Es ist selten ohne Ehrfurcht, daß ich mich vom alten Ägypten und von der Betrachtung entferne, was es *in der Geschichte des Menschlichen Geschlechts* geworden? Land, wo
ein Theil des *Knabenalters* der Menschheit an Neigungen
und Känntnißen gebildet werden sollte, wie in Orient die
Kindheit! Eben so leicht und unvermerkt als dort die Genese, war hier die Metamorphose.

Ägypten war ohne *Viehweide und Hirtenleben*: der Patriarchengeist der ersten Hütte ging also verlohren. Aber aus *Nilschlamm gebildet* und von ihm *befruchtet*, gabs beinahe eben so leicht, den vortreflichsten *Ackerbau*: also ward die Schäferwelt von Sitten, Neigungen, Känntnißen ein Bezirk von *Ackermenschen*. Das Wanderleben hörte auf: es wurden veste Sitze, *Landeigenthum*. Länder musten ausgemeßen, jedem das Seine bestimmt, jeder bei dem Seinen beschützt werden: jeden konnte man also auch bei dem Seinen finden – es ward *Landessicherheit*, *Pflege der Gerechtigkeit*, *Ordnung*, *Policei*, wie alles im Wanderleben des Orients nie möglich gewesen: es ward *neue Welt*. Nun kam eine *Industrie* auf, wie sie der selige, müßige Hüttenbewohner, der Pilger und Fremdling auf Erden, nicht gekannt hatte: *Künste* erfunden, die jener weder brauchte noch zu brauchen Lust fühlte. Bei dem Geist Ägyptischer *Genauigkeit* und *Ackerfleißes* konnten diese Künste nicht anders, als zu einem hohen Grad *Mechanischer Vollkommenheit* gelangen: der Sinn des *strengen Fleißes*, der *Sicherheit und Ordnung* ging durch alles: jeder war in *der Kunde der Gesetzgebung*, derselben mit Bedürfniß und Genuß verpflichtet: also ward auch der *Mensch unter sie gefeßelt*: die Neigungen, die dort blos väterlich, Kindlich, Schäfermäßig, Patriarchalisch gewesen waren, wurden hier *bürgerlich, dörflich, städtisch*. Das Kind war dem Flügelkleide entwachsen: der Knabe saß auf der Schulbank und lernte *Ordnung, Fleiß, Bürgersitten*.

Eine genaue Vergleichung des Morgenländischen und Ägyptischen Geistes müste zeigen, daß meine Analogie von Menschlichen Lebensaltern hergenommen, nicht Spiel sey. Offenbar war allem, was beide Alter auch gemeinschaftlich hatten, der *Himmlische Anstrich* genommen, und es mit *Erdehaltung* und *Ackerleim* versetzt: Ägyptens *Känntniße* waren nicht mehr *Väterliche Orakelsprüche der Gottheit*, sondern schon *Gesetze, Politische Regeln der Sicherheit*, und der Rest von jenen ward blos als *heiliges Bild* an die Tafel gemahlt, daß es nicht unterginge, daß der Knabe da-

vor stehen, entwickeln und Weisheit lernen sollte. Ägyptens
Neigungen nicht mehr so Kindeszart als die in Orient: das
Familiengefühl schwächte sich, und ward dafür *Sorge* für
dieselbe, *Stand, Künstlertalent*, das sich *mit dem Stande*,
wie Haus und Acker *forterbte*. Aus dem müßigen Zelte, wo
der Mann herrschte, war eine *Hütte der Arbeit* geworden,
wo auch das Weib *schon Person* war, wo der Patriarch
jetzt *als Künstler* saß, und sein *Leben* fristete. Die freie
Aue Gottes voll Heerden, *ein Acker voll Dörfer und Städte*:
das Kind, was Milch und Honig aß, ein Knabe, der über
seine Pflichten *mit Kuchen belohnt wurde* – – es webte neue
Tugend durch alles, die wir *Ägyptischen Fleiß, Bürgertreue*
nennen wollen, die aber nicht Orientalisches Gefühl war.
Dem Morgenländer, wie eckelt ihm noch jetzt *Ackerbau,
Städteleben, Sklaverei in Kunstwerkstäten*! wie wenig An-
fänge hat er noch nach Jahrtausenden in all dem gemacht:
er lebt und webt als ein freies Thier des Feldes. Der Ägypter im Gegentheil, wie haßte und eckelte er den Viehhirten,
mit allem was ihm anklebte! eben wie sich nachher der feinere Grieche wieder über den *lastbaren* Ägypter erhob – es
hieß nichts, als dem Knaben eckelte das Kind in seinen
Windeln, der Jüngling haßte den Schulkerker des Knaben;
im Ganzen aber gehörten alle drei *auf- und nacheinander*.
Der Ägypter ohne Morgenländischen Kindesunterricht wäre
nicht *Ägypter*, der Grieche ohne Ägyptischen Schulfleiß
nicht *Grieche* – eben ihr Haß zeigt *Entwickelung, Fortgang,
Stufen der Leiter*!
Zum Erstaunen sind sie, die leichten Wege der Vorsehung:
sie, die das Kind durch Religion lockte und erzog, entwickelte den Knaben durch nichts als *Bedürfniße* und das
liebe Muß der Schule. Ägypten *hatte keine Weiden* – der
Einwohner muste also Ackerbau *wohl lernen*, wie sehr er-
leichterte sie ihm dies schwere Lernen durch den *Frucht-
bringenden Nil*. Ägypten hatte *kein Holz*: man muste mit
Stein bauen lernen: *Steingruben gnug da*: der *Nil bequem*
da, sie fortzubringen – wie hoch ist die Kunst gestiegen!

wie viel entwickelte sie andre Künste! *Der Nil über-
schwemmte*: man brauchte *Ausmeßungen, Ableitungen,
Dämme, Kanäle, Städte, Dörfer* – auf wie mancherlei Weise
ward man am *Erdklos angeheftet*! aber wie viel Einrichtung
entwickelte auch der *Erdklos*! Er ist mir auf der Charte nichts
als *Tafel voll Figuren*, wo jeder Sinn entwickelt hat: so
original *dies Land* und seine *Produkte*, so eine eigne *Men-
schengattung*! Der Menschliche Verstand hat viel in ihm
gelernt, und vielleicht ist keine Gegend der Erde, wo dies
Lernen so offenbar *Kultur des Bodens* gewesen als hier.
Sina ist noch sein Nachbild: man urtheile und errathe.

Auch hier wieder Thorheit, eine *einzige Ägyptische Tugend*
aus dem Lande, der Zeit und dem Knabenalter des Menschlichen Geistes herauszureißen, und mit dem *Maasstabe einer
andern Zeit* zu meßen! Konnte, wie gezeigt, sich schon der
Grieche so sehr am Ägypter irren, und der Morgenländer
den Ägypter haßen: so dünkt mich, sollts doch erster Gedanke seyn, ihn blos *auf seiner Stelle* zu sehen, oder man
sieht, zumal aus Europa her, die verzogenste Fratze. Die
Entwicklung geschah aus Orient und der Kindheit herüber
– natürlich muste also noch immer *Religion, Furcht, Autorität, Despotismus* das *Vehikulum der Bildung* werden: denn
auch mit dem Knaben von sieben Jahren läßt sich noch
nicht, wie mit Greis und Manne *vernünfteln*. Natürlich
muste also auch, nach unserm Geschmack, dies Vehikulum
der Bildung *harte Schlaube*, oft *solche Ungemächlichkeiten*,
so viel *Krankheiten* verursachen, die man *Knabenstreitig-
keiten* und *Kantonskriege* nennt. Du kannst so viel Galle
du willt, über den Ägyptischen *Aberglauben* und das *Pfaf-
fenthum* ausschütten, als z. B. jener liebenswürdige Plato
Europens,* der nur alles zu sehr nach Griechischem Urbilde
modeln will, gethan hat – alles wahr! alles gut, wenn das
Ägyptenthum *für dein Land* und *deine Zeit* seyn sollte. Der
Rock des Knaben ist allerdings für den Riesen zu kurz! und

---

* Shaftesbury Caract. T. III. Miscell.

dem Jünglinge bei der Braut der Schulkerker aneckelnd: aber siehe! dein Talar ist für jenen wieder zu lang, und siehst du nicht, wenn du etwas Ägyptischen Geist kennest, wie deine *Bürgerliche Klugheit, Philosophischer Deismus, leichte Tändelei, Umlauf in alle Welt, Toleranz, Artigkeit, Völkerrecht* und wie der Kram weiter heiße, den Knaben wieder zum elenden Greisknaben würde gemacht haben! Er muste eingeschloßen seyn; eine gewiße Privation von Kännt-nißen, Neigungen und Tugenden muste da seyn, um das zu entwickeln, was in ihm lag, und jetzt in der Reihe der Welt-begebenheiten nur *das Land, die Stelle* entwickeln konnte! Also waren ihm diese Nachtheile, *Vortheile*, oder *unver-meidliche Übel*, wie die Pflege mit fremden Ideen dem Kinde, Streifereien und Schulzucht dem Knaben – warum willt du ihn von seiner Stelle, aus seinem Lebensalter rük-ken – den armen Knaben tödten? – – Welch eine große Bibliothek von solchen Büchern! bald die Ägypter *zu alt* gemacht, und aus ihren Hieroglyphen, Kunstanfängen, Policeiverfaßungen, *welche Weisheit* geklaubt!* bald sie wieder gegen die Griechen so tief verachtet** – blos weil sie Ägypter und nicht Griechen waren, wie meist die Lieb-haber der Griechen, wenn sie aus ihrem Lieblingslande ka-men. Offenbares Unrecht!

Der beste Geschichtschreiber der Kunst des Alterthums, *Winkelmann*, hat über die Kunstwerke der Ägypter offen-bar nur nach Griechischem Maasstabe geurtheilt, sie also *verneinend* sehr gut, aber *nach eigner Natur und Art* so wenig geschildert, daß fast bei jedem seiner Sätze in diesem Hauptstück das offenbar Einseitige und Schielende vor-leuchtet. So *Webb*, wenn er ihre *Literatur der Griechischen* entgegensetzt: so manche andre, die über *Ägyptische Sitten und Regierungsform* gar mit Europäischem Geist geschrie-ben haben – Und da es den Ägyptern meistens so geht, daß

---

* *Kircher, D'origni, Blackwell* usw.
** *Wood, Webb, Winkelmann, Newton, Voltaire* bald eins, bald das andere, pro loco et tempore.

man zu ihnen aus Griechenland und also mit blos Griechischem Auge kommt – wie kanns ihnen schlechter gehen?
Aber theurer Grieche! diese Bildsäulen sollten nun nichts
weniger (wie du aus allem wahrnehmen könntest) als Muster
der schönen Kunst *nach deinem Ideal* seyn! voll Reiz,
Handlung, Bewegung, wo von allem der Ägypter nichts
wuste, oder was sein Zweck ihm gerade wegschnitt. *Mumien*
sollten sie seyn! *Erinnerungen an verstorbne Ältern* oder
Vorfahren nach aller Genauigkeit *ihrer Gesichtszüge, Größe*, nach hundert *vestgesetzten Regeln,* an die der Knabe
gebunden war – also natürlich eben ohne Reiz, ohne Handlung, ohne Bewegung, *eben in dieser Grabesstellung* mit
Händ und Füssen voll Ruhe und Tod – ewige Marmor-
mumien! siehe, das sollten sie seyn, *und sinds auch*! sinds
im *höchsten Mechanischen* der Kunst! im *Ideal ihrer Absicht*! – wie geht nun dein schöner Tadeltraum verlohren!
Wenn du auf zehnfache Weise den Knaben durch ein Ver-
größerungsglas zum Riesen erhöbest und ihn belichtetest,
du kannst nichts mehr in ihm *erklären*; alle *Knabenhaltung*
ist weg, und ist doch nichts minder, als Riese!

Die *Phönicier* waren, oder wurden, so verwandt sie den
Ägyptern waren, gewißermaaße, ihre *Gegenseite von Bildung.* Jene, wenigstens in den spätern Zeiten, *Haßer des
Meers* und *der Fremden,* um einheimisch nur »*alle Anlagen
und Künste ihres Landes* zu entwickeln«; diese zogen sich
hinter Berg und Wüste an eine Küste, um eine neue *Welt
auf dem Meere* zu stiften – und auf welchem Meere? auf
einem *Inselsunde,* einem *Busen zwischen Ländern,* das recht
dahin geleitet, mit Küsten, Inseln, und Landspitzen gebildet
zu seyn schien, um *einer Nation die Mühe des Schwimmens,*
und *Landsuchens* zu erleichtern – wie berühmt bist du
Archipelag[6] und Mittelmeer in der Geschichte des Menschlichen Geistes! *Ein erster handelnder Staat, ganz auf Han-*

6. *Name der Inseln zwischen Griechenland und Kleinasien.*

del gegründet, der die *Welt zuerst über Asien* hinaus *recht
ausbreitete, Völker pflanzte* und *Völker band* – welch ein
großer *neuer Schritt* zur *Entwicklung*! Nun muste freilich
das Morgenländische Hirtenleben mit diesem werdenden
Staat fast schon *unvergleichbar* werden: Familiengefühl,
Religion und stiller Landgenuß des Lebens schwand: die
Regimentsform *that* einen gewaltigen Schritt *zur Freiheit
der Republik,* von der weder Morgenländer noch Ägypter
eigentlich Begrif gehabt! Auf einer handelnden Küste
musten bald wieder Wißen und Willen gleichsam *Aristokratien* von Städten, Häusern und Familien werden – mit
allem welch eine Veränderung *in Form Menschlicher Gesellschaft.* Als also Haß gegen die Fremden und Verschlo-
ßenheit von andern Völkern schwand, ob der Phönicier
gleich *nicht aus Menschenliebe* Nationen besuchte, es ward
eine Art von *Völkerliebe, Völkerbekanntschaft, Völkerrecht*
sichtbar, von dem denn nun wohl ganz natürlich ein einge-
schloßner Stamm oder ein Kolchisches[7] Völkchen nichts
wißen konnte. Die *Welt* wurde weiter: *Menschengeschlech-
ter verbundner* und *enger*: mit dem Handel eine Menge
Künste entwickelt, ein ganz neuer *Kunsttrieb* insonderheit,
für Vortheil, Bequemlichkeit, Üppigkeit und *Pracht*! So
einmal stieg der Fleiß der Menschen von der schweren
Pyramidenindustrie und dem *Ackerfleiße* in ein *»niedliches
Spiel kleinerer Beschäftigungen«* hinunter. Statt jener un-
nützen, *Theillosen Obelisken* wandte sich die Baukunst auf
Theilvolle, und in jedem Theil *nutzbare Schiffe.* Aus der
stummen, stehenden Pyramide ward der *wandelnde, spre-
chende Mast.* Hinter der Bildnerei und Werkarbeit der
Ägypter ins Große und Ungeheure, spielte man jetzt so vor-
theilhaft mit *Glas,* mit zerstücktem, gezeichneten *Metall,
Purpur* und *Leinwand, Geräthschaft* vom Libanon, *Schmuck,
Gefäßen, Zierrath* – man spiels fremden Nationen in die

7. *Kolchis: Landschaft an der Ostküste des Schwarzen Meeres, das
Vaterland der Medea und Ziel der Argonauten.*

Hände – welch andre Welt von *Beschäftigung!* von *Zweck,*
Nutzen, Neigung, Seelenanwendung! Nun muste natürlich
aus der schweren, Geheimnißreichen Hieroglyphenschrift
»*leichte, abgekürzte, bräuchliche Rechen-* und *Buchstaben-*
kunst werden: nun muste der Bewohner des Schiffs und der
Küste, der expatriirte *Seestreicher* und *Völkerläufer* dem
Bewohner des Zelts und der Ackerhütte ein ganz anderes
Geschöpf dünken: der Morgenländer muste ihm vorwerfen
können, daß er *Menschliches,* der Ägypter, daß er *Vater-*
landsgefühl geschwächt, jener, daß er *Liebe* und *Leben,* dieser, daß er *Treue und Fleiß verlohren*: jener, daß er vom
heiligen Gefühl der Religion nichts wiße, dieser, daß er das
Geheime der Wißenschaften, wenigstens in Resten auf seine
Handelsmärkte *zur Schau getragen«.* Alles wahr. Nur entwickelte sich dagegen auch etwas ganz Anderes, (was ich
zwar keinesweges mit jenem zu *vergleichen* willens bin:
denn ich mag gar nicht *vergleichen!*) *Phönicische Regsam-*
keit und Klugheit, eine neue Art *Bequemlichkeit* und *Wohl-*
leben, der *Übergang zum Griechischen Geschmack,* und
eine Art *Völkerkunde,* der *Übergang zur Griechischen Frei-*
heit. *Ägypter und Phönicier* waren also bei allem Kontraste
der Denkart, *Zwillinge* Einer Mutter des *Morgenlands,* die
nachher gemeinschaftlich *Griechenland* und so *die Welt*
weiter hinaus bildeten. Also beide *Werkzeuge der Fortlei-*
tung in den Händen des Schicksals, und wenn ich in der
Allegorie bleiben darf, der Phönicier, der erwachsnere
Knabe, der *umher lief,* und die Reste der uralten Weisheit
und Geschicklichkeit *mit leichterer Münze* auf *Märkte und*
Gaßen brachte. Was ist die Bildung Europens den betrüge-
rischen, Gewinnsüchtigen Phöniciern schuldig! – Und nun
der schöne Griechische *Jüngling.*

Wenn wir uns vor allem der *Jünglingszeit* mit Lust und
Freude erinnern, die unsre Kräfte und Glieder bis zur
Blüthe des Lebens ausgebildet: unsre Fähigkeiten bis zur
angenehmen *Schwatzhaftigkeit* und *Freundschaft* entwik-

kelt: alle Neigungen auf *Freiheit* und *Liebe, Lust und Freude* gestimmt, und alle nun im ersten süßen Tone – wie wir *die Jahre fürs güldne Alter* und für ein *Elysium unsrer Erinnerung* halten, (denn wer erinnert sich seiner unentwickelten Kindheit?) die am glänzendsten *ins Auge fallen*, eben im *Aufbrechen der Blüthe*, alle unsre künftige Würksamkeit und Hofnungen *im Schoose tragend* – in der Geschichte der Menschheit wird *Griechenland* ewig der Platz bleiben, wo sie ihre *schönste Jugend* und *Brautblüthe* verlebt hat. Der Knabe ist Hütte und Schule entwachsen und steht da – edler *Jüngling* mit schönen gesalbten *Gliedern, Liebling aller Grazien*, und *Liebhaber aller Musen, Sieger in Olympia* und all' anderm Spiele, *Geist und Körper* zusammen nur *Eine blühende Blume*!

Die *Orakelsprüche der Kindheit* und *Lehrbilder der mühsamen Schule* waren jetzt beinahe vergeßen; der Jüngling entwickelte sich aber daraus alles, was er zu *Jugendweisheit* und *Tugend*, zu *Gesang* und *Freude, Lust* und *Leben* brauchte. Die *groben Arbeitkünste* verachtete er, wie die blos *Barbarische Pracht*, und das zu einfache *Hirtenleben*; aber von Allem brach er die *Blüthe einer neuen schönen Natur*. – *Handwerkerei* ward durch ihn *schöne Kunst*: der dienstbare Landbau, freie *Bürgerzunft*, schwere Bedeutungsfülle des strengen Ägyptens, *leichte schöne Griechische Liebhaberei* in aller Art. Nun welche neue *schöne* Klaße von *Neigungen* und *Fähigkeiten*, von denen die frühere Zeit nichts wuste, zu denen sie aber Keim gab. Die *Regimentsform*, muste sie sich nicht vom Orientalischen *Vaterdespotismus* durch die Ägyptischen *Landzünfte*, und halbe Phönicische *Aristokratien* herabgeschwungen haben, ehe *die schöne Idee einer Republik in Griechischem Sinne*, »Gehorsam mit Freiheit gepaart, und mit dem Namen *Vaterland* umschlungen« statt haben konnte? Die Blüthe brach hervor: holdes Phänomenon der Natur! heißt *»Griechische Freiheit!«* Die *Sitten* musten sich vom Orientalischen *Vater*- und Ägyptischen *Taglöhnersinn* durch die Phönicische

Reiseklugheit gemildert haben: und siehe! die neue schöne Blüthe brach hervor »*Griechische Leichtigkeit, Milde, und Landesfreundschaft.*« Die Liebe muste den Schleier des *Harems* durch manche Stuffen verdünnen, ehe sie das *schöne Spiel* der Griechischen *Venus*, *Amors* und der *Grazien* ward. So *Mythologie, Poesie, Philosophie, schöne Künste*: Entwickelungen uralter Keime, die hier *Jahrszeit und Ort* fanden, zu *blühen* und in alle Welt zu *duften.* Griechenland ward die Wiege der *Menschlichkeit*, der *Völkerliebe*, der *schönen Gesetzgebung*, des *Angenehmsten*, in *Religion, Sitten, Schreibart, Dichtung, Gebräuchen* und *Künsten* – Alles Jugendfreude, Grazie, Spiel und Liebe!

Es ist zum Theil gnug entwickelt, was für Umstände zu dieser einzigen Produktion des Menschengeschlechts beigetragen, und ich setze diese Umstände nur *ins Größere der allgemeinen Verbindung von Zeitläuften und Völkern.* Siehe dies schöne Griechische *Klima* und in ihm das *wohlgebildete Menschengeschlecht* mit freier Stirn und feinen Sinnen – ein rechtes *Zwischenland* der *Kultur*, wo *aus zwei Enden* alles zusammen floß, was sie so leicht und edel verwandelten! Die schöne Braut wurde von zweien Knaben bedient zur Rechten und Linken, sie that nur *schön idealisiren*; *eben die Mischung* Phönicischer und Ägyptischer *Denkart*, deren eine der andern ihr Nationelles und ihren eckichten Eigensinn *benahm*, formte den Griechischen Kopf zum *Ideal, zur Freiheit.* Jetzt die *sonderbaren Anläße* ihrer *Theilung* und *Vereinigungen* von den frühesten Zeiten her: ihre *Abtrennung* in Völker, *Republiken, Kolonien,* und doch der *gemeinschaftliche Geist* derselben; *Gefühl einer Nation, eines Vaterlands, einer Sprache!* – Die besondern *Gelegenheiten* zu Bildung dieses *Allgemeingeists*, vom Zuge der *Argonauten,* und dem *Feldzuge gegen Troja* an, bis zu den *Siegen gegen die Perser,* und die Niederlage gegen *den Macedonier*, da Griechenland starb! – Ihre *Einrichtungen gemeinschaftlicher Spiele und Nacheiferungen*, immer mit kleinen *Unterschieden* und *Veränderungen*, bei jedem klein-

sten Erdstrich und Völkchen – alles und zehnfach mehr gab
Griechenland *eine Einheit und Mannichfaltigkeit*, die auch
hier das *schönste Ganze* machte. *Kampf* und *Beihülfe, Stre-*
ben und *Mäßigen*; die Kräfte des Menschlichen Geistes
kamen ins schönste *Eben- und Unebenmaaß* – Harmonie
der Griechischen Leyer!

Aber daß nun nicht eben damit unsäglich vieles von der
alten frühern *Stärke* und *Nahrung* verlohren gehen muste,
wer wollte das läugnen? Da den Ägyptischen Hieroglyphen
ihre *schwere Hülle* abgestreift ward, so kanns immer seyn,
daß auch ein *gewißes Tiefe, Bedeutungsvolle, Naturweise*,
was *Charakter* dieser Nation war, damit über See verduf-
tete: der Grieche behielt nichts als *schönes Bild, Spielwerk,*
Augenweide – nennts gegen jenes Schwerere wie ihr wollt;
gnug *er wollte nur dies!* Der Religion des Morgenlandes
ward ihr *heiliger Schleier* genommen; und natürlich, da
alles auf *Theater* und *Markt*, und *Tanzplatz Schau getra-*
gen wurde, wards in kurzem »*Fabel*, schön ausgedehnt, be-
schwatzet, gedichtet und neugedichtet – *Jünglingstraum*
und *Mädchensage*«! die Morgenländische Weisheit, dem
Vorhange der Mysterien entnommen, ein *schön Geschwätz,*
Lehrgebäude und *Zänkerei der Griechischen Schulen* und
Märkte. Der Ägyptischen Kunst ward ihr schweres Hand-
werksgewand entnommen, und so verlohr sich auch das zu
genaue *Mechanische* und *Künstlereistrenge*, wornach die
Griechen nicht strebten: der Koloß erniederte sich zur *Bild-*
säule: der *Riesentempel* zum *Schauplatz*: Ägyptische *Ord-*
nung und *Sicherheit* ließ in dem Vielfachen Griechenlands
von selbst nach. Jener alte Priester konnte in mehr als
Einem Betracht sagen »o ihr ewigen Kinder, die ihr nichts
wißet, und so viel schwatzt, nichts thut, und um so viel
spielet, nichts habt, und alles so schön vorzeiget«, und der
alte *Morgenländer* aus seiner Patriarchenhütte würde noch
heftiger sprechen – ihnen statt Religion, Menschheit und
Tugend, nur *Bulerei mit alle dem* Schuld geben können
usw. Seys. Das Menschliche Gefäß ist *einmal keiner Voll-*

kommenheit fähig: muß immer *verlaßen*, indem es *weiter rückt*. Griechenland rückte weiter: Ägyptische *Industrie* und *Policei* konnte ihnen nicht helfen, weil sie kein *Ägypten* und keinen *Nil* – *Phönicische* Handelsklugheit nicht helfen, weil sie keinen *Libanus* und kein *Indien* im Rücken hatten: zur *Orientalischen* Erziehung war die Zeit vorbei – gnug! es ward, was es war – *Griechenland*! Urbild und Vorbild aller Schöne, Grazie und Einfalt! Jugendblüthe des Menschlichen Geschlechts – o hätte sie ewig dauren können!

Ich glaube, der Stand, in den ich Griechenland stelle, trägt auch bei, »den ewigen Streit über die *Originalität der Griechen* oder ihre *Nachahmung fremder Nationen*« etwas zu entwirren: man hätte sich wie überall, also auch hier, lange *vereinigt*, hätte man sich nur beßer verstanden. Daß Griechenland *Samenkörner der Kultur, Sprache, Künste* und *Wißenschaften anders woher erhalten*, ist, dünkt mich, unläugbar, und es kann bei einigen, *Bildhauerei, Baukunst, Mythologie, Litteratur* offenbar gezeigt werden. Aber daß die Griechen dies alles *so gut als nicht* erhalten, daß sie ihm ganz *neue Natur angeschaffen*, daß in jeder Art das »*Schöne*« im eigentlichen Verstande des Worts ganz gewiß ihr Werk sey – das, glaube ich, wird aus einiger Fortleitung der Ideen eben so gewiß. Nichts Orientalisches, Phönicisches und Ägyptisches behielt *seine Art* mehr: es ward *Griechisch*, und in manchem Betracht waren sie fast *zu sehr* Originale, die alles nach ihrer Art *um- und einkleideten*. Von der größten *Erfindung* und der wichtigsten *Geschichte* an, bis auf *Wort und Zeichen* – alles ist davon voll: von Schritt zu Schritt, bei allen Nationen ists ebenfalls so – wer weiter System bauen, oder über Namen streiten will, streite!

Es kam das *Mannesalter Menschlicher Kräfte* und *Bestrebungen* – die *Römer*. *Gegen die Griechen* hat *Virgil* auf einmal sie geschildert, jenen *schöne Künste* und *Jugendübungen* überlaßen:

tu regere imperio populos, Romane, memento[8]
ungefähr damit auch gegen die *Nordländer* ihren Zug geschildert, die es ihnen vielleicht an *Barbarischer Härte,
Stärke im Anfalle,* und roher *Tapferkeit* zuvor thaten;
aber –

tu *regere imperio* populos –
Römertapferkeit idealisirt: *Römertugend! Römersinn! Rö-
merstolz!* Die *großmüthige Anlage* der Seele, über Wohl-
lüste, Weichlichkeit und selbst das feinere Vergnügen, hin-
wegzusehen, und *fürs Vaterland zu würken: der gefaßte
Heldenmuth,* nie tollkühn zu seyn und sich in Gefahr zu
stürzen, sondern *zu harren, zu überlegen, zu bereiten* und
zu thun: es war der unerschütterte Gang, durch nichts was
Hinderniß heißt, sich abschrecken zu laßen, eben im Unglück am größten zu seyn, und nicht zu verzweifeln: es
war endlich der große *immer unterhaltene Plan,* mit nichts
wenigern sich zu begnügen, als bis ihr Adler den Weltkreis
deckte – – wer zu allen diesen Eigenschaften ein vielwich-
tiges Wort prägen, darin zugleich ihre *männliche Gerechtigkeit, Klugheit,* das *Volle ihrer Entwürfe, Entschließungen, Ausführungen* und überhaupt *aller Geschäfte ihres
Weltbaus* begreifen kann, der nenne es. – Gnug hier stand
der Mann, der des Jünglings genoß und brauchte, für sich
aber nur *Wunder der Tapferkeit* und *Männlichkeit* thun
wollte; *mit Kopf, Herz und Armen!*
Auf welcher *Höhe* hat das Römische Volk gestanden, welchen *Riesentempel* auf dieser Höhe erbaut! Sein *Staats- und
Kriegsgebäude,* deßen *Plan* und *Mittel* zur *Ausführung* –
Koloßus für alle Welt! Konnte in Rom ein Bubenstück be-
gangen werden, ohne daß Blut in drei Erdtheilen floß! und
die *großen würdigen* Leute dieses Reichs wo? und *wie?*
würkten sie hinaus! was für Glieder dieser großen Ma-
schiene fast unwißend mit so leichten Kräften bewogen!
wohin alle ihre Werkzeuge *erhöht* und *befestigt: Senat* und

8. Vergil: *Aeneis* VI, 851. – *Aber du, Römer, gedenke die Völker der
Welt zu beherrschen.*

Kriegskunst – Gesetze und Zucht – Römerzweck und *Stärke*, ihn auszuführen – ich schaure! Was bei den Griechen *Spiel, Jugendprobe* gewesen war, ward bei ihnen *ernsthafte veste Einrichtung*: die Griechischen Muster auf einem kleinen Schauplatze, einer Erdenge, einer kleinen Republik, auf *der* Höhe und mit der *Stärke* aufgeführt, wurden *Schauthaten der Welt*.

Wie man auch die Sache nehme: es war »*Reife des Schicksals der alten Welt*«. Der Stamm des Baums zu seiner größern Höhe erwachsen, strebte, Völker und Nationen unter seinen Schatten zu nehmen, in Zweige. Mit Griechen, Phöniciern, Ägyptern und Morgenländern zu *wetteifern*, haben die Römer nie zu ihrer *Hauptsache* gemacht; aber indem sie alles *was vor ihnen war, männlich anwandten* – was wurde für ein *Römischer Erdkreis*! *Der Name knüpfte Völker und Weltstriche zusammen*, die sich voraus nicht dem Laut nach gekannt hatten. *Römische Provinzen*! in allen wandelten *Römer*, Römische *Legionen, Gesetze*, Vorbilder von *Sitten, Tugenden* und *Lastern*. Die *Mauer* ward *zerbrochen*, die *Nation von Nation schied*, der erste Schritt gemacht, die *Nationalcharaktere aller zu zerstören*, alle in *eine Form zu werfen*, die »*Römervolk*« hieß. Natürlich war der erste *Schritt* noch nicht das *Werk*: jede Nation blieb bei ihren *Rechten, Freiheiten, Sitten* und *Religion*; ja die Römer schmeichelten ihnen, eine Puppe der letzten selbst mit in ihre Stadt zu bringen. Aber die Mauer lag. *Jahrhunderte von Römerherrschaft* – wie man in allen Welttheilen, wo sie gewesen sind, siehet – *würkten sehr viel: Sturm*, der die innersten *Kammern der Nationaldenkart* jedes Volks *durchdrang*: mit der Zeit wurden die *Bande immer vester*, endlich sollte das ganze Römische Reich gleichsam nur *Stadt Rom* werden – alle Unterthanen *Bürger* – bis es selbst sank.

Auf keine Weise noch von Vortheil oder Nachtheil geredet, allein von *Würkung*. Wenn alle Völker unter dem Römischen Joche gewißermaaße die Völker zu seyn aufhörten, die sie waren, und also über die ganze Erde eine *Staats-kunst*, *Kriegskunst* und *Völkerrecht* eingeführt wurde, wo-von voraus noch kein Beispiel gewesen war: da die Ma-schiene *stand*, und da die Maschiene *fiel*, und da die Trüm-mern alle Nationen der Römischen Erde *bedeckten* – gibts in aller Geschichte der Jahrhunderte einen *größern An-blick*! Alle Nationen *von-* oder *auf* diesen Trümmern *bauend*! Völlig neue Welt von Sprachen, Sitten, Neigungen und Völkern – es beginnet eine andre Zeit – Anblick, wie aufs weite offenbare Meer neuer Nationen. – Laßet uns in-deßen noch vom Ufer einen Blick auf die Völker werfen, deren Geschichte wir durchlaufen sind.

FRIEDRICH LEOPOLD GRAF ZU STOLBERG

Geb. 7. November 1750 in Bad Bramstedt (Holstein), gest. 5. Dezember 1819 auf Schloß Sondermühlen bei Osnabrück. 1756 Übersiedlung der Familie nach Kopenhagen, 1770–73 Studium mit dem Bruder Christian in Halle und (ab 1772) in Göttingen; Mitglied des Hainbundes. Ab 1773 wieder in Kopenhagen, 1775 Reise mit Goethe in die Schweiz, 1776 Gesandter des Fürstbischofs von Lübeck in Kopenhagen, 1781 nach Bernstorffs Sturz wieder am Eutiner Hof, 1783 Amtmann in Neuenburg bei Oldenburg, 1789 dänischer Gesandter in Berlin, 1800 aufsehen-erregender Übertritt zur katholischen Kirche.
Werke: *Über die Fülle des Herzens* (1777); *Homers Ilias* (1778); *Reise in Deutschland, der Schweiz, Italien und Sizilien* (4 Bde., 1794); *Die Gedichte von Ossian* (1806); *Vaterländische Gedichte* (1815).

Über die Fülle des Herzens — *Beispiel der Empfindsamkeit*

Dieser Aufsatz erschien 1777 in der von Heinrich Christian Boie herausgegebenen Zeitschrift »Deutsches Museum«. Als typische Äußerung der Empfindsamkeit illustriert er das Urteil von Jürgen Behrens über die frühen Prosaschriften des Grafen Stolberg; er nennt sie »improvisierte Rhapso-

dien«. Es kommt in dieser Prosa nicht auf Begründung und Argumentation an, wie in Schriften der Aufklärung oder Klassik, sondern auf die angemessene Verbalisierung der »edlen Empfindungen«. Es läge nahe, derartige Texte als Ausdruck eines vagen Irrationalismus zu verstehen; in der Tat artikulieren sie das Vertrauen in die Kraft des empfindenden Gemütes, und es würde schwerfallen, alle hier verwendeten Begriffe geistesgeschichtlich zu definieren. Dabei ist aber zu beachten, daß die Abneigung gegen das ausschließlich rationale Denken und Argumentieren bei Stolberg und seinen Generationsgenossen ergänzt wird durch eine ebenso deutliche Abneigung gegen das ausschließlich irrationale Empfinden. »Ohne den warmen Anteil des Herzens sind die Wissenschaften fast nichts« – damit wird deutlich gesagt, daß das Gefühl den Errungenschaften der Vernunft an die Seite treten muß, denn: »Wer wollte den Wert der Wissenschaften verkennen?«

Wenn ich ein Weib hätte, und nun, nach den bängsten Minuten meines Lebens, käme der erwünschte Augenblick, da die Geliebte, beinah ohnmächtig zurücksinkend, mit blassen Wangen, mit bebenden Lippen, mit Tränen in auf mich gerichteten Augen (nur Engel könnten unterscheiden, ob es noch wären Tränen der Leiden, oder schon Tränen der Wonne) mit diesen Tränen mir schweigend sagte: ich habe geboren dein Kind! ich ihr um den Hals fiele, dann sprachlos vor ihr stünde, und in dem Augenblick ein Wunsch für mein Kind und ach! für ihr Kind, so schnell in meiner Seele reifte wie keimte, oh! was würd' ich ihm wünschen, dem kleinen Liebling, den ich mit der Lebensgefahr meiner liebsten Hälfte erkauft hätte? Nicht Reichtum würd' ich, nicht langes Leben ihm wünschen, auch nicht Wissenschaft; für solche Wünsche wäre mir der Augenblick zu teuer. Vater, würd' ich denken, Vater, der dem Hirsche Schnelligkeit, Stärke dem Löwen und dem Adler Flügel gab, gib diesem

Menschen, der schwach und doch dein Ebenbild ist, gib ihm die menschlichste Aller Gaben, die Eine göttliche Gabe, gib ihm Fülle des Herzens!

Vielleicht wäre die Ahnung täuschend, aber gewiß würde mich umschweben eine Ahnung von der göttlichen Erhörung. Sie würde mir Gewißheit scheinen, und froh würde mein Geist sich verlieren in die Aussicht von den künftigen Tagen des Kleinen; ich würde ruhig sein über ihm, mögen ihn einst umstürmen die Wogen der Welt, oder werde Stille sein Teil und Einsamkeit, er wird der Seligkeiten viele finden, er wird sagen zur Wehmut: du bist meine Schwester! und zur Wonne: du bist meine Braut!

Aber daß in diesem marklosen Jahrhunderte mich ja keiner mißverstehe, so wisse jedes seidene Männchen, das mir vielleicht zu früh süßen Beifall zulächelte, daß Fülle des Herzens mehr ist als eine bloß leidende Reizbarkeit, daß jede Erschlaffung der Natur schändlich ist, und daß eine weiche Empfindsamkeit, indem sie die Jünglinge weineln und lächeln lehrt, den göttlichen Funken in ihnen erlöscht.

Diese empfindsame, bloß leidende Reizbarkeit ist nicht ein Geschenk der Natur; sie ist eine Ebbe ohne Flut und zeigt nur den seichten Grund.

Aus Einer Quelle kommen alle edlen Gefühle des Herzens. Ich traue nicht dem Mut des Liebeleeren, auch nicht der Liebe des Mutlosen. Der Jüngling, welcher in sich nicht Kraft fühlt den Dränger zu zermalmen, ist mir verächtlich, auch wenn er weint beim Unglück des Bedrängten. Er sollte nicht kennen die Süßigkeit einer edlen Träne; er hat kein Recht dazu!

Wie ehrwürdig ist mir gegen ihn die Löwin, welche hungrig in ihre Höhle kommt, sich vergißt, und den Raub mit mütterlicher Liebe unter die Jungen verteilt! Diese mütterliche Liebe wird Grimm, wenn ein Verwegner sich naht; sie zerreißt ihn und leckt dann wieder mit bluttriefender Zunge ihre geliebte Brut.

Wende mir nicht ein als eine Ausnahme den Charakter der

Weiber. Sie haben ein starkes Gefühl für jede edle Empfindung. Empöre die zärtesten Saiten einer weiblichen Seele; sie werden klingen, daß du staunen wirst.

Wie zärtlich war das Weib, welches den Dolch aus der Brust ziehn und sagen konnte: Pätus, es schmerzt nicht![1] Wie liebend die Mutter, welche ihrem Sohn flehte: Sohn, erbarme dich mein und stirb!

Ich wiederhole es noch einmal: alle edlen Empfindungen kommen aus einer Quelle. Liebe, Mut, Mitleiden, Andacht, Bewundrung des Guten, Abscheu des Bösen, Wonne beim Anblick der ans Herz redenden Natur, siehe da sieben Strahlen eines siebenfarbigen Bogens, sieben Strahlen, alle der Fülle des Herzens entströmend, welche gleich der Sonne Leben und Wärme um sich her verbreitet.

Die Griechen und Römer faßten alles Gute, was an einem Manne sein kann, in einem Worte zusammen: αρετη, virtus; bei den alten Franzosen hatte courage diese Bedeutung, und noch sagen wir Deutschen viel von einem Manne, wenn wir sagen: Er hat viel Herz.

O ihr kurzsichtigen Vernünftler, die ihr alle Begriffe wieder trennen wollt, welche wahre Weise mit glühender Stirn und Tränen beim Anblick der erkannten Wahrheit vereiniget sahen!

Ihr spaltetet den Lichtstrahl, wenn ihr könntet; der Weise vereinigt viele Strahlen zusammen und wärmt sich an der hervorgerufenen Flamme.

Alles befremdet euch; keine Idee hattet ihr jemals von der großen Harmonie des Ganzen, konntet sie nicht haben! Euch ist nichts wahr, alles Widerspruch; dem Weisen nichts Widerspruch, vieles wahr, einiges dunkel.

Ihr dünkt euch weise, weil ihr wisset, daß des Mondes sanfter Schein zurückkehrende Strahlen der Sonne sind. Seid noch weiser, und verkennt nicht in der frohen Träne

---

1. *Arria reichte ihrem vor dem Selbstmorde zögernden Manne Pätus den Dolch, nachdem sie ihn sich selbst in die Brust gestochen hatte.*

beim Anblick seines Kindes das starke Gefühl des Mannes,
welchem die Macht des Unrechts sich beugen muß, des
Mannes, der, wie Brutus, der zärtlichen Umarmung des
besten Weibes enteilen würde, um dem Herrn der Welt den
Dolch ins Herz zu stoßen.

O dasselbe unterirdische Feuer, welches durch die Adern
der Erde zeugende Wärme verbreitet, Bäume und Gras her-
vorbringt und Blümchen, die, sich spiegelnd, hin und her
wanken am klaren Bach, eben dasselbe Feuer steigt wie ein
Adler empor in den Klüften des Ätna, entströmt in roten
Flammen seinem offnen Schlunde, wälzet Verderben durch
blühende Täler und stürzt sich donnernd in den Ozean.

Ein Mensch, dem die Natur wenig Gefühl gab, kann mit
dem Wenigen getreu und ein guter Mensch sein. Aber wie
wenig bringt er, bei gleicher Anstrengung der Kräfte, Gutes
in sich hervor gegen den, des Herz jedem edlen Antrieb
entgegenwallt! Diese beide stehn auf ganz verschiednen
Stufen der Wesen, und werden gewiß, bei noch immer vor-
ausgesetzter gleicher Anstrengung der Kräfte, auch nach
derselben Proportion durch den Tod in einen höhern Zustand versetzt werden, aber eben dadurch noch immer auf
sehr verschiednen Stufen bleiben.

Gott hat alles getan, um diese Fülle des Herzens im Menschen zu erhalten und zu vermehren. Von seiner Geburt an
sieht er Eltern, die ihn lieben, die er lieben muß; Geschwister, deren Liebe vielleicht das reinste Band in der Natur
ist. Bald öffnet sich sein Herz der Wonne der Liebe und
ihrer Wehmut. Wie durchglüht sie, wie durchströmt sie ihn,
bis er Ruhe findet in der süßen ehelichen Umarmung! Dann
grüßt ihn bald mit dem ersten stammelnden: Vater! sein
Kind; mehrere folgen dem ersten; sie erwarten Nahrung,
Schutz, Bildung des Herzens und des Verstandes von ihm.
Als würd' er wieder getaucht in die Quelle der Jugend
nimmt er wieder Anteil an Freuden, die er vergessen hatte;
alles, was der oft rauhe Pfad des Lebens an ihm gehärtet
hatte, wird im Umgang mit den Kleinen wieder erweicht,

und mancher Genuß glättet nun seine Runzeln, welcher
ehmals seine Tränen trocknete. Der Mann wird vom Weibe
zu mancher sanften Empfindung gestimmt, welche ihm neu
war; das Weib lernt vom Manne manches starke Gefühl,
welches die Saiten ihrer zärteren Seele mächtig durchbebt;
früh bilden sich nach ihnen die Empfindungen der Kinder
und geben sanften Flötenton, und die harmonische Zusam-
menstimmung des Ganzen, ist seelenschmelzender als alle
Symphonien, sanft wie Nachtigallenchöre, und Dem, der
Sonnen kreisen und menschliche Herzen schlagen hieß, so
lieb wie der Lobgesang rollender Sphären.
Wie wird durch den Umgang der Freunde das Herz ge-
nährt, gestärkt, belebt! Die Starkempfindenden werden
durch die stärkste Sympathie aneinandergezogen, denn ein
volles Herz kann sich nur in ein Herz von weitem Um-
fange der Empfindung ausschütten. Ich sage nicht, daß ein
Starkfühlender und ein Schwachfühlender nicht können
Freunde sein; sie sind sich vielleicht, durch besondre Umstände, oder durch Bedürfnis der Mitteilung von der einen,
und Dankbarkeit, oder Trieb sich zu erheben von der andern Seite, nahegekommen, lernten ihre Redlichkeit schätzen und lieben sich. Aber ein gewisser Grad der Vertrau-
lichkeit ist unter ihnen schwer und die Seligkeit der höchsten Freundschaft unmöglich.
Sie sind beide nicht gemacht den Weg des Lebens miteinander zu durchlaufen, ebensowenig als der irdene und
eherne Topf des Sirach.
Dem Starkempfindenden werden oft Empfindungen ent-
strömen, welche dem andern fremd sind; die Wünschelrute
wird oft zucken wollen, ohne Gold zu finden.
Der Schwachempfindende wird fühlen die Übermacht des
andern; es wird ihm manchmal bang zu Mute sein, wie in
der nahen Gegenwart einer Gottheit.
Eine Weile können die Leyer mit vier Saiten und die sie-
bensaitige zusammentönend den Gesang begleiten. Wenn
aber die Stimme der Jungfrau, auf deinen Fittichen, o

Gluck[2], sich hebend, feinere Lüfte durchtönt, dann wallen
die begleitenden Töne über die vollgestimmte Leyer, wenn
jene verstummen muß.

Das Verstummenmüssen in diesem Fall ist gleichwohl nicht
so traurig, als das Mitertönen einer zwar voll- aber nicht
reingestimmten Leyer. Ein Mißton der Empfindung ist
kränkend, am meisten da, wo er unerwartet war. Ein einziger solcher Mißton läßt einen dauernden Eindruck zurück.

Es ist traurig, wenn ein Herz sich zu weit geöffnet hat und
sich halb wieder schließen muß. Das geschieht nicht ohne
Schmerz: und doch, glaub ich, muß es noch trauriger sein
zu fühlen, daß man für viel Empfindung nur wenig wiedergeben kann, denn die Armut des Herzens mag wirklich
drücken.

Die Verschiedenheit der männlichen und weiblichen Art zu
empfinden macht, daß es schwerer ist zwischen Liebenden
als zwischen Freunden zu entscheiden, welcher von beiden
mehr gibt, oder nimmt.

√Zur Glückseligkeit der Ehe ist viel daran gelegen, daß diese
große Frage unentschieden bleibe.

Die Freundschaft könnte man vergleichen mit zwo Flammen die nebeneinander lodern, sich einander durch Mitteilung der Hitze nähren ohne sich zu berühren; da ist nun
leicht zu sehen, welche am höchsten brennt.

Laß mich die Liebe vergleichen mit einem großen Feuer,
das aus glühenden Kohlen besteht und aus Flammen; wer
mag entscheiden, ob die Kohlen mehr wärmen oder die
Flamme?

Nun könnte ich etwas und sollte vielleicht viel von der
Liebe sagen, sollte mich wohl gar hinsetzen wie der leiden-
geübte Odysseus, und erzählen, wie ich hier die Göttin,
dort den Sirenen entging, wie ich manchen Schiffbruch litt,
und oft am Altare des gestaderschütternden Gottes meine

2. *Christoph Willibald Gluck (1714–87), bei den Hainbündlern vor
allem wegen seiner Vertonung Klopstockscher Oden hochgeachtet.*

nassen Kleider für meine Rettung aufhing; wie ich manchesmal, gleich dem Helden von Ithaka, mich an einem Feigenstrauch rettete, aber niemals, wie er, von einer herzlichen treuen Nausikaa gehegt und gepflegt ward, auch noch keine Penelope daheim habe, welche mich durch ihre Umarmungen nach meinen irrenden Fahrten wieder beglücken könnte.

Ich ließe mich vielleicht erbitten von einem oder dem andern meiner Leser, dem ichs ansähe, daß er den Sturm bestanden, oder wohl gar Schiffbruch gelitten hätte, mit ihm eine geheime Stelle am Ufer eines Baches zu suchen, und ihm dort zu erzählen und mir von ihm erzählen zu lassen, was jedem widerfahren wäre und wie jeder wäre gerettet worden.

Aber vielen kann ich das so nicht sagen, denn die meisten glauben unendlich viel gelitten zu haben, weil sie ein wenig seekrank gewesen sind. Diese erholen sich nun so leicht wieder, daß sie nachdem über ihr Übel lachen, und da tun sie dran ganz recht, würden aber vielleicht auch noch lächeln wollen, wenn sie uns arme Schiffbrüchige sähen; und wer könnte das erdulden?

Wenn gar die Sirenen, welche uns in den Strudel hineinsangen, uns nun belauschten, und sich auf einmal lächelnd und spöttelnd zeigten; oh, dann würde man rasend werden!

Also von der Liebe kein Wort mehr.

Aus deiner Fülle möcht ich nun schöpfen, o du, die ich als Mutter ehre, die ich liebe als Braut; Natur, Natur, an deren Brüsten ich allein ungestörte reine Wollust atmen kann! Schon als ein schwaches Knäblein hast du in deinen Armen mich gewiegt, hast mich finden lassen seligen Genuß im Schatten der Wälder, am Gemurmel der Bäche, in Feldern und Auen, hast mich trunken entgegengeführt dem steigenden, himmelrötenden Morgen, und mir sanftere Freude mit dem Abendtau herabgesandt, wenn nun sank die Sonne und im Osten heraufstieg der Mond begleitet vom Abendstern.

O Natur! Natur! Gott rief dir zu, als du in bräutlicher Schönheit aus dem Schoße der Schöpfung hervorgingst: sei schön! verkünde meine Herrlichkeit und bilde des Menschen Herz!

Dir dank ich, Natur, die seligsten Augenblicke meines Lebens! Du zeigtest mir deine erhabnen Schönheiten am Ufer deines Rheins und im Schatten deiner Alpen, wo du einem glücklichen Volke Freiheit schenktest und Einfalt der Sitte.

Groß und hehr erscheinest du mir auch hier am Gestade des Meeres. Oh, wie gern hebt und senkt sich mein Blick mit der krummen Woge, indem mein Ohr lauschet dem Geräusch seiner Wellen! Wenn im feierlichen Anblicke des unermeßlichen Ozeans mein Auge sich verliert, dann umschweben mich Gedanken vom Unendlichen, von der Ewigkeit und meiner eignen Unsterblichkeit. Meine Seele entfleucht dieser Welt. Ich werfe dann einen Blick auf das grüne Ufer, die ruhenden Haine, die Saaten, die Triften mit hin und her irrendem Vieh, und vergnügt kehrt mein Geist zur mütterlichen Erde wieder zurück. Die ganze Natur ist Harmonie, und wir sind geschaffen mit ihr zu harmonieren. Jede einzelne Schönheit der Natur, alle verschiedne Schönheiten der Natur in ihren mannigfaltigen Zusammensetzungen wurden vom Schöpfer bestimmt, die Saiten des menschlichen Herzens zu berühren und erklingen zu machen. Wie entzücken den Schößling der Natur diese Seelenmelodien! wie sanft sind sie! wie kühn! wie erheben sie das Herz zum Himmel! wie tauchen sie es in die süßesten Empfindungen!

Die Natur nicht schön finden ist unmöglich; ihre Schönheiten ansehen, um die Zeit zu vertreiben, den Blick daran zu weiden wie an einer Theaterdekoration, und nicht in ihr hören, sehen, fühlen Stimme Gottes, Spuren Gottes, Nähe Gottes, Offenbarung Gottes, sie, so heilig wie die schriftliche, allgemeiner, älter, und ans Herz redend wie sie, oh, das ist des Menschen unwürdig, das ist klein und schlecht!

Viele werden erfahren haben, was ich alle Jahre erfahre:

das Herz kränkelt in der Stadt. Mit geschwächten Geistes-
und Leibeskräften verlasse ich jeden Frühling die Stadt,
schöpfe aus der Fülle Gottes in der Natur und freue mich
meiner jährlichen Genesung. Wie die Ameise für den Winter
Körner einsammelt, so sammle ich Naturideen ein für das
Stadtleben. Du verlässest mich nicht in der Stadt, süße Erinnerung des gehabten Genusses; du besuchst mich, drängst
dich durch den Taumel der Welt zu mir, und stärkst mich,
wenn ich um Mitternacht, nach getragner Last und Hitze
des Stadtzwangs, mein Fenster öffne, und dann mich begrüßt der sanfte Mond und die rollenden Sphären.

Wie auf Adlersflügeln erhebt sich da der Geist, und zün-
det, wie Prometheus, seine Fackel an himmlischem Feuer
an.

In solchen Augenblicken fühlt sich wieder in allen ihren
Kräften und Unsterblichkeiten die ganze Seele, das wahre
beßre Ich; denn die Larve, die man mit sich herumschleppt
in dem Taumel der Welt, umtönt von den Schellen der Tor-
heit, gähnend und angegähnt, oh, wem ist sie nicht in Stunden des Selbstgefühls bis zum Anspeien verhaßt!

Es gibt Menschen, deren Geist mit dem Körper an einem
Ort angefesselt ist. Ihre Existenz ist immer eingeschränkt
auf den Genuß oder das Leiden der gegenwärtigen Minute.
Niemals folgte ihre Phantasie dem Fluge des Kometen, niemals versetzte die Kunde der Vorzeit sie lebhaft zurück in
die Tage der Helden. Ja, ihr eigner Genuß entschwindet
ihnen und die Erinnerung bringt ihnen nur matte Schatten
der vergangnen Freuden zurück.

Welch eine Schneckenexistenz gegen das Leben des Feuer-
vollen, Starkempfindenden!

Sein ist die Vorzeit; sein die Zukunft.

Wer schmeckt so stark, wie er, den gegenwärtigen Genuß?
Wer pflückt, wie er, jedes Blümchen auf der Bahn des Lebens? Nur er ist der Vertraute jeder Erinnerung, welche
ihm freundlich lächelt und den Reigen vergangner Freuden
im lebhaften Tanz ihm wieder vorüberführt.

In die Ferne der Zukunft verliert sich sein trunkner und doch sicherer Blick. Er sieht hell, und ahnet da, wo er nicht sieht.

Ahnungen! Ahnungen, ihr Töchter der Entzückung! Wie wenig Weihrauch streut man euren Altären! Warum? Weil man nicht weiß, woher ihr kommt und wohin ihr geht. Also darum nicht, weil ihr wie Götter erscheint und wie Götter verschwindet?

Dem, des Herz voll ist, ist nichts in der Welt leer, und wenn seine Seele dazu gewohnt ist sich zu erheben heimwärts, jenseit den Sternen der Mitternacht, oh, so umschweben ihn immer lichte Gedanken zu Tausenden.

Der Mann leeres Herzens findet überall eine Öde, am meisten da, wo jener in der Fülle ist.

Armer Abenteurer, welcher der Natur entlief und nun, gleich dem verlornen Sohne, seinen Wanst mit Träbern füllt! Zu glücklich noch, wenn ihn die bittre Bedürfnis zur Natur und zum Geständnis seiner Torheiten zurückbringt.

Wer immer der Natur treu bleibt, der wird sie immer mehr entzücken. In ihr ist Alles Leben. Das empfinden ihre Lieblinge und sehen jedes Tier, ja den Baum und das Gräschen an mit schmelzendem Liebesgefühl. Im Tiere sehen sie ein empfindendes Wesen, und ahnen, fast möcht ich sagen wissen, daß die Seele des Tieres sich nicht in Staub auflösen kann. Sie gehen vom edlen Roß, vom treuen Hunde herunter zum niedrigsten Insekt. Welcher Unterschied! Und doch welche Übereinstimmung! Fast unmerklich wird zuletzt der Übergang zu den Pflanzen; nun ahnen sie auch dort Leben, sich vervollkommnendes unsterbliches Leben. Ahnens? ich sagte lieber wissens, wenn ich dürfte, und spräche dann von dem, was nun Ahnung ist.

Wer wollte den Wert der Wissenschaften verkennen? Sie nähren, sie bilden den Geist. Aber die meisten Gelehrten sind zufrieden das zu wissen, was ihnen nötig zu sein scheint, und wenn sie auch ja in einem Überfluß von Erkenntnissen prassen, so tun sie es entweder aus Eitelkeit,

oder aus einer Art von Liebhaberei, bei welcher das Herz
kalt bleibt. Sie sammeln im Garten der Musen keinen Honig, sondern nähren sich wie faule Hummeln. Was wird.
ihnen nutzen nach dem Tode ihre erworbene Wissenschaft?
So wenig, wie im Leben die Münzen, welche sie sammelten,
um die gesammelten in einem Schränkchen zu verwahren.
Dem Fühllosen sind die Wissenschaften, welche er besitzt,
ein toter Schatz; dem Gefühlvollen eine Quelle reiner Freuden, seelenerhebender Regungen, edler Gedanken, welche
ihn bilden, sein Herz erweitern, und also in die Ewigkeit
fortwirken. Oder glaubst du, daß eine Empfindung sterben
könne, ohne in alle Ewigkeit fortzuwirken in dem, welcher
sie empfand?
Ohne den warmen Anteil des Herzens sind die Wissenschaften fast nichts. Nur durch diesen entzückt uns die Sternkunde, wenn sie uns viele tausend Sonnen in den schönen
Funken des Himmels zeigt, Sonnen, jede vermutlich umringt
von Erden, und jede von diesen mit empfindenden unsterblichen Wesen bevölkert.
Eben dieser Anteil des Herzens macht die Geschichte zur
wohltätigen Lehrerin der Menschheit, da sie ohne ihn nichts
als Chronik wäre. Sie gibt reiche Nahrung. Aus ihrer Fülle
schöpfe der Jüngling und veredle sich, indem er trinkt. Wie
selig wird er sein, wenn Freiheitsgefühl ihm die Wange
rötet, wenn er die dreihundert Spartaner in Thermopylä[3]
beneidet, mit dem großen Lykurg[4] sein Vaterland verläßt,
und mit Timoleon sein Haupt verhüllt, da er den Bruder,
weil sein Bruder ein Tyrann war, ermorden läßt. O Jüngling, der da schwelgt im göttlichen Plutarch, dem das Herz
schlägt bei den Edeltaten der Vorzeit, dem es schwillt von
edler Begierde nach Ruhm, wie groß kannst du werden,
wenn du Eine Klippe vermeidest! Laß dich dieses Schlagen

3. *Der spartanische König Leonidas verteidigte 480 v. Chr. die Thermopylen gegen persische Übermacht.*
4. *Lykurgos, athenischer Staatsmann und Redner, gest. 324 v. Chr.,
wirkte als Feind Makedoniens gegen König Philipp.*

und Schwellen nicht verführen das schön zu finden, was nur glänzend ist, und lege die Taten großer Männer auf die Waage der Gerechtigkeit. Oh, wenn Wahrheit dir lieb ist, und was ist ohne sie die Geschichte? Wenn Wahrheit dir lieb ist, so laß auch dein Urteil wahr sein. Weil Cäsar es nicht achtete, diese Waage zu brauchen, ward er der ungerechteste Krieger, opferte Millionen Menschen sich selbst auf, empörte sich gegen sein Vaterland und brachte es unters Joch der Tyrannei. Wenn du fähig bist, diesen Bösewicht, dieses Ungeheuer zu lieben, mehr zu lieben als den gerechten Cato, der, mit Löwenstärke und mit Löwenmut, den Strom des Verderbens so lang dämmte, mehr als Brutus, den sanften liebenden Mann, den Rächer des Vaterlands, den Blitz der Freiheit, ihn, in welchem Rom auflebte, in dessen letztem Atemzug es auf ewig starb – o Jüngling, so wirst du da nur Gift finden, wo dir die edelste Nahrung bereitet war!

Was soll ich von dir sagen, göttliche Dichtkunst? Du entströmst der Fülle des Herzens und bietest die süßen Trunkenheiten deines Nektars reinen Herzen an. Du erhebst das Herz auf Flügeln des Adlers, und bildest es zu allem, was groß ist und edel.

Groß und weit ausgebreitet ist deine Macht; du bist die Tochter der Natur, hehr und sanft und groß und wahr, wie sie, in angeborner Einfalt!

Du fleuchst gen Himmel, nimmst Flammen vom Altare, wärmest und erleuchtest das Menschengeschlecht!

Dir opferten die Weisen des Altertums, echte Philosophen, welche mit reiner Inbrunst die Weisheit suchten, wie Orpheus die Eurydike.

Aber vielleicht hält mancher aufrichtige Mann Alles, was ich gesagt habe, für Chimäre, und meint, daß weder Natur, noch ihre Töchter, Dichtkunst und Philosophie, noch auch die Geschichte das Herz für die Ewigkeit ausbilden könne, daß dieses allein das Werk der Religion sei. So sehr ich auch überzeugt bin, daß jedes edle Gefühl heilig ist, und wenn der Mensch, welcher es empfand, edel bleibt, ewig in ihm fortwirkt, so gewiß bin auch ich überzeugt, daß die Religion die Hauptquelle jedes Seelenadels und der ewigen Wonne ist.

Aber, mein Freund, diese Religion, ist sie nicht der Fülle göttlicher Liebe und Weisheit, wie die Natur, entströmt und von demselben Geiste beseelt? Und sieh! ihr erstes Gebot ist Liebe. Sie, die göttliche Religion, zeigt uns, daß wir durch Liebe zu den Menschen und Gott ihm ähnlich werden sollen. Ists nicht göttliche Weisheit, welche uns lehrt, daß in den zweien Geboten: Liebe Gott! und liebe den Menschen! der Inbegriff aller Pflichten enthalten ist? Sagt nicht eben diese göttliche Weisheit, daß dem viel vergeben würde, welcher stark liebte? Sagt nicht ein Bote Gottes an seine Gemeine, daß Christum lieb haben besser sei als alles Wissen? und sagt nicht eben dieser Mann, daß alle Wissenschaft, ja die höchsten Gaben, die Gabe der Weissagung und Wunder zu tun, vereint mit dem Verdienste des Märtyrertodes, nichts sei, ohne Liebe zum Nächsten, ohne sie nur ein tönend Erz sei, eine klingende Schelle?

Aber, möchte man sagen, Fülle des Herzens ist eine Gabe Gottes; wie kann sie belohnt, wie kann ihr Mangel bestraft werden?

Jeder Mensch hat so viel Herz, daß er lieben kann, und weniger wird von dem gefodert, welcher weniger empfangen hat. Darf er murren, daß er weniger empfing? So dürfte der Rabe murren, daß er kein Adler ist.

Fülle des Herzens ist die edelste Gabe Gottes; aber, eben darum, Fluch dem, der durch sie nicht besser wird! Wehe dem, des Geist sich erheben, des Herz mit heißem Liebesgefühl vieles umfassen kann, wenn dieser Geist, wenn dieses Herz nicht emporfliegen und weilen kann beim Unendlichen und Allliebenden! Wenn dieses Herz wie Wachs zerschmelzen, und doch kalt sein kann bei der Betrachtung einer Religion, deren ganzes Wesen Liebe und Erbarmen ist!

Ich weiß wohl, daß einige unsrer Schriftgelehrten gern aus der Religion die Empfindungen des Herzens verbannen möchten, aus der Religion, welche auf nichts als Liebe Gottes und Gegenliebe des Menschen gegründet ist; aber das ist noch ungereimter, als wenn man dichten wollte ohne Begeistrung, oder als wollte man ringen ohne Kraft.

Ich habe zartfühlende Menschen in Augenblicken des Grams klagen gehört über das heiße Gefühl, welches sie so lebhaft empfinden macht. Sie glauben alsdann, bei weniger Gefühl sei mehr Genuß des Lebens. Aber wenn bei diesen Menschen wahrer Geist der Liebe, wahre Fülle des Herzens ist, und nicht nur jene leidende Reizbarkeit, nicht Ebbe ohne Flut, so mögen sie sich freuen über die Ursache ihres heftigen Grams. Auch wird ihnen eignes Selbstgefühl Zeugnis geben vom Adel ihrer Seele. Wo viel Licht ist, da ist auch viel Schatten, und heftiger Gram muß oft das Los dessen sein, welcher wahres Wonnegefühls fähig ist.

Die Erinnerung streut ihre schönsten Blumen nur auf den Pfad des Starkempfindenden. Selbst die Erinnerung des vergangnen Leidens ist süß. Der empfindende Wandrer sieht mit freudiger Rührung auf die zurückgelegte Bahn des Lebens zurück, auch da, wo der Pfad steil war und dornig.

Ist nun der Weg vollendet, wischen nun den Schweiß von der Stirne die Pilger und schütteln den Staub von den Füßen, o wie wird alsdann in einem Leben, wo jede Empfindung sich in Wonne wandelt, der, dem Fülle des Herzens bei der Geburt zuteil ward, es empfinden, daß ihm das Los am lieblichsten gefallen ist!

FRIEDRICH SCHILLER

Geb. 10. November 1759 in Marbach (Neckar), gest. 9. Mai 1805 in Weimar, Sohn eines Wundarztes, Kindheit in ärmlichen Verhältnissen. 1767–73 Besuch der Lateinschule in Ludwigsburg, 1773 auf Befehl Herzog Karl Eugens Besuch der Militär-Pflanzschule (später Karlsschule), dort zunächst juristische, später medizinische Studien. 1780 Regimentsmedikus in Stuttgart. Wegen der Reise zur Uraufführung der *Räuber* Arreststrafe und Schreibverbot. 22. September 1782 Flucht nach Mannheim, 1782/83 auf dem Gut Bauerbach bei Meiningen, 1783/84 Theaterdichter in Mannheim, 1785–87 in Leipzig, Dresden und Loschwitz, ab 1787 in Weimar. Januar 1789 Berufung als unbesoldeter Professor für Geschichte nach Jena, seit 1794 Freundschaft mit Goethe, 1802 geadelt. In den letzten Lebensjahren schwere Krankheiten.

Werke: *Brief an Scharffenstein* (1778); *Die Räuber* Sch. (1781); *Die Verschwörung des Fiesco zu Genua* Tr. (1783); *Kabale und Liebe* Tr. (1784); *Die Schaubühne als eine moralische Anstalt betrachtet* (1785); *Don Carlos* Tr. (1787).
(Die Werke der Klassik siehe Bd. 7 dieser Reihe.)

Die Räuber. Unterdrückte Vorrede

Schiller hat die von ihm selbst auf Ostern 1781 datierte Vorrede zu den »Räubern« vermutlich auf Anraten des Mannheimer Buchhändlers Schwan zurückgezogen und durch die »Vorrede zur ersten Ausgabe« ersetzt. Angedeutet finden sich einige Motive, die Schillers spätere Reflexionen über die Kunst und das Theater bestimmen; es lassen sich Anklänge an den Aufsatz »Die Schaubühne als eine moralische Anstalt betrachtet« (1785) feststellen. Programmmatisch fast formuliert Schiller hier seine Motive, als dramatischer Dichter zu wirken; das Drama ist ihm diejenige Gattung, die die stärkste Wirkung zu zeitigen vermag. In diesem Text verbinden sich Elemente der Aufklärung – die Verwahrung gegen den denkbaren Vorwurf, das Drama sei unmoralisch – mit solchen des Sturm und Drang: der Erwähnung Shakespeares und der Verurteilung des französischen Theaters.

Es mag beim ersten *in die Hand nehmen* auffallen, daß dieses Schauspiel niemals das Bürgerrecht auf dem Schauplatz bekommen wird. Wenn nun dieses ein unentbehrliches

Requisitum zu einem Drama sein soll, so hat freilich das meinige einen großen Fehler mehr.

Nun weiß ich aber nicht, ob ich mich dieser Forderung so schlechtweg unterwerfen soll. Sophokles und Menander[1] mögen sich wohl die sinnliche Darstellung zum Hauptaugenmerk gemacht haben, denn es ist zu vermuten, daß diese sinnliche Vorbildung erst auf die Idee des Dramas geführt habe: in der Folge aber fand sich, daß schon allein die dramatische Methode, auch ohne Hinsicht auf theatralische Verkörperung, vor allen Gattungen der rührenden und unterrichtenden Poesie einen vorzüglichen Wert habe. Da sie uns ihre Welt gleichsam gegenwärtig stellt und uns die Leidenschaften und geheimsten Bewegungen des Herzens in *eigenen Äußerungen* der Personen schildert, so wird sie auch gegen die beschreibende Dichtkunst um so mächtiger würken, als die lebendige Anschauung kräftiger ist denn die historische Erkenntnis. Wenn der unbändige Grimm in dem entsetzlichen Ausbruch: »Er hat keine Kinder!« aus Macduff[2] redet, ist dies nicht wahrer und herzeinschneidender, als wenn der alte Diego[3] seinen Sacksspiegel herauslangt und sich aus offenem Theater beguckt?

o rage! o désespoir![4]

Wirklich ist dieses große Vorrecht der dramatischen Manier, die Seele gleichsam bei ihren verstohlensten Operationen zu ertappen, für den Franzosen durchaus verloren. Seine Menschen sind (wo nicht gar Historiographen und Heldendichter ihres eigenen hohen Selbsts) doch selten mehr als eiskalte Zuschauer ihrer Wut, oder altkluge Professore ihrer Leidenschaft.

Wahr also ist es, daß der echte Genius des Dramas, welchen Shakespeare, wie Prospero seinen Ariel[5], in seiner Gewalt

---

1. *athenischer Komödiendichter (342/341–291/290 v. Chr.).*
2. *Gestalt in Shakespeares »Macbeth«.*
3. *Gestalt in Corneilles »Cid«.*
4. *O Wut! O Verzweiflung!*
5. *Gestalten in Shakespeares »Sturm«.*

mag gehabt haben, daß, sage ich, der wahre Geist des Schauspiels tiefer in die Seele gräbt, schärfer ins Herz schneidet und lebendiger belehrt als Roman und Epopöe, und daß es der sinnlichen Vorspiegelung gar nicht einmal bedarf, uns diese Gattung von Poesie vorzüglich zu empfehlen. Ich kann demnach eine Geschichte dramatisch abhandeln, ohne darum ein Drama schreiben zu wollen. Das heißt: Ich schreibe einen *dramatischen Roman*, und kein theatralisches Drama. Im ersten Fall darf ich mich nur den allgemeinen Gesetzen der Kunst, nicht aber den besondern des theatralischen Geschmacks unterwerfen.

Nun auf die Sache selbst zu kommen, so muß ich bekennen, daß nicht sowohl die körperliche Ausdehnung meines Schauspiels als vielmehr sein Inhalt ihm Sitz und Stimme auf dem Schauplatze absprechen. Die Ökonomie desselben machte es notwendig, daß mancher Charakter auftreten mußte, der das feinere Gefühl der Tugend beleidigt und die Zärtlichkeit unserer Sitten empört. (Ich wünschte zur Ehre der Menschheit, daß ich hier nichts denn Karikaturen geliefert hätte, muß aber gestehen, so fruchtbarer meine Weltkenntnis wird, so ärmer wird mein Karikaturenregister.) Noch mehr – Diese unmoralische Charaktere mußten von gewissen Seiten glänzen, ja oft von seiten des Geists gewinnen, was sie von seiten des Herzens verlieren. Jeder dramatische Schriftsteller ist zu dieser Freiheit berechtigt, ja sogar genötigt, wenn er anders der getreue Kopist der wirklichen Welt sein soll. Auch ist, wie Garve[6] lehrt, kein Mensch durchaus unvollkommen: auch der Lasterhafteste hat noch viele Ideen, die richtig, viele Triebe, die gut, viele Tätigkeiten, die edel sind. Er ist nur minder vollkommen.

Man trifft hier Bösewichter an, die Erstaunen abzwingen, ehrwürdige Missetäter, Ungeheuer mit Majestät; Geister, die das abscheuliche Laster reizet, um der Größe willen, die ihm anhänget, um der Kraft willen, die es erfordert, um

---

6. *Christian Garve (1742–98), Moralphilosoph der Aufklärung.*

der Gefahren willen, die es begleiten. Man stößt auf Menschen, die den Teufel umarmen würden, weil er der Mann ohne seinesgleichen ist; die auf dem Weg zur höchsten Vollkommenheit die unvollkommensten werden, die unglückseligsten auf dem Wege zum höchsten Glück, wie sie es wähnen. Mit einem Wort, man wird sich auch für meine Jagos[7] interessieren, man wird meinen Mordbrenner bewundern, ja fast sogar lieben. Niemand wird ihn verabscheuen, jeder darf ihn bedauern. Aber eben darum möchte ich selbst nicht geraten haben, dieses mein Trauerspiel auf der Bühne zu wagen. Die Kenner, die den Zusammenhang des Ganzen befassen und die Absicht des Dichters erraten, machen immer das dünnste Häuflein aus. Der Pöbel hingegen (worunter ich s.v.v.[8] nicht die Mistpantscher allein, sondern auch und noch viel mehr manchen Federhut und manchen Tressenrock und manchen weißen Kragen zu zählen Ursache habe), der Pöbel, will ich sagen, würde sich durch eine schöne Seite bestechen lassen, auch den häßlichen Grund zu schätzen, oder wohl gar eine Apologie des Lasters darin finden und seine eigene Kurzsichtigkeit den armen Dichter entgelten lassen, dem man gemeiniglich alles, nur nicht Gerechtigkeit widerfahren läßt.

Es ist das ewige Dacapo[9] mit Abdera und Demokrit[10], und unsere gute Hippokrate müßten ganze Plantagen Nieswurz erschöpfen, wenn sie diesem Unwesen durch einen heilsamen Kräutertrank abhelfen wollten. Noch so viele Freunde der Wahrheit und Tugend mögen zusammenstehen, ihren Mitbürgern auf offener Bühne Schule zu halten, der Pöbel hört nie auf, Pöbel zu sein, und wenn Sonne und Mond sich wandeln, und Himmel und Erde veralten wie ein Kleid, die Narren bleiben immer sich selbst gleich, wie die Tugend. Mort de ma vie, sagt Herr Eisenfresser, das heiß ich einen

---

7. *Gestalt in Shakespeares »Othello«.*
8. *sit venia verbo: man verzeihe den Ausdruck.*
9. *noch einmal.*
10. *Vgl. Wielands Roman »Die Abderiten« (1774).*

Sprung! Fi – Fi, flistert die Mamsell, die coiffure der kleinen Sängerin war viel zu altmodisch – Sacre dieu, sagt der
Friseur, welche göttliche Sinfonie! da führen die Deutsche
Hunde dagegen! – Sternhagelbataillon, den Kerl hättest du
sehen sollen das rosenfarbene Mädel hinter die spanische
Wand schmeißen, sagt der Kutscher zum Lakaien, der sich
vor Frieren und Langeweile in die Komödie eingeschlichen
hatte. – Sie fiel recht artig, sagt die gnädige Tante, recht
gustös sur mon honneur[11] (und spreitet ihren damastenen
Schlamp[12] weit aus) – was kostet Sie diese éventail[13], mein
Kind? – Und auch mit viel expression, viel submission –
Fahr zu, Kutscher! –
Nun gehe man hin und frage! – Sie haben die Emilia[14] ge-
spielt. –
Dies könnte mich allenfalls schon entschuldigen, daß mirs
gar nicht darum zu tun war, für die Bühne zu schreiben.
Nicht aber das Auditorium allein, auch selbst das Theater
schröckte mich ab. Wehe genug würde es mir tun, wenn ich
so manche lebendige Leidenschaft mit allen Vieren zer-
stampfen, so manchen großen und edlen Zug erbärmlich
massakrieren und meines Räubers Majestät in der Stellung
eines Stallknechts müßte erzwingen sehen. Ich würde mich
übrigens glücklich schätzen, wenn mein Schauspiel die Aufmerksamkeit eines deutschen Roscius[15] verdiente.
Schließlich will ich nicht bergen, daß ich der Meinung bin,
der Applausus des Zuschauers sei nicht immer der Maßstab
für den Wert eines Dramas. Der Zuschauer, vom gewaltigen
Licht der Sinnlichkeit geblendet, übersieht oft ebensowohl
die feinsten Schönheiten als die untergeflossenen Flecken,
die sich nur dem Auge des bedachtsamen Lesers entblößen.
Vielleicht ist das größte Meisterstück des britischen Äschy-

11. *geschmackvoll, auf Ehre.*
12. *Schleppe.*
13. *Fächer.*
14. *Emilia Galotti, Trauerspiel von Lessing (1772).*
15. *Quintus Roscius Gallus, berühmter röm. Schauspieler.*

lus[16] nicht am meisten beklatscht worden, vielleicht muß er in seiner rohen skytischen[17] Pracht denen à la mode (verschönerten oder verhunzten?) Kopien von Gotter, Weiße und Stephanie[18] weichen.

So viel von meiner Versündigung gegen den Schauplatz – Eine Rechtfertigung über die Ökonomie meines Schauspiels selbst würde wohl keine Vorrede erschöpfen. Ich überlasse sie daher ihrem eigenen Schicksal, weit entfernt, meine Richter mit zierlichen Worten zu bestechen, wenn ich ihre Strenge zu befürchten fände, oder auf Schönheiten aufmerksam zu machen, wenn ich irgendwelche darin gefunden hätte.

Geschrieben in der Ostermesse. 1781.

Der Herausgeber.

Brief an Friedrich Scharffenstein

Man nimmt an, daß der an den Mitschüler Friedrich Scharffenstein (geb. 1758, von 1771 oder 1773 bis 1778 Karlsschüler, starb vermutlich 1817 als pensionierter Generalmajor) gerichtete Brief aus dem Jahre 1778 stammt. Er ist ein Dokument des empfindsamen Freundschaftskultes der Epoche und legt Zeugnis ab für Schillers unbedingten Freundschaftsenthusiasmus, der in seinen späteren Werken (»Don Carlos«, »Die Bürgschaft«) eine Rolle spielte. Darüber hinaus ist der Text kennzeichnend für Schillers Bewußtsein, dem Gericht Gottes unterworfen zu sein, das ihn bis zu seinem Tode nicht verlassen hat. Religiöse Denkstrukturen, wenn auch in säkularisierter Gestalt, haben ihn sein Leben hindurch bestimmt.

16. Shakespeare.
17. Skythen: im Altertum Nomadenstämme iranischer Abstammung in Südrußland; ›skythisch‹ soviel wie ›barbarisch, kraftvoll‹.
18. Friedrich Wilhelm Gotter (1746–96); Christian Felix Weiße (1726 bis 1804); Gottlieb Stephanie d. J. (1741–1800): zeitgenössische Bearbeiter von Werken Shakespeares.

Ich habe nicht bös an Dir gehandelt, wie Du mein Herz anklagst. Es ist rein, heiter, hat bei Deinem Zettel keinen Antheil gefunden, hab nicht erröthen, nicht weinen, nicht beben dürfen, denn es ist rein, ohne Falsch und Trug, darum kann ich izt kluge, ernsthafte, aufrichtige Worte reden.

Wahr ists, ich pries dich in meinen Gedichten zu sehr! Wahr! sehr wahr! Der Sangir, den ich so liebe, war nur in meinem Herzen. Gott im Himmel weiß es, wie er darin geboren wurd; aber er war nur in meinem Herzen und ich betete ihn an in Dir, seinem ungleichen Abbilde! Dafür wird Gott mich nicht strafen, denn ich fehlte nur aus Liebe, nicht aus Thorheit und falschem Sinn! Gott weiß, ich vergaß alles, alle andere neben Dir! ich schwoll neben Dir, denn ich war stolz auf Deine Freundschaft, nicht um mich im Aug der Menschen dadurch erhoben zu sehen, sondern im Aug einer höhern Welt, nach der mein Herz mir so glühte, welche mir zuzurufen schien: das ist der einige, den Du lieben kannst, ich schwoll, wie ich sage, in Deiner Gegenwart, und doch war ich nie so sehr gedemüthigt, als wenn ich Dich ansah, Dich reden hörte, Dich fühlen sah, was Dir die Sprache versagte, da fühlt ich mich kleiner als sonst überall, da that ich auch Wünsch an Gott, mich Dir gleich zu machen! Scharffenstein! er ist bei uns, er hört dieses und richte, wenns nicht an dem so ist! es ist, so wahr meine Seele lebt. Es kostet Dich wenig Müh, Dich zu erinnern, wie ich in diesem Vorschmak der seeligen Zeit nichts als Freundschaft athmete, wie alles alles selbst meine Gedichte vom Gefühle der Freundschaft belebendigt wurden, Gott im Himmel mög es Dir vergeben, wenn Du so undankbar, unedel seyn kannst, das zu verkennen.

Und was war das Band unserer Freundschaft? war es Eigennuz? (ich rede hier auf meiner Seite, denn ich kanns, weiß Gott, von Dir nicht ganz bestimmen) war es Leichtsinn? war es Thorheit, wars ein irdisches gemeines, oder ein höheres unsterbliches himmlisches Band! Rede! Rede! o eine

Freundschaft wie diese errichtet hätte die Ewigkeit durch-
währen können! – Rede! rede aufrichtig! wo hättest Du
einen andern gefunden, der Dir nachfühlte, was wir in der
stillen Sternennacht vor meinem Fenster, oder auf dem
Abendspaziergang mit Bliken uns sagten! Gehe alle alle
die um Dich sind durch, wo hättest Du einen finden können, als Deinen Schiller, wo ich einen von tausenden, der
mir das wäre, was Du mir – hättest seyn können! Glaube,
glaube unverhohlen, wir waren die einige, die uns glichen,
glaube mir, unsere Freundschaft hätte den herrlichsten
Schimmer des Himmels, den schönsten und mächtigsten
Grund, und weißagte uns beiden nichts anderes, als einen
Himmel; Wärest Du oder ich zehenmal gestorben, der Tod
sollte uns keine Stunde abgewuchert haben, – – was hätte
das für eine Freundschaft seyn können! – und nun! nun!
wie ist das zugegangen? wie ists so weit gekommen?
Ja ich bin kaltsinnig worden! – – Gott weiß es – denn ich
bin Selim blieben, aber Sangir war dahin! darum bin ich
kaltsinnig worden – versteh mich aber wohl in Euren
Augen, aber die Unruhe, der Drang meiner Seele, der mich
lange lange hin und her warf, ist gestillet und ich habe
Ruhe und Empfindsamkeit und eine mächtige Stüze funden und bin gegen Dich kaltsinnig geworden!
Warum aber, weiß ich wohl wirst Du mich fragen, warum
bist Du kälter geworden? höre, Scharffenstein, Gott ist da,
Gott hört mich und Dich, Gott richte! Meinst Du es war
Prahlerey, Phantasey, meinst ich hätte Dich darum erwählt,
um Einen zu haben, von dem ich in meinen Gedichten plau-
dern könne! Hör Elender, wende Dein Angesicht ewig zur
Erde, wenn er noch einmal in Dir aufsteigt der schändliche
Gedanke! den Du doch in Deinem Zettel äußertest! Gedenkst Du noch an die Stunde unserer Verbindung? Was
ist das für ein unsinniges Geschwäz mit Deinem *Guten
Morgen* etc. Solltest mich nicht beim ersten Umgang anders
kennen gelernt haben? In der That sag ich Dir, wenn noch
etwas in Dir zurükblieben ist von der Freundschaft, die wir

uns schwuhren, so wär das ein Beweis davon, daß Du mich
auf diese Art von meinen anderen Kameraden unterschie-
dest, denn ich denke das nemliche von dem leeren Gruß:
Aber zur Hauptsach! warum ich kaltsinnig worden? weil
ich Dich liebte, weil ich Dein Freund war, und sah – daß
Du es nicht von mir warst; – faßt Dich der Gedanke, Du
warst nicht mein Freund! Du hättest Achtung vor mir
haben müssen wie ich vor Dir; denn wenn man eines
Freund ist, muß man in ihm Eigenschaften verehren, die
ihn verehrungswerth machen, aber aber – möge das dein
Herz nicht treffen wie der Donnerschlag – Du hast nichts
auf mich gehalten, die Eigenschaften, die das Wesen des
Freundes ausmachen, in mir nicht gefunden, Du hast meine
Fehler, für die ich doch täglich Reue und Leid fühle,
lächerlich, Dich darüber lustig gemacht und da es Deine
Freundschaftspflicht gewesen wär, mir in Liebe und Kälte
solche zu rügen, mir verhehlt, hast mir sie nur im Zorn
vorgeworfen, Pfui! Pfui! der schändlichen Seele! – war das
Freundschaft oder wars Trug, Falschheit? – Sieh hier hab
ich Klage auf Klage gehäuft; aber ich wills verantworten,
will Dir hernach alles vor Augen bewiesen hinlegen, sieh
nur daraus, wie wenig Achtung, Liebe Du für mich hegtest,
wie klein Du mein Herz gefunden; konntest Du so mein
Freund seyn? konntest Du den lieben, der so viel lächer-
liches etc. an sich hat? – oder wolltest Du den Namen
Freundschaft borgen? – oder hattest Du wirklich im Sinne,
mich zu bessern – ah! pfui! des betrogenen, blinden Seelen-
kenners: Du hast den Weg verfehlt, Seelen zu bessern! – –
So greift mans nicht an!
Du hast nichts auf mich gehalten! – wie oft (aber immer
nur, wenn Du in Zorn geriethst, sonst heucheltest Du Achtung und Bewunderung,) wie oft, wie oft hab ichs hören
müssen von Dir und dem *Boigeol*[1], bitter, bitter, wie mein
ganzes Wesen eben ein Gedicht sey, wie meine Empfindung

---

1. *Georg Friedrich Boigeol (1756–1843), Karlsschüler 1773–78.*

vorgegebene Empfindung. Von Gott, Religion, Freundschaft etc. Phantasey kurz alles blos vom Dichter nicht vom Christen, nicht vom Freund herausgequollen – oh weh, oh weh, was das mein Herz angriff, und ihr habts gesagt, Gott weiß es, Gott zeug es, gesagt habt ihrs, o mit den trügenden Zügen, mit der ernstesten Miene – o weh! o weh! und wie schmerzt mich das von euch! – von Dir!

Erinnerst Du Dich noch, wenn mir ein Buch nicht gefallen wollte, ein Gedicht oder so was z. E. Amynt von Kleist[2], was Du da sagtest: »Es sey freilich kein Schwung darin (das sagtest Du aber nur im Zorn, sonst hättest Du mirs verschwiegen) keine Bilder, aber Gefühl, anderes Gefühl, als in meinen Gedichten, es sey nicht ausgericht mit meiner Mahlerei, Herz sollt ich haben oder dergl.« Warlich so sagtest Du. Und nun schau in Dein innerstes mein Scharffenstein – sieh! ich kann diesen Ausruf nicht mehr unterdrüken. – schau gen Himmel, fest, starr gen Himmel, wo eigentlich nur unserer Freundschaft Auge sehen sollte, schau hinaus und frage: hab ich recht gethan; hab ich aufrichtig gehandelt, daß ich den zum Freund erkohr oder vorgab, dem das Wesentliche der Freundschaft, volles Herz, mangle, dessen Gefühl nur in der Feder liege oder noch frisch im Gedächtniß behalte bei Lesung Klopstoks, o Gott vergebe Dir dieß, Du hast Dich hier an Deines Selim Herzen versündigt. Freilich hab ich Klopstok viel zu danken, aber es hat sich tief in meine Seele gesenkt und ist zu meinem nahen Gefühl, Eigenthum worden, was wahr ist, was mich trösten kann im Tode!

Ferner. Du hast Dich über meine Laster lustig gemacht! Du kanntest meine Eigenliebe. – Lieber himmlischer Vater, ich erkenne dieses Laster als eines der schändlichsten, wurzle mirs aus dem Herzen lieber himmlischer Vater, ich erkenns, bereus! – und Du kanntest meine Eigenliebe – und

---

2. *Ewald von Kleist* (1715–59), Lyriker. »Amynt« Gedicht 1750, umgearbeitet 1753.

nun laß vorm Angesicht des Nahen Dir sagen: – Du hast Dich drüber lustig gemacht – Du mein Freund vor den Leuten mich beschämt, Du der mir in der Stille verborgen, verschwiegen hat! wie oft, das will ich nur noch nebenher sagen, hast Du mir meine Gedichte feurig bewundert, wie oft bis in Himmel meinen Geist erhoben, wie oft wenn wir zusammensaßen auf meinem Bette ganz erstaunungsvoll meinem thörichten Eigenlob zugehört, nichts gesagt, als wenn dirs im Eifer herausplazte, oder dem Boigeol ins Ohr gedißelt[3] und hast mich doch nie getadelt, auch bei dem tadelhaftesten. Wolltest mir Du meine Eigenliebe befriedigen? – – Zurück ich schäme mich, jemals der Freund eines solchen gewesen zu seyn! Denkst Du auch noch an das, wie wir einst unter vielen an Gebels Bette standen, wie Du mich batest, mich mit Dir zu messen (p. parenthes. muß ich auch noch sagen, daß mir auch das mißfiel, Du sahst ja, mußtest sehen, mit wie viel Schmerz und Zwang und Ungern ich Dir willfuhr, denn eben damals war mir von Haus etwas zugestoßen und hast schon oft mir diese Mühe gemacht, ohne Nothwendigkeit) also sagt ich, ich maß mich mit Dir und da gabst Du Dein Erstaunen vor den Ohren einiger mit einem bösen Lächeln also zu erkennen: Er wächst an Körper und Geist! (und indem Du Dich zu mir wandtest,) Ein ganzer Kerl! – – oh sahst Du auch, wie ich damals erröthete, sahst Du nichts mehr? Da Du mich hinstelltest, meine Eigenliebe vor allen auszuhöhnen und ich da stand, Gott mit welcher Empfindung, Gott weiß, es war mir leid um meinen großen Fehler der Eigenliebe, aber dieser Hohn, dieser Augenblik – – von Dir – vor den Augen – o ich konnte nicht weinen, ich mußte mich wegwenden, eher Zernichtung, als noch so einen Augenblick von Dir – mög diese Träne nicht heiß auf Deine Seele fallen! Auch äußertest Du einem Freunde, mich bald in der Rangierung neben Dir zu sehen. – Verzeih mirs Scharff: wenn ich in

3. *geflüstert.*

diesem Augenblik von Gott das Gegentheil erbeten mußte,
und es gab Augenblike, wo es mein einziges Sehnen war an
Dich hin zu stehen zu kommen! Hör Scharffenstein, Gott
weiß es, Gott hör es, Gott richte, wenn ich falsch geredet,
ich würde Dich nicht quälen, wenns nicht aus meinem Herzen herausmüßte! Auch will ich nur noch berühren, wie
sehr Du mein Herz geplagt, da Du Dich so *an den Grub*
gemacht hast. Du weist und solltest konntest auch wohl
wissen, warum ich auf den Menschen nichts halte, er ist
böses Herzens und kleinen Herzens! – Sollte er Dein Freund
seyn, der, den viele meiner Cameraden fliehen, der ist an
der Seite dessen, der mein Einziger seyn will? Mein Einziger
geht an der Seite meines Verhaßten? Sieh also aus dem
allem, daß mein Herz ohne Trug ist, wie Du nicht glaub-
test! Ich wählte Dich zu meinem Freunde, weil Du klüger,
erfahrener, gesetzter bist als ich, weil Du meinem Herzens-
Gefühl Dich am meisten, ganz genähert hast, gleichkom-
men bist, weil ich sonst keinen Freund habe! – Das hab ich
Dir auch gesagt in der Stiftungsstunde! hast Dus erfüllt,
hast Du es erkannt? Scharff: Der Herr ist da, der Herr siehts,
Er sey Richter zwischen mir und Dir!
Und nun will ich des Briefs ein Ende machen. Ich bin
nicht verlassen. Sieh ich hab eine Quelle gefunden, die mein
Herze vollmacht und seegnet, einen großen großen herrlichen
Freund, und darum vergeb ich Dir – vergeb ich Dir – vergeb ich Dir – so wahr mir Gott vergebe im letzten Zuken
des Todes, vergeb ich Dir alles, will Dir Gutes thun für
und für, aber ich werde lang mein Angesicht wegwenden
müssen von meinem Scharffenstein, um Tränen zu verbergen! – Ich sag noch mahl Ich vergebe Dir; Sieh eben hab
ich in der Bibel das Leben Davids gelesen, Er und Jonathan
liebten sich wie mein Selim und Sangir, ich werde auch im
Himmel von ihnen geliebt werden, weil ich sie liebe! – Es
hat edle Freunde in der Welt gegeben! – und ich suchte
mir einen für die Unsterblichkeit – – – Aber im Himmel
werd ich ja edle Herzen finden. Leyd ist mirs, daß ich die

liebe Strophe in meinem Selim und Sangir lügen strafen
mußte:

> Sangir liebte seinen Selim zärtlich
> Wie Du mich mein Scharffenstein
> Selim liebte seinen Sangir zärtlich
> Wie ich Dich mein lieber Scharffenstein!

Schiller.

II. Lyrik

Die Lyrik der Empfindsamkeit und des Sturm und Drang ist im wesentlichen durch zwei literarhistorische Erscheinungen bestimmt: durch den – stark unter Klopstocks Einfluß stehenden – Göttinger Hainbund und den – von Herder beeinflußten – Goethe der Straßburger Zeit. Die außerdem mit einigen Beiträgen hier vertretenen Schwaben Schubart und Schiller sind in gewissem Sinne Ausnahmen.

Klopstock war als Anreger der jungen Generation von großer Bedeutung; er repräsentierte als erster einen neuen Begriff des Dichters. Er dichtete zwar nicht durchweg unter dem Einfluß unmittelbar gegenwärtiger Eindrücke seines Lebensbereiches, er ließ sich nicht von biographischen Ereignissen derart inspirieren wie der junge Goethe, aber er empfand und stellte sich dar als Seher, Verkünder und Diener der Gottheit. Der hohe, pathetische Stil seiner Hymnen und Oden bezeugt das ebenso wie Vorwurf und Stil des »Messias«. Selbst wo sich in seinem Werk Gelegenheitsgedichte finden – wie »Der Eislauf« –, unterscheiden sie sich doch von denen des Klassizismus. Sie überwinden den strengen, bis weit in die sechziger Jahre unangefochten geltenden Regelkanon und begründen neue Stilmöglichkeiten jenseits der von Gottsched und den Zürichern Bodmer und Breitinger verfochtenen Alternativen.

Hier knüpften die Mitglieder des Hainbundes an. Ihre Gedichte wären formal ohne Klopstocks Anregungen kaum denkbar. Die von Klopstock neubelebte Gattung der Ode im hohen Stil wurde von den Göttingern gepflegt, und sie erfüllten sie zugleich mit neuen Inhalten: sie dichteten über Themen wie Vaterland, Freiheit und Natur in jenem neuen, von der Aufklärung abweichenden Sinne.

In den weiteren Umkreis des Hainbundes gehören Matthias Claudius und Gottfried August Bürger. Sie realisieren ent-

gegengesetzte Möglichkeiten der Poesie: Claudius dichtet sehr viel introvertierter, bescheidener im Sinne christlich-aufklärerischer Anschauungen; demgegenüber ist die Lyrik Bürgers wirkungsmächtiger, bisweilen auch aggressiver.

Einen wesentlichen Schritt weiter als die Hainbündler geht die Lyrik des jungen Goethe. Er schrieb als erster in deutscher Sprache Gedichte, die nach zweihundert Jahren noch Leser spontan anziehen und unmittelbar ansprechen. Hier wurde eine neue Sprache gefunden, die zwar ohne ihre Vorgänger nicht denkbar wäre, die aber doch über sie hinausgeht und Bezirke erschließt, die zuvor von den Lyrikern des 18. Jahrhunderts nicht betreten worden waren. Naturphänomene wie Frühling und Herbst, Mondenschein und Liebe bekommen neues individuelles Leben außerhalb der bislang gültigen literarischen Konventionen. Die Sprache des jungen Goethe ist ein ungemein schmiegsames, empfindliches Instrument geworden (Eric A. Blackall), das von nun an Maßstab für den Rang literarischer Produktion überhaupt wird.

Andere Möglichkeiten stellen sich in den vom ästhetischen Anspruch her wohl bescheideneren Produkten Schubarts dar: er behandelt, mit leichter Hand dichtend, als einer der ersten in Deutschland unmittelbar interessierende, tagespolitische Gegenstände in seinen Gedichten; seine Tätigkeit als Redakteur der »Deutschen Chronik« und seine lyrische Produktion gehen bruchlos ineinander über. Bisweilen findet er sogar, vor 1789, geradezu revolutionäre Töne. Am wenigsten »lyrisch« im landläufigen Sinne sind die Gedichte seines Landsmannes Schiller, die sich teils der Aufklärung, teils einem spätbarocken Pathos verpflichtet wissen.

Insgesamt demonstriert die Lyrik dieser Zeit, daß es unmöglich ist, den Sturm und Drang als eine in sich geschlossene, philosophisch, politisch, stilistisch homogene Bewegung anzusehen. Das »Moderne« dieser literaturhistorischen Epoche ist die Vielfalt an Intentionen und Ausdrucksmög-

*lichkeiten, die sie vom voraufgehenden Klassizismus, dem
Rokoko und der Anakreontik grundlegend unterscheidet.*

FRIEDRICH GOTTLIEB KLOPSTOCK

Geb. 2. Juli 1724 in Quedlinburg, gest. 14. März 1803 in Hamburg,
Sohn eines Stiftsadvokaten. 1736 Gymnasium Quedlinburg, 1739–45 Stipendium an der Fürstenschule Schulpforta, 1745–48 Studium der Theologie in Jena und Leipzig, 1748 Hauslehrer in Langensalza, 1750/51 auf
Einladung Bodmers in Zürich, 1751 Berufung nach Kopenhagen an den
Hof Friedrichs V. von Dänemark, 1770 nach dem Sturz Bernstorffs
Übersiedlung nach Hamburg, 1774 auf Einladung des Markgrafen Karl
Friedrich nach Karlsruhe als Hofrat, unterwegs als geehrter Gast des
Hainbundes in Göttingen, 1775 Rückkehr nach Hamburg. 1790 Teilnahme an einer Feier zum Jahrestag des Bastille-Sturmes, 1792 von der
französischen Nationalversammlung zum Ehrenbürger ernannt, 1793 Enttäuschung über die Wendung der Revolution zum Terror. Sein Begräbnis war eine nationale Feier.
Werke: *Der Messias* Ep. (1748–73); *Der Tod Adams* Tr. (1757); *Geistliche Lieder* (2 Bde., 1758/59); *Hermanns Schlacht* Dr. (1769); *Oden*
(1771); *Die deutsche Gelehrtenrepublik* (1774); *Hermann und die Fürsten* Dr. (1784); *Hermanns Tod* Dr. (1787).

*Die Ode »An Fanny« stammt aus dem Jahre 1748, wurde
1771 überarbeitet und ist in alkäischen Strophen geschrieben. Die sogenannten Fanny-Oden sind Ausdruck von
Klopstocks Neigung zu seiner Cousine Maria Sophia
Schmidt. »Der Zürchersee« (1750), im vierten asklepiadeischen Versmaß gedichtet, wurde inspiriert von einer Bootspartie, über die ein Brief Johann Kaspar Hirzels an Ewald
von Kleist vom 4. August 1750 berichtet. »Der Eislauf«
(1764), in einem von Klopstock selbst entwickelten Versmaß geschrieben, findet ein neues Thema: den Sport. Mit
auf Klopstocks Anregung hin wurde Eislaufen zur modischen
Winterbeschäftigung in der Generation des jungen Goethe.
Die erste Fassung der »Frühlingsfeier« entstand 1759 unter
dem Titel »Das Landleben« und gilt allgemein als »erste
gelungene Bewältigung des hymnischen Stils in deutscher*

Sprache« (Karl August Schleiden). Klopstocks Oden-Dichtung ist charakterisiert durch ihren hohen Stil. Er wird durch die getragenen Rhythmen unterstützt; ihnen entspricht die Syntax, zum Beispiel in der Ode »An Fanny«; man hat mehrfach auf das über zwanzig Zeilen sich erstreckende, mit »wenn« eingeleitete Konditionalgefüge verwiesen (Karl August Schleiden, Karl Ludwig Schneider). Auch wo er »jugendlich heiter« dichtet, behält Klopstock seinen hohen Ton bei, wie im »Zürchersee«. Das Gedicht, obwohl auf einen fixierbaren Anlaß zurückgehend, steht doch in einer literarischen Tradition (Franz Schultz). Daß Klopstock bewußt an sie anknüpft, zeigt die Erwähnung Hagedorns in der 6. Strophe. Das Gedicht ist ein Dokument der im Freundschaftskult sich manifestierenden Empfindsamkeit. »Die Frühlingsfeier« war von außerordentlicher Wirkung auf die Zeitgenossen; bekannt ist die Stelle in Goethes »Werther«, wo Lotte und Werther die Gleichgestimmtheit ihrer Empfindungen in der Reminiszenz an die Hymne entdecken. Sie ist religionsgeschichtlich von Bedeutung, insofern sie Ausdruck jener pietistisch beeinflußten Überzeugung ist, daß die Nähe Gottes durch das Gefühl garantiert werde.

An Fanny

Wenn einst ich todt bin, wenn mein Gebein zu Staub'
Ist eingesunken, wenn du, mein Auge, nun
Lang' über meines Lebens Schicksal,
Brechend im Tode, nun ausgeweint hast,

Und stillanbetend da, wo die Zukunft ist,
Nicht mehr hinauf blickst, wenn mein ersungner Ruhm,
Die Frucht von meiner Jünglingsthräne,
Und von der Liebe zu dir, Messias!

Nun auch verweht ist, oder von wenigen
In jene Welt hinüber gerettet ward:
Wenn du alsdann auch, meine Fanny,
Lange schon todt bist, und deines Auges

Stillheitres Lächeln, und sein beseelter Blick
Auch ist verloschen, wenn du, vom Volke nicht
Bemerket, deines ganzen Lebens
Edlere Thaten nunmehr gethan hast,

Des Nachruhms werther, als ein unsterblich Lied,
Ach wenn du dann auch einen beglückteren
Als mich geliebt hast, laß den Stolz mir,
Einen Beglückteren,[1] doch nicht edlern!

Dann wird ein Tag seyn, den werd ich auferstehn!
Dann wird ein Tag seyn, den wirst du auferstehn!
Dann trennt kein Schicksal mehr die Seelen,
Die du einander, Natur, bestimtest.

Dann wägt, die Wagschaal in der gehobnen Hand,
Gott Glück und Tugend gegen einander gleich;
Was in der Dinge Lauf jetzt misklingt,
Tönet in ewigen Harmonieen!

Wenn dann du dastehst jugendlich auferweckt,
Dann eil' ich zu dir! säume nicht, bis mich erst
Ein Seraph bey der Rechten fasse,
Und mich, Unsterbliche, zu dir führe.

Dann soll dein Bruder, innig von mir umarmt,
Zu dir auch eilen! dann will ich thränenvoll,
Voll froher Thränen jenes Lebens
Neben dir stehn, dich mit Namen nennen,

---

1. *einen mit Glücksgütern mehr gesegneten.*

Und dich umarmen! Dann, o Unsterblichkeit,
Gehörst du ganz uns! Komt, die das Lied nicht singt,
Komt, unaussprechlich süße Freuden!
So unaussprechlich, als jetzt mein Schmerz ist.

Rinn unterdeß, o Leben. Sie komt gewiß
Die Stunde, die uns nach der Zypresse ruft!
Ihr andern, seyd der schwermuthsvollen
Liebe geweiht! und umwölkt und dunkel!

Der Zürchersee

Schön ist, Mutter Natur, deiner Erfindung Pracht
Auf die Fluren verstreut, schöner ein froh Gesicht,
Das den großen Gedanken
Deiner Schöpfung noch Einmal denkt.

Von des schimmernden Sees Traubengestaden her,
Oder, flohest du schon wieder zum Himmel auf,
Kom in röthendem Strale
Auf dem Flügel der Abendluft,

Kom, und lehre mein Lied jugendlich heiter seyn,
Süße Freude, wie du! gleich dem beseelteren
Schnellen Jauchzen des Jünglings,
Sanft, der fühlenden Fanny gleich.

Schon lag hinter uns weit Uto[1], an dessen Fuß
Zürch in ruhigem Thal freye Bewohner nährt;
Schon war manches Gebirge
Voll von Reben vorbeygeflohn.

Jetzt entwölkte sich fern silberner Alpen Höh,
Und der Jünglinge Herz schlug schon empfindender,

1. *der Ütliberg.*

Schon verrieth es beredter
Sich der schönen Begleiterin.

»Hallers Doris[2]«, die sang, selber des Liedes werth,
Hirzels Daphne[3], den Kleist innig wie Gleimen[4] liebt;
Und wir Jünglinge sangen,
Und empfanden, wie Hagedorn[5].

Jetzo nahm uns die Au in die beschattenden
Kühlen Arme des Walds, welcher die Insel krönt;
Da, da kamest du, Freude!
Volles Maßes auf uns herab!

Göttin Freude, du selbst! dich, wir empfanden dich!
Ja, du warest es selbst, Schwester der Menschlichkeit,
Deiner Unschuld Gespielin,
Die sich über uns ganz ergoß!

Süß ist, fröhlicher Lenz, deiner Begeistrung Hauch,
Wenn die Flur dich gebiert, wenn sich dein Odem sanft
In der Jünglinge Herzen,
Und die Herzen der Mädchen gießt.

Ach du machst das Gefühl siegend, es steigt durch dich
Jede blühende Brust schöner, und bebender,
Lauter redet der Liebe
Nun entzauberter Mund durch dich!

Lieblich winket der Wein, wenn er Empfindungen,
Beßre sanftere Lust, wenn er Gedanken winkt,
Im sokratischen Becher
Von der thauenden Ros' umkränzt;

2. *Lied Albrecht von Hallers (1708–77).*
3. *Gattin des Züricher Arztes Hirzel.*
4. *Johann Wilhelm Ludwig Gleim (1719–1803), anakreontischer Dichter.*
5. *Friedrich von Hagedorn (1708–54), Verf. der Ode ›An die Freude‹ (1744).*

Wenn er dringt bis ins Herz, und zu Entschließungen,
Die der Säufer verkennt, jeden Gedanken weckt,
Wenn er lehret verachten,
Was nicht würdig des Weisen ist.

Reizvoll klinget des Ruhms lockender Silberton
In das schlagende Herz, und die Unsterblichkeit
Ist ein großer Gedanke,
Ist des Schweisses der Edlen werth!

Durch der Lieder Gewalt, bey der Urenkelin
Sohn und Tochter noch seyn; mit der Entzückung Ton
Oft beym Namen genennet,
Oft gerufen vom Grabe her,

Dann ihr sanfteres Herz bilden, und, Liebe, dich,
Fromme Tugend, dich auch gießen ins sanfte Herz,
Ist, beym Himmel! nicht wenig!
Ist des Schweisses der Edlen werth!

Aber süßer ist noch, schöner und reizender,
In dem Arme des Freunds wissen ein Freund zu seyn!
So das Leben genießen,
Nicht unwürdig der Ewigkeit!

Treuer Zärtlichkeit voll, in den Umschattungen,
In den Lüften des Walds, und mit gesenktem Blick
Auf die silberne Welle,
That ich schweigend den frommen Wunsch:

Wäret ihr auch bey uns, die ihr mich ferne liebt,
In des Vaterlands Schooß einsam von mir verstreut,
Die in seligen Stunden
Meine suchende Seele fand;

O so bauten wir hier Hütten der Freundschaft uns!
Ewig wohnten wir hier, ewig! Der Schattenwald

Wandelt' uns sich in Tempe⁶,
Jenes Thal in Elysium!

Der Eislauf

Vergraben ist in ewige Nacht
Der Erfinder großer Name zu oft!
Was ihr Geist grübelnd entdeckt, nutzen wir;
Aber belohnt Ehre sie auch?

Wer nannte dir den kühneren Mann,
Der zuerst am Maste Segel erhob?
Ach verging selber der Ruhm dessen nicht,
Welcher dem Fuß Flügel erfand!

Und sollte der unsterblich nicht seyn,
Der Gesundheit uns und Freuden erfand,
Die das Roß muthig im Lauf niemals gab,
Welche der Reihn selber nicht hat?

Unsterblich ist mein Name dereinst!
Ich erfinde noch dem schlüpfenden Stahl
Seinen Tanz! Leichteres Schwungs fliegt er hin,
Kreiset umher, schöner zu sehn.

Du kennest jeden reizenden Ton
Der Musik, drum gieb dem Tanz Melodie!
Mond, und Wald höre den Schall ihres Horns,
Wenn sie des Flugs Eile gebeut,

O Jüngling, der den Wasserkothurn
Zu beseelen weiß, und flüchtiger tanzt,
Laß der Stadt ihren Kamin! Kom mit mir,
Wo des Krystalls Ebne dir winkt!

6. *Tal in Thessalien am Fuße des Olymp.*

Sein Licht hat er in Düfte gehüllt,
Wie erhellt des Winters werdender Tag
Sanft den See! Glänzenden Reif, Sternen gleich,
Streute die Nacht über ihn aus!

Wie schweigt um uns das weiße Gefild!
Wie ertönt vom jungen Froste die Bahn!
Fern verräth deines Kothurns Schall dich mir,
Wenn du dem Blick, Flüchtling, enteilst.

Wir haben doch zum Schmause genung
Von des Halmes Frucht? und Freuden des Weins?
Winterluft reizt die Begier nach dem Mahl;
Flügel am Fuß reizen sie mehr!

Zur Linken wende du dich, ich will
Zu der Rechten hin halbkreisend mich drehn;
Nim den Schwung, wie du mich ihn nehmen siehst:
Also! nun fleug schnell mir vorbey!

So gehen wir den schlängelnden Gang
An dem langen Ufer schwebend hinab.
Künstle nicht! Stellung, wie die, lieb' ich nicht,
Zeichnet dir auch Preisler[1] nicht nach.

Was horchst du nach der Insel hinauf?
Unerfahrne Läufer tönen dort her!
Huf und Last gingen noch nicht übers Eis,
Netze noch nicht unter ihm fort.

Sonst späht dein Ohr ja alles; vernim,
Wie der Todeston wehklagt auf der Flut!
O wie tönts anders! wie hallts, wenn der Frost
Meilen hinab spaltet den See!

---

1. *Johann Martin Preisler (1715–94), Hofkupferstecher u. Freund Klop-*
stocks in Kopenhagen.

Zurück! laß nicht die schimmernde Bahn
Dich verführen, weg vom Ufer zu gehn!
Denn wo dort Tiefen sie deckt, strömts vielleicht,
Sprudeln vielleicht Quellen empor.

Den ungehörten Wogen entströmt,
Dem geheimen Quell entrieselt der Tod!
Glittst du auch leicht, wie dieß Laub, ach dorthin;
Sänkest du doch, Jüngling, und stürbst!

Die Frühlingsfeier, 1. Fassung

Nicht in den Ocean
Der Welten alle
Will ich mich stürzen!
Nicht schweben, wo die ersten Erschafnen,
Wo die Jubelchöre der Söhne des Lichts
Anbeten, tief anbeten,
Und in Entzückung vergehn!

Nur um den Tropfen am Eimer,
Um die Erde nur, will ich schweben,
Und anbeten!

Halleluja! Halleluja!
Auch der Tropfen am Eimer
Rann aus der Hand des Allmächtigen!

Da aus der Hand des Allmächtigen
Die grössern Erden quollen,
Da die Ströme des Lichts
Rauschten, und Orionen wurden;
Da rann der Tropfen
Aus der Hand des Allmächtigen!

Wer sind die tausendmal tausend,
Die myriadenmal hundert tausend,
Die den Tropfen bewohnen?
Und bewohnten?
Wer bin ich?
Halleluja dem Schaffenden!
Mehr, als die Erden, die quollen!
Mehr, als die Orionen,
Die aus Strahlen zusammenströmten!

Aber, du Frühlingswürmchen,
Das grünlichgolden
Neben mir spielt,
Du lebst;
Und bist, vielleicht – –
Ach, nicht unsterblich!

Ich bin herausgegangen,
Anzubeten;
Und ich weine?

Vergieb, vergieb dem Endlichen
Auch diese Thränen,
O du, der seyn wird!

Du wirst sie alle mir enthüllen
Die Zweifel alle
O du, der mich durchs dunkle Thal
Des Todes führen wird!

Dann werd ich es wissen:
Ob das goldne Würmchen
Eine Seele hatte?

Warest du nur gebildeter Staub,
Würmchen, so werde denn

Wieder verfliegender Staub,
Oder was sonst der Ewige will!

Ergeuß von neuem, du mein Auge,
Freudenthränen!
Du, meine Harfe,
Preise den Herrn!

Umwunden, wieder von Palmen umwunden
Ist meine Harfe!
Ich singe dem Herrn!

Hier steh ich.
Rund um mich ist Alles Allmacht!
Ist Alles Wunder!

Mit tiefer Ehrfurcht,
Schau ich die Schöpfung an!
Denn Du,
Namenlosester, Du!
Erschufst sie!

Lüfte, die um mich wehn,
Und süsse Kühlung
Auf mein glühendes Angesicht giessen,
Euch, wunderbare Lüfte,
Sendet der Herr? Der Unendliche?

Aber itzt werden sie still; kaum athmen sie!
Die Morgensonne wird schwül!
Wolken strömen herauf!
Das ist sichtbar der Ewige,
Der kömmt!
Nun fliegen, und wirbeln, und rauschen die Winde!
Wie beugt sich der bebende Wald!
Wie hebt sich der Strom!

Sichtbar, wie du es Sterblichen seyn kannst,
Ja, das bist du sichtbar, Unendlicher!

Der Wald neigt sich!
Der Strom flieht!
Und ich falle nicht auf mein Angesicht?

Herr! Herr! Gott! barmherzig! und gnädig!
Du Naher!
Erbarme dich meiner!

Zürnest du, Herr, weil Nacht dein Gewand ist?
Diese Nacht ist Seegen der Erde!
Du zürnest nicht, Vater!
Sie kömmt, Erfrischung auszuschütten
Ueber den stärkenden Halm!
Ueber die herzerfreuende Traube!
Vater! Du zürnest nicht!

Alles ist stille vor dir, du Naher!
Ringsum ist Alles stille!
Auch das goldne Würmchen merkt auf!
Ist es vielleicht nicht seelenlos?
Ist es unsterblich?

Ach vermöcht ich dich, Herr, wie ich dürste, zu preisen!
Immer herrlicher offenbarst du dich!
Immer dunkler wird, Herr, die Nacht um dich!
Und voller von Seegen!

Seht ihr den Zeugen des Nahen, den zückenden Blitz?
Hört ihr den Donner Jehovah?
Hört ihr ihn?
Hört ihr ihn?
Den erschütternden Donner des Herrn?

Herr! Herr! Gott! barmherzig und gnädig!
Angebetet, gepriesen
Sey dein herrlicher Name!

Und die Gewitterwinde? Sie tragen den Donner!
Wie sie rauschen! Wie sie die Wälder durchrauschen!
Und nun schweigen sie! Majestätischer
Wandeln die Wolken herauf!

Seht ihr den neuen Zeugen des Nahen,
Seht ihr den fliegenden Blitz?
Hört ihr, hoch in den Wolken, den Donner des Herrn?
Er ruft Jehovah!
Jehovah!
Jehovah!
Und der gesplitterte Wald dampft!

Aber nicht unsre Hütte!
Unser Vater gebot
Seinem Verderber
Vor unsrer Hütte vorüberzugehn!

Ach schon rauschet, schon rauschet
Himmel und Erde vom gnädigen Regen!
Nun ist, wie dürstete sie! Die Erd erquickt,
Und der Himmel der Fülle des Seegens entladen!

Siehe, nun kömmt Jehovah nicht mehr im Wetter!
Im stillen, sanften Säuseln
Kömmt Jehovah!
Und unter ihm neigt sich der Bogen des Friedens.

LUDWIG CHRISTOPH HEINRICH HÖLTY

Geb. 21. Dezember 1748 in Mariensee bei Hannover, gest. 1. November 1776 in Hannover, Sohn eines Pfarrers. 1765 Gymnasium Celle, 1769 bis 1772 Studium der Theologie und neuerer Sprachen, dann Sprachlehrer und Übersetzer in Göttingen, Sommer 1775 Reise zu Klopstock, Claudius und Voß nach Hamburg und Wandsbek. Liebe zu Charlotte von Einem in Münden. Ein Lungenleiden, das die Kuren des Arztes J. G. Zimmermann nicht heilen konnten, beendete sein Leben.

Das Gedicht »Die Nonne« erschien im »Göttinger Musenalmanach für das Jahr 1775«, eine frühere Fassung unter der Überschrift »Ballade« im Widmungsbuch »Für Klopstock«. Die »Elegie auf einen Dorfkirchhof« erschien 1771 und 1772; der Text folgt der zweiten Fassung. Angeregt wurde das Gedicht durch Thomas Grays (1716–71) »Elegy written in a country churchyard«. Hölty fügte dem Titel hinzu: »Keine Nachahmung des Gray, sondern nur eine Ausführung derselben Idee«. »Die Mainacht« entstand 1774 und erschien im »Göttinger Musenalmanach für das Jahr 1775«. »Das Landleben« ist in drei Fassungen überliefert; die hier abgedruckte dritte wurde von Voß im »Musenalmanach für 1777« veröffentlicht. Die erste Fassung steht unter einem mehrfach von Hölty verwendeten Motto: »Flumina amem silvasque inglorius« (Vergil: Georgica); Voß übersetzt: »Lieb ich Bäch und Gehölz auch ruhmlos«. Die hier abgedruckten vier Gedichte geben einen Einblick in das reiche formale Repertoire von Höltys Lyrik. Er beherrscht den Ton der Schauerballade, mit dem er in der »Nonne« ein mehrfach behandeltes Thema des Sturm und Drang eigenwillig variiert, aber am eigentümlichsten ist für seine Lyrik die Melancholie, vielleicht bestimmt von der Ahnung eines frühen Todes. Seine Naturlyrik, die von diesem Weltschmerz überschattet ist, erscheint als Ausdruck persönlicher Erfahrung. So sind die von ihm verfaßten Gedichte charakteristisch für die Poesie der Empfindsamkeit, indem sie eine individuelle Stimmungslage artikulieren.

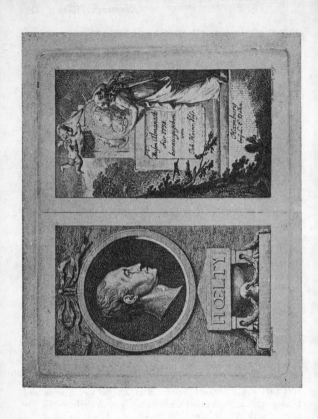

Titelseite und Frontispiz des Musenalmanachs für 1778 mit dem Bildnis Höltys nach einer Totenmaske. Kupferstich von Chodowiecki

*Viele seiner Gedichte lebten bis weit ins 19. Jahrhundert
weiter; bekannt ist die Vertonung der »Mainacht« von Johannes Brahms.*

Die Nonne

Es liebt' in Welschland irgendwo
　　Ein schöner junger Ritter
Ein Mädchen, das der Welt entfloh,
　　Trotz Klostertor und Gitter;
Sprach viel von seiner Liebespein,
　　Und schwur, auf seinen Knien,
Sie aus dem Kerker zu befrein,
　　Und stets für sie zu glühen.

»Bei diesem Muttergottesbild,
　　Bei diesem Jesuskinde,
Das ihre Mutterarme füllt,
　　Schwör ichs dir, o Belinde!
Dir ist mein ganzes Herz geweiht,
　　Solang ich Odem habe,
Bei meiner Seelen Seligkeit!
　　Dich lieb ich bis zum Grabe.«

Was glaubt ein armes Mädchen nicht,
　　Zumal in einer Zelle?
Ach! sie vergaß der Nonnenpflicht,
　　Des Himmels und der Hölle.
Die, von den Engeln angeschaut,
　　Sich ihrem Jesu weihte,
Die reine schöne Gottesbraut,
　　Ward eines Frevlers Beute.

Drauf wurde, wie die Männer sind,
　　Sein Herz von Stund an lauer,

Er überließ das arme Kind
  Auf ewig ihrer Trauer,
Vergaß der alten Zärtlichkeit,
  Und aller seiner Eide,
Und flog, im bunten Galakleid,
  Nach neuer Augenweide;

Begann mit andern Weibern Reihn,
  Im kerzenhellen Saale,
Gab andern Weibern Schmeichelein,
  Beim lauten Traubenmahle.
Und rühmte sich des Minneglücks
  Bei seiner schönen Nonne,
Und jedes Kusses, jedes Blicks,
  Und jeder andern Wonne.

Die Nonne, voll von welscher Wut,
  Entglüht' in ihrem Mute,
Und sann auf nichts als Dolch und Blut,
  Und schwamm in lauter Blute.
Sie dingte plötzlich eine Schar
  Von wilden Meuchelmördern,
Den Mann, der treulos worden war,
  Ins Totenreich zu fördern.

Die bohren manches Mörderschwert
  In seine schwarze Seele;
Sein schwarzer falscher Geist entfährt,
  Wie Schwefeldampf der Höhle.
Er wimmert durch die Luft, wo sein
  Ein Krallenteufel harret.
Drauf ward sein blutendes Gebein
  In eine Gruft verscharret.

Die Nonne flog, wie Nacht begann,
  Zur kleinen Dorfkapelle,

Und riß den wunden Rittersmann
  Aus seiner Ruhestelle,
Riß ihm das Bubenherz heraus,
  Recht ihren Zorn zu büßen,
Und trat es, daß das Gotteshaus
  Erschallte, mit den Füßen.

Ihr Geist soll, wie die Sagen gehn,
  In dieser Kirche weilen,
Und, bis im Dorf die Hahnen krähn,
  Bald wimmern, und bald heulen.
Sobald der Seiger[1] zwölfe schlägt,
  Rauscht sie, an Grabsteinwänden,
Aus einer Gruft empor, und trägt
  Ein blutend Herz in Händen.

Die tiefen hohlen Augen sprühn
  Ein düsterrotes Feuer,
Und glühn, wie Schwefelflammen glühn,
  Durch ihren weißen Schleier.
Sie gafft auf das zerrißne Herz,
  Mit wilder Rachgebärde,
Und hebt es dreimal himmelwärts,
  Und wirft es auf die Erde;

Und rollt die Augen voller Wut,
  Die eine Hölle blicken,
Und schüttelt aus dem Schleier Blut,
  Und stampft das Herz in Stücken.
Ein dunkler Totenflimmer macht
  Indes die Fenster helle.
Der Wächter, der das Dorf bewacht,
  Sahs oft in der Kapelle.

1. Turmuhr.

Elegie auf einen Dorfkirchhof

Mit dem letzten Schall der Abendglocke,
    Die den jungen Maitag
Weinend jetzt zu Grabe läutet, wandle
    Ich in diese Schatten.

Vor mir schwimmt die bunte Frühlingslandschaft
    Schon im Dunkel; Luna
Tritt entschleiert aus den Wolken, mischet
    In die Schatten Silber.

Wie die Königin mit voller Wange
    Durch die Linde lächelt,
Wo ich sitze, und die Efeuranken
    Dort am Kirchturm malet!

Szene, welche vor mir lieget, gieße
    Wehmut mir zum Busen!
Süße Ruhe schlinget hier die Arme
    Um des Landmanns Urne.

Welch Gemisch von grünen Leichenhügeln!
    Gelbe Blümchen breiten
Teppiche darüber, wilder Wermut
    Überragt die Hügel.

Flittergold und rote Bänder rauschen
    Von den schwarzen Kreuzen,
Welche Gräber zeichnen, wo ein Jüngling,
    Wo ein Mädchen schlummert.

Am Geschwätz des Baches, auf den Matten
    Flogen ihre Füße
Oft im Tanze, wenn ein alter Bergmann
    Auf der Cyther spielte.

Mit dem Blumenstrauße vorn am Busen
   Hüpfte dann das Mädchen
Durch die Veilchen. Junger Buchsbaum nickte
   An des Jünglings Hute.

Sie umtanzten, wenn die blanken Sicheln
   Nicht mehr in den Furchen
Rauschten, ihren Erntekranz, und sangen
   Ihres Herzens Regung. –

Graue Leichensteine ragen einzeln,
   Rund mit Moos bewachsen,
Und mit Totenköpfen, Stundengläsern,
   Engeln ausgeschmücket.

Keine Inschrift, die von Ordensbändern,
   Langen Ehrentiteln,
Die von Ahnen und von Würden strotzet,
   Rufet hier den Wandrer.

Wenig Zeilen, die den grauen Sandstein
   Überfüllen, melden
Wer hier ruhet: Greise, treue Väter,
   Tugendhafte Mütter.

O was nützt der Marmor? Schläft man etwan
   Einen süßern Schlummer
Unter Ehrensäulen, als der Landmann
   Unter seinem Rasen? –

Diese kleinen Leichenhügel decken
   Kinder. Eh die Knospe
Ihrer Kindheit sich entfaltet, wurden
   Sie des Grabes Beute.

Auf den goldnen Schlüsselblumenglocken,
   Die die Gräber kränzen,

Blinken oft die Zähren ihrer Mütter;
　　Warme, treue Zähren!

Sie verhüllen – o die guten Mütter! –
　　Oft die feuchten Augen
In die Schürze, wenn sie wider Willen
　　Diese Hügel sehen.

O die guten Kinder! Sie durchhüpften
　　Oft den Garten, flochten
Sich von jungen Gänseblumen Kronen,
　　Kränzten ihre Haare.

Fröhlich raubten sie dem Vater Küsse
　　Von den braunen Wangen,
Wenn er sie, voll Zärtlichkeit beim Herdfeur,
　　Auf den Knien wiegte. –

O ihr Blümchen und ihr Wermutstauden,
　　Deckt oft beßre Herzen,
Größre Geistesgaben, als der Marmor
　　Mit der Heroldsstimme.

Mancher, dessen keimende Talente
　　Nie zur Reife kamen,
Ruht vielleicht hier unter diesen Kreuzen,
　　Unter diesen Rasen.

Mancher, der mit kühnen Saitengriffen,
　　Feuer in der Seele,
Dich, o Tugend, dich, o Blumengeber,
　　Lenz, besungen hätte!

Schlummert sanft, ihr frohen Dorfbewohner,
　　Hier um eures Tempels
Gotisches Gebäude! Winkt, ihr Gräber,
　　Mir oft süße Schwermut!

Die Mainacht

Wenn der silberne Mond durch die Gesträuche blickt,
Und sein schlummerndes Licht über den Rasen geußt,
   Und die Nachtigall flötet,
     Wandl ich traurig von Busch zu Busch.

Selig preis ich dich dann, flötende Nachtigall,
Weil dein Weibchen mit dir wohnet in einem Nest,
   Ihrem singenden Gatten
     Tausend trauliche Küsse gibt.

Überschattet von Laub, girret ein Taubenpaar
Sein Entzücken mir vor; aber ich wende mich,
   Suche dunkle Gesträuche,
     Und die einsame Träne rinnt.

Wann, o lächelndes Bild, welches wie Morgenrot
Durch die Seele mir strahlt, find ich auf Erden dich?
   Und die einsame Träne
     Bebt mir heißer die Wang herab!

Das Landleben

Wunderseliger Mann, welcher der Stadt entfloh!
Jedes Säuseln des Baums, jedes Geräusch des Bachs,
   Jeder blinkende Kiesel,
     Predigt Tugend und Weisheit ihm!

Jedes Schattengesträuch ist ihm ein heiliger
Tempel, wo ihm sein Gott näher vorüberwallt;
   Jeder Rasen ein Altar,
     Wo er vor dem Erhabnen kniet.

Seine Nachtigall tönt Schlummer herab auf ihn,
Seine Nachtigall weckt flötend ihn wieder auf,
   Wenn das liebliche Frührot
     Durch die Bäum auf sein Bette scheint.

Dann bewundert er dich, Gott, in der Morgenflur,
In der steigenden Pracht deiner Verkünderin,
   Der allherrlichen Sonne,
     Dich im Wurm, und im Knospenzweig.

Ruht im wehenden Gras, wann sich die Kühl ergießt,
Oder strömet den Quell über die Blumen aus;
   Trinkt den Atem der Blüte,
     Trinkt die Milde der Abendluft.

Sein bestrohetes Dach, wo sich das Taubenvolk
Sonnt, und spielet und hüpft, winket ihm süßre Rast,
   Als dem Städter der Goldsaal,
     Als der Polster der Städterin.

Und der spielende Trupp schwirret zu ihm herab,
Gurrt und säuselt ihn an, flattert ihm auf den Korb;
   Picket Krumen und Erbsen,
     Picket Körner ihm aus der Hand.

Einsam wandelt er oft, Sterbegedanken voll,
Durch die Gräber des Dorfs, setzet sich auf ein Grab,
   Und beschauet die Kreuze,
     Und den wehenden Totenkranz.

Wunderseliger Mann, welcher der Stadt entfloh!
Engel segneten ihn, als er geboren ward,
   Streuten Blumen des Himmels
     Auf die Wiege des Knaben aus.

FRIEDRICH LEOPOLD GRAF ZU STOLBERG

Das Gedicht »Mein Vaterland« wurde zuerst im »Göttinger Musenalmanach für das Jahr 1775« veröffentlicht. »Die Freiheit« liegt in zwei Fassungen vor; die erste stammt noch aus dem Jahre 1770 und entstand in Dänemark. Die hier abgedruckte Fassung wurde von Voß für den »Musenalmanach auf 1775« überarbeitet, so daß sie – wie Stolberg schreibt – »nun eines meiner besten Kinder worden ist«: ein Beispiel für die gemeinsame poetische Produktion der Göttinger. »An die Natur« erschien im »Musenalmanach für 1774«. Die drei hier ausgewählten Gedichte bezeichnen die Trias der wohl wichtigsten Themen des Göttinger Hainbundes: Vaterland, Freiheit und Natur. Das »Vaterland« stellt sich als utopischer Wunsch dar; er scheint weder mit dem Nationalismus des 19. Jahrhunderts noch mit Herders Begriff des Deutschen identisch und ist stark von den moralischen Vorstellungen der Aufklärung bestimmt. Ähnlich abstrakt ist der Begriff von Freiheit, der mit dem des Vaterlandes durchaus verwandt ist; er entwickelt sich in einer stark von rhetorischen Elementen bestimmten Ode, ohne sich politisch oder philosophisch zu konkretisieren. Die Natur als schöpferisches Prinzip, mit Anklängen an den Aufsatz »Über die Fülle des Herzens«, besingt die dritte Ode.

Mein Vaterland

An Klopstock

Das Herz gebeut mir! Siehe, schon schwebt,
Voll Vaterlandes, stolz mein Gesang!
   Stürmender schwingen sich Adler
     Nicht, und Schwäne nicht tönender!

An fernem Ufer rauschet sein Flug!
Des staunt der Belt, und zürnet, und hebt
   Donnernde, schäumende Wogen;
     Denn ich singe mein Vaterland!

Ich achte nicht der scheltenden Flut,
Der tiefen nicht, der türmenden nicht!
   Mitten im kreisenden Strudel
     Sänge Stolberg sein Vaterland!

O Land der alten Treue! Voll Muts
Sind deine Männer, sanft und gerecht;
   Rosig die Mädchen und sittsam;
     Blitze Gottes die Jünglinge!

In deinen Hütten sichert die Zucht
Den Bund der Ehe! Rein ist das Bett
   Zärtlicher Gatten, und fruchtbar
     Ihre keuschen Umarmungen!

Vom Segen Gottes triefet dein Tal,
Und Freude reift am Rebengebirg;
   Singenden Schnittern entgegen
     Rauscht die wankende Halmensaat.

Kolumbia, du weintest, gehüllt
In Trauerschleier, über den Fluch,
   Welchen der lachende Mörder
     Öden Fluren zum Erbe ließ.

Da sandte Deutschland Segen und Volk;
Der Schoß der Jammererde gebar,
   Staunte der schwellenden Ähren,
     Und der schaffenden Fremdlinge!

Nach fernem Golde dürstete nie
Der Deutsche, Sklaven fesselt' er nie;
 Immer der Schild des Verfolgten,
  Und des Drängenden Untergang!

Ich bin ein Deutscher! (Stürzet herab,
Der Freude Tränen, daß ich es bin!)
 Fühlte die erbliche Tugend
  In den Jahren des Kindes schon!

Von dir entfernet, weih ich mich dir,
Mit jedem Wunsche, heiliges Land!
 Grüße den südlichen Himmel
  Oft, und denke des Vaterlands!

Auch greifet oft mein nervichter Arm
Zur linken Hüfte; manches Phantom
 Blutiger Schlachten umflattert
  Dann die Seele des Sehnenden!

Ich höre schon der Reisigen Huf,
Und Kriegsdrommete! sehe mich schon,
 Liegend im blutigen Staube,
  Rühmlich sterben fürs Vaterland!

Die Freiheit

An Hahn[1]

Freiheit! Der Höfling kennt den Gedanken nicht!
Der Sklave! Ketten rasseln ihm Silberton!
 Gebeugt das Knie, gebeugt die Seele,
  Reicht er dem Joch den erschlafften Nacken!

---

1. *Johann Friedrich Hahn (1753–79), Mitglied des Hainbundes.*

Uns, uns ein hoher seelenverklärender
Gedanke! Freiheit! Freiheit! wir fühlen dich!
   Du Wort, du Kraft, du Lohn von Gott uns!
     O! wo noch voller ins Herz der Helden

Dein Nektar strömte, jener, an deren Grab
Nachwelten staunen; ström! o entflamm uns ganz!
   Denn sieh, in deutscher Sklaven Händen
     Rostet der Stahl, ist entnervt die Harfe!

Nur Freiheitsharf ist Harfe des Vaterlands!
Wer Freiheitsharfe schlägt, ist wie Nachtorkan
   Vor Donnerwettern! Donnre! Schlachtruf!
     Schwerter, fliegt auf, dem Gesandten Gottes!

Nur Freiheitsschwert ist Schwert für das Vaterland!
Wer Freiheitsschwert hebt, flammt durch das
                        Schlachtgewühl,
   Wie Blitz des Nachtsturms! Stürzt, Paläste!
   Stürze, Tyrann, dem Verderber Gottes!

O Namen! Namen! festlich, wie Siegsgesang!
Tell! Hermann! Klopstock! Brutus! Timoleon!
   O ihr, wem freie Seele Gott gab,
    Flammend ins eherne Herz gegraben!

An die Natur

Den schwachen Flügel reizet der Äther nicht!
Im Felsenneste fühlt sich der Adler schon
   Voll seiner Urkraft, hebt den Fittig,
    Senkt sich und hebt sich und trinkt die Sonne!

Du gabst, Natur! ihm Flug und den Sonnendurst!
Mir gabst du Feuer, Durst nach Unsterblichkeit,

Dies Toben in der Brust! Das Staunen
   Welches durch jegliche Nerve zittert,

Wenn schon die Seelen werdender Lieder mir
Das Haupt umschweben, eh das nachahmende
   Gewand der Sprache sie umfließet,
      Ohne den geistigen Flug zu hemmen.

Du gabst mir Schwingen hoher Begeisterung,
Gefühl des Wahren, Liebe des Schönen du!
   Du lehrst mich neue Höhen finden
      Welche das Auge der Kunst nicht spähet!

Von dir geleitet wird mir die Sternenbahn
Nicht hoch, und tief sein nicht der Oceanus,
   Die Mitternacht nicht dunkel, blendend
      Nicht des vertrauten Olymps Umstrahlung!

GOTTFRIED AUGUST BÜRGER

Geb. 31. Dezember 1747 in Molmerswende (Harz), gest. 8. Juni 1794 in
Göttingen, Pfarrerssohn. 1760–63 Pädagogium Halle, ebenda 1764 Studium der Theologie, ab 1768 der Jurisprudenz und Philosophie in Göttingen, 1772 Amtmann in Altengleichen. Ab 1774 unglückliche Ehe mit
Dorette Leonhardt; Bürger liebte ihre Schwester Auguste (gen. Molly).
1779–94 Redakteur des *Deutschen Musenalmanachs*, 1784 Privatdozent in
Göttingen; nach Dorettes Tod Ehe mit Molly. 1789 unbesoldeter Professor für Ästhetik; nach Mollys Tod 1786 dritte Ehe mit Elise Hahn
1790, die 1792 nach tiefgreifendem Zerwürfnis geschieden wurde.
Werke: *Gedichte* (2 Bde., 1778/89); *Münchhausen*-Übersetzung (1786).

*Bürgers – wie Herders und Goethes – Quelle für seine
Balladen ist die 1765 von Thomas Percy edierte Sammlung
»Reliques of Ancient Poetry«. »Lenore« ist eines der ersten,
die Gattung maßgeblich beeinflussenden Exempel. Sie weist
bereits die wichtigsten Merkmale der »nordischen« Ballade*

(Goethe) auf: anknüpfend an eine reale oder mögliche Be-
gebenheit, spielen Elemente der (Natur-)Magie oder des
Aberglaubens in das Geschehen hinein. Es drängt sich in
knapp pointierter Rede und Gegenrede zusammen und
treibt auf einen dramatischen Höhepunkt zu. Lautmalereien
und Wiederholungsfiguren sollen die suggestive Wirkung des
Gedichtes unterstreichen. Der Gattungscharakter wird in
»Des Pfarrers Tochter von Taubenhain« fast noch deut-
licher: das sozialkritisch relevante Thema der von einem
vornehmen Liebhaber sitzengelassenen unehelichen Mutter
wird durch die balladeske Gestaltung, die Schuld und
Sühne dem verführten Mädchen zuschiebt, verfremdet. Daß
sich Bürger andererseits über die gesellschaftlichen Verhält-
nisse seiner Zeit klar war, zeigt »Der Bauer«, eines der
wenigen revolutionären Gedichte der Epoche.
In seiner berühmten Rezension »Über Bürgers Gedichte«
von 1791 (in der Jenaer Literaturzeitung vom 15. und
17. Januar) hat Schiller den »zu sinnlichen, oft gemeinsinn-
lichen Charakter« von Bürgers Lyrik kritisiert, der er das
Postulat einer »Idealisierung seines Gegenstandes« entgegen-
hält. Abgesehen davon, daß der Tenor dieser Kritik für
Schiller selbst und seine Fundierung einer klassischen Ästhe-
tik fast wichtiger ist als für die heutige literarhistorische
Würdigung Bürgers, zeigt sie deutlich die Verwendung
populärer Darstellungsmittel, die Aufnahme der »plebeji-
schen« Traditionen (Krauss) durch Bürger.

Lenore

Lenore fuhr ums Morgenrot
Empor aus schweren Träumen:
»Bist untreu, Wilhelm, oder tot?
Wie lange willst du säumen?« –
Er war mit König Friedrichs Macht
Gezogen in die Prager Schlacht

Kupferstich von Chodowiecki zu Bürgers »Lenore«

Und hatte nicht geschrieben,
Ob er gesund geblieben.

Der König und die Kaiserin,
Des langen Haders müde,
Erweichten ihren harten Sinn
Und machten endlich Friede;
Und jedes Heer, mit Sing und Sang,
Mit Paukenschlag und Kling und Klang,
Geschmückt mit grünen Reisern,
Zog heim zu seinen Häusern.

Und überall, allüberall
Auf Wegen und auf Stegen,
Zog alt und jung dem Jubelschall
Der Kommenden entgegen.
Gottlob! rief Kind und Gattin laut,
Willkommen! manche frohe Braut.
Ach! aber für Lenoren
War Gruß und Kuß verloren.

Sie frug den Zug wohl auf und ab
Und frug nach allen Namen;
Doch keiner war, der Kundschaft gab,
Von allen, so da kamen.
Als nun das Heer vorüber war,
Zerraufte sie ihr Rabenhaar
Und warf sich hin zur Erde
Mit wütiger Gebärde.

Die Mutter lief wohl hin zu ihr: –
»Ach, daß sich Gott erbarme!
Du trautes Kind, was ist mit dir?« –
Und schloß sie in die Arme. –
»O Mutter, Mutter! hin ist hin!
Nun fahre Welt und alles hin!

Bei Gott ist kein Erbarmen.
O weh, o weh mir Armen!« –

»Hilf Gott, hilf! Sieh uns gnädig an!
Kind, bet ein Vaterunser!
Was Gott tut, das ist wohlgetan.
Gott, Gott erbarmt sich unser!« –
»O Mutter, Mutter! Eitler Wahn!
Gott hat an mir nicht wohlgetan!
Was half, was half mein Beten?
Nun ist's nicht mehr vonnöten.« –

»Hilf Gott, hilf! Wer den Vater kennt,
Der weiß, er hilft den Kindern.
Das hochgelobte Sakrament
Wird deinen Jammer lindern.« –
»O Mutter, Mutter! was mich brennt,
Das lindert mir kein Sakrament!
Kein Sakrament mag Leben
Den Toten wiedergeben.« –

»Hör, Kind! wie, wenn der falsche Mann
Im fernen Ungerlande
Sich seines Glaubens abgetan
Zum neuen Ehebande?
Laß fahren, Kind, sein Herz dahin!
Er hat es nimmermehr Gewinn!
Wann Seel' und Leib sich trennen,
Wird ihn sein Meineid brennen.« –

»O Mutter, Mutter! Hin ist hin!
Verloren ist verloren!
Der Tod, der Tod ist mein Gewinn!
O wär' ich nie geboren!
Lisch aus, mein Licht, auf ewig aus!
Stirb hin, stirb hin in Nacht und Graus!

Bei Gott ist kein Erbarmen.
O weh, o weh mir Armen!« –

»Hilf Gott, hilf! Geh nicht ins Gericht
Mit deinem armen Kinde!
Sie weiß nicht, was die Zunge spricht.
Behalt ihr nicht die Sünde!
Ach, Kind, vergiß dein irdisch Leid
Und denk an Gott und Seligkeit!
So wird doch deiner Seelen
Der Bräutigam nicht fehlen.« –

»O Mutter! Was ist Seligkeit?
O Mutter! Was ist Hölle?
Bei ihm, bei ihm ist Seligkeit,
Und ohne Wilhelm Hölle! –
Lisch aus, mein Licht, auf ewig aus!
Stirb hin, stirb hin in Nacht und Graus!
Ohn' ihn mag ich auf Erden,
Mag dort nicht selig werden.« – – –

So wütete Verzweifelung
Ihr in Gehirn und Adern,
Sie fuhr mit Gottes Vorsehung
Vermessen fort zu hadern;
Zerschlug den Busen und zerrang
Die Hand bis Sonnenuntergang,
Bis auf am Himmelsbogen
Die goldnen Sterne zogen.

Und außen, horch! ging's trapp trapp trapp,
Als wie von Rosseshufen;
Und klirrend stieg ein Reiter ab
An des Geländers Stufen;
Und horch! und horch! den Pfortenring
Ganz lose, leise, klinglingling!

Dann kamen durch die Pforte
Vernehmlich diese Worte:

»Holla, Holla! Tu auf, mein Kind!
Schläfst, Liebchen, oder wachst du?
Wie bist noch gegen mich gesinnt?
Und weinest oder lachst du?« –
»Ach, Wilhelm, du? – So spät bei Nacht? –
Geweinet hab ich und gewacht;
Ach, großes Leid erlitten!
Wo kommst du hergeritten?« –

»Wir satteln nur um Mitternacht.
Weit ritt ich her von Böhmen.
Ich habe spät mich aufgemacht
Und will dich mit mir nehmen.« –
»Ach, Wilhelm, erst herein geschwind!
Den Hagedorn durchsaust der Wind,
Herein, in meinen Armen,
Herzliebster, zu erwarmen!« –

»Laß sausen durch den Hagedorn,
Laß sausen, Kind, laß sausen!
Der Rappe scharrt; es klirrt der Sporn,
Ich darf allhier nicht hausen.
Komm, schürze, spring und schwinge dich
Auf meinen Rappen hinter mich!
Muß heut noch hundert Meilen
Mit dir ins Brautbett eilen.«

»Ach! wolltest hundert Meilen noch
Mich heut ins Brautbett tragen?
Und horch! es brummt die Glocke noch,
Die elf schon angeschlagen.« –
»Sieh hin, sieh her! der Mond scheint hell.
Wir und die Toten reiten schnell.

Ich bringe dich, zur Wette,
Noch heut ins Hochzeitbette.« –

»Sag an, wo ist dein Kämmerlein?
Wo? Wie dein Hochzeitbettchen?« –
»Weit, weit von hier! – Still, kühl und klein! –
Sechs Bretter und zwei Brettchen!« –
»Hat's Raum für mich?« – »Für dich und mich!
Komm, schürze, spring und schwinge dich!
Die Hochzeitgäste hoffen;
Die Kammer steht uns offen.« –

Schön Liebchen schürzte, sprang und schwang
Sich auf das Roß behende;
Wohl um den trauten Reiter schlang
Sie ihre Lilienhände;
Und hurre hurre, hop hop hop!
Ging's fort in sausendem Galopp,
Daß Roß und Reiter schnoben
Und Kies und Funken stoben.

Zur rechten und zur linken Hand,
Vorbei vor ihren Blicken,
Wie flogen Anger, Heid' und Land!
Wie donnerten die Brücken! –
»Graut Liebchen auch? – Der Mond scheint hell!
Hurra! die Toten reiten schnell!
Graut Liebchen auch vor Toten?« –
»Ach nein! – Doch laß die Toten!« –

Was klang dort für Gesang und Klang?
Was flatterten die Raben? –
Horch, Glockenklang! horch, Totensang:
»Laßt uns den Leib begraben!«
Und näher zog ein Leichenzug,
Der Sarg und Totenbahre trug.

Das Lied war zu vergleichen
Dem Unkenruf in Teichen.

»Nach Mitternacht begrabt den Leib
Mit Klang und Sang und Klage!
Jetzt führ ich heim mein junges Weib.
Mit, mit zum Brautgelage!
Komm, Küster, hier! Komm mit dem Chor,
Und gurgle mir das Brautlied vor!
Komm, Pfaff', und sprich den Segen,
Eh' wir zu Bett uns legen!« –

Still Klang und Sang. – Die Bahre schwand. –
Gehorsam seinem Rufen
Kam's, hurre hurre! nachgerannt,
Hart hinter's Rappen Hufen.
Und immer weiter, hop hop hop!
Ging's fort in sausendem Galopp,
Daß Roß und Reiter schnoben,
Und Kies und Funken stoben.

Wie flogen rechts, wie flogen links
Gebirge, Bäum' und Hecken!
Wie flogen links und rechts und links
Die Dörfer, Städt' und Flecken! –
»Graut Liebchen auch? – Der Mond scheint hell!
Hurra! die Toten reiten schnell!
Graut Liebchen auch vor Toten?« –
»Ach! Laß sie ruhn, die Toten!« –

Sieh da! sieh da! am Hochgericht
Tanzt um des Rades Spindel,
Halb sichtbarlich bei Mondenlicht,
Ein luftiges Gesindel. –
»Sasa! Gesindel, hier! Komm hier!
Gesindel, komm und folge mir!

Tanz uns den Hochzeitreigen,
Wann wir zu Bette steigen!« –

Und das Gesindel, husch husch husch!
Kam hinten nachgeprasselt,
Wie Wirbelwind am Haselbusch
Durch dürre Blätter rasselt.
Und weiter, weiter, hop hop hop!
Ging's fort in sausendem Galopp,
Daß Roß und Reiter schnoben,
Und Kies und Funken stoben.

Wie flog, was rund der Mond beschien,
Wie flog es in die Ferne!
Wie flogen oben überhin
Der Himmel und die Sterne! –
»Graut Liebchen auch? – Der Mond scheint hell!
Hurra! die Toten reiten schnell!
Graut Liebchen auch vor Toten?« –
»O weh! Laß ruhn die Toten!« – – –

»Rapp'! Rapp'! Mich dünkt, der Hahn schon ruft. –
Bald wird der Sand verrinnen –
Rapp'! Rapp'! Ich wittre Morgenluft –
Rapp'! Tummle dich von hinnen! –
Vollbracht, vollbracht ist unser Lauf!
Das Hochzeitbette tut sich auf!
Die Toten reiten schnelle!
Wir sind, wir sind zur Stelle.« – – –

Rasch auf ein eisern Gittertor
Ging's mit verhängtem Zügel.
Mit schwanker Gert' ein Schlag davor
Zersprengte Schloß und Riegel.
Die Flügel flogen klirrend auf,
Und über Gräber ging der Lauf.

Es blinkten Leichensteine
Rundum im Mondenscheine.

Ha sieh! Ha sieh! im Augenblick,
Huhu! ein gräßlich Wunder!
Des Reiters Koller, Stück für Stück,
Fiel ab wie mürber Zunder,
Zum Schädel, ohne Zopf und Schopf,
Zum nackten Schädel ward sein Kopf;
Sein Körper zum Gerippe,
Mit Stundenglas und Hippe.

Hoch bäumte sich, wild schnob der Rapp',
Und sprühte Feuerfunken;
Und hui! war's unter ihr hinab
Verschwunden und versunken.
Geheul! Geheul aus hoher Luft,
Gewinsel kam aus tiefer Gruft.
Lenorens Herz, mit Beben,
Rang zwischen Tod und Leben.

Nun tanzten wohl bei Mondenglanz,
Rundum herum im Kreise,
Die Geister einen Kettentanz
Und heulten diese Weise:
»Geduld! Geduld! Wenn's Herz auch bricht!
Mit Gott im Himmel hadre nicht!
Des Leibes bist du ledig;
Gott sei der Seele gnädig!«

Des Pfarrers Tochter von Taubenhain

Im Garten des Pfarrers von Taubenhain
Geht's irre bei Nacht in der Laube.
Da flüstert und stöhnt's so ängstlich;

Da rasselt, da flattert und sträubet es sich,
Wie gegen den Falken die Taube.

Es schleicht ein Flämmchen am Unkenteich,
Das flimmert und flammert so traurig.
Da ist ein Plätzchen, da wächst kein Gras;
Das wird vom Tau und vom Regen nicht naß;
Da wehen die Lüftchen so schaurig. –

Des Pfarrers Tochter von Taubenhain
War schuldlos wie ein Täubchen.
Das Mädel war jung, war lieblich und fein,
Viel ritten der Freier nach Taubenhain
Und wünschten Rosetten zum Weibchen. –

Von drüben herüber, von drüben herab,
Dort jenseits des Baches vom Hügel,
Blinkt stattlich ein Schloß auf das Dörfchen im Tal,
Die Mauern wie Silber, die Dächer wie Stahl,
Die Fenster wie brennende Spiegel.

Da trieb es der Junker von Falkenstein
In Hüll’ und in Füll’ und in Freude.
Dem Jüngferchen lacht’ in die Augen das Schloß,
Ihm lacht’ in das Herzchen der Junker zu Roß
Im funkelnden Jägergeschmeide. –

Er schrieb ihr ein Briefchen auf Seidenpapier,
Umrändelt mit goldenen Kanten.
Er schickt’ ihr sein Bildnis, so lachend und hold,
Versteckt in ein Herzchen von Perlen und Gold;
Dabei war ein Ring mit Demanten. –

»Laß du sie nur reiten und fahren und gehn!
Laß du sie sich werben zuschanden!
Rosettchen, dir ist wohl was Bessers beschert.

Ich achte des stattlichsten Ritters dich wert,
Beliehen mit Leuten und Landen.

Ich hab ein gut Wörtchen zu kosen mit dir;
Das muß ich dir heimlich vertrauen.
Drauf hätt' ich gern heimlich erwünschten Bescheid.
Lieb Mädel, um Mitternacht bin ich nicht weit;
Sei wacker und laß dir nicht grauen!

Heut Mitternacht horch auf den Wachtelgesang
Im Weizenfeld hinter dem Garten.
Ein Nachtigallmännchen wird locken die Braut
Mit lieblichem tief aufflötendem Laut;
Sei wacker und laß mich nicht warten!« –

Er kam in Mantel und Kappe vermummt,
Er kam um die Mitternachtstunde,
Er schlich, umgürtet mit Waffen und Wehr,
So leise, so lose, wie Nebel, einher
Und stillte mit Brocken die Hunde.

Er schlug der Wachtel hellgellenden Schlag
Im Weizenfeld hinter dem Garten.
Dann lockte das Nachtigallmännchen die Braut
Mit lieblichem tief aufflötendem Laut;
Und Röschen, ach! – ließ ihn nicht warten. –

Er wußte sein Wörtchen so traulich und süß
In Ohr und Herz ihr zu girren! –
Ach, Liebender Glauben ist willig und zahm!
Er sparte kein Locken, die schüchterne Scham
Zu seinem Gelüste zu kirren.

Er schwur sich bei allem, was heilig und hehr,
Auf ewig zu ihrem Getreuen,
Und als sie sich sträubte, und als er sie zog,

Vermaß er sich teuer, vermaß er sich hoch:
»Lieb Mädel, es soll dich nicht reuen!«

Er zog sie zur Laube, so düster und still,
Von blühenden Bohnen umdüftet.
Da pocht' ihr das Herzchen; da schwoll ihr die Brust;
Da wurde vom glühenden Hauche der Lust
Die Unschuld zu Tode vergiftet. – – –

Bald, als auf duftendem Bohnenbeet
Die rötlichen Blumen verblühten,
Da wurde dem Mädel so übel und weh;
Da bleichten die rosichten Wangen zu Schnee;
Die funkelnden Augen verglühten.

Und als die Schote nun allgemach
Sich dehnt' in die Breit' und Länge;
Als Erdbeer' und Kirsche sich rötet' und schwoll,
Da wurde dem Mädel das Brüstchen zu voll,
Das seidene Röckchen zu enge.

Und als die Sichel zu Felde ging,
Hub's an sich zu regen und strecken.
Und als der Herbstwind über die Flur
Und über die Stoppel des Habers fuhr,
Da konnte sie's nicht mehr verstecken.

Der Vater, ein harter und zorniger Mann,
Schalt laut die arme Rosette:
»Hast du dir erbuhlt für die Wiege das Kind,
So hebe dich mir aus den Augen geschwind
Und schaff auch den Mann dir ins Bette!«

Er schlang ihr fliegendes Haar um die Faust;
Er hieb sie mit knotigen Riemen.
Er hieb, das schallte so schrecklich und laut!

Er hieb ihr die samtene Lilienhaut
Voll schwellender blutiger Striemen.

Er stieß sie hinaus in der finstersten Nacht
Bei eisigem Regen und Winden.
Sie klimmt' am dornigen Felsen empor
Und tappte sich fort bis an Falkensteins Tor,
Dem Liebsten ihr Leid zu verkünden. –

»O weh mir, daß du mich zur Mutter gemacht,
Bevor du mich machtest zum Weibe!
Sieh her! Sieh her! Mit Jammer und Hohn
Trag ich dafür nun den schmerzlichen Lohn
An meinem zerschlagenen Leibe!«

Sie warf sich ihm bitterlich schluchzend ans Herz;
Sie bat, sie beschwur ihn mit Zähren:
»O mach es nun gut, was du übel gemacht!
Bist du es, der so mich in Schande gebracht,
So bring auch mich wieder zu Ehren!« –

»Arm Närrchen«, versetzt' er, »das tut mir ja leid!
Wir wollen's am Alten schon rächen.
Erst gib dich zufrieden und harre bei mir!
Ich will dich schon hegen und pflegen allhier.
Dann wollen wir's ferner besprechen.« –

»Ach, hier ist kein Säumen, kein Pflegen noch Ruhn!
Das bringt mich nicht wieder zu Ehren.
Hast du einst treulich geschworen der Braut,
So laß auch an Gottes Altare nun laut
Vor Priester und Zeugen es hören!« –

»Ho, Närrchen, so hab ich es nimmer gemeint!
Wie kann ich zum Weibe dich nehmen?
Ich bin ja entsprossen aus adligem Blut.

Nur Gleiches zu Gleichem gesellet sich gut;
Sonst müßte mein Stamm sich ja schämen.

Lieb Närrchen, ich halte dir's, wie ich's gemeint:
Mein Liebchen sollst immerdar bleiben.
Und wenn dir mein wackerer Jäger gefällt,
So laß ich's mir kosten ein gutes Stück Geld,
Dann können wir's ferner noch treiben.« –

»Daß Gott dich! – du schändlicher, bübischer Mann! –
Daß Gott dich zur Hölle verdamme! –
Entehr ich als Gattin dein adliges Blut,
Warum denn, o Bösewicht, war ich einst gut
Für deine unehrliche Flamme? –

So geh dann und nimm dir ein adliges Weib! –
Das Blättchen soll schrecklich sich wenden!
Gott siehet und höret und richtet uns recht.
So müsse dereinst dein niedrigster Knecht
Das adlige Bette dir schänden! –

Dann fühle, Verräter, dann fühle, wie's tut,
An Ehr' und an Glück zu verzweifeln!
Dann stoß an die Mauer die schändliche Stirn,
Und jag eine Kugel dir fluchend durchs Hirn!
Dann, Teufel, dann fahre zu Teufeln!« –

Sie riß sich zusammen, sie raffte sich auf,
Sie rannte verzweifelnd von hinnen,
Mit blutigen Füßen, durch Distel und Dorn,
Durch Moor und Geröhricht, vor Jammer und Zorn
Zerrüttet an allen fünf Sinnen.

»Wohin nun, wohin, o barmherziger Gott,
Wohin nun auf Erden mich wenden?« –
Sie rannte, verzweifelnd an Ehr' und an Glück,

Und kam in den Garten der Heimat zurück,
Ihr klägliches Leben zu enden.

Sie taumelt', an Händen und Füßen verklomt[1],
Sie kroch zur unseligen Laube;
Und jach durchzuckte sie Weh auf Weh,
Auf ärmlichem Lager, bestreuet mit Schnee,
Von Reisicht und rasselndem Laube.

Es wand ihr ein Knäbchen sich weinend vom Schoß
Bei wildem unsäglichem Schmerze.
Und als das Knäbchen geboren war,
Da riß sie die silberne Nadel vom Haar
Und stieß sie dem Knaben ins Herze.

Erst, als sie vollendet die blutige Tat,
Mußt', ach! ihr Wahnsinn sich enden.
Kalt wehten Entsetzen und Grausen sie an. –
»O Jesu, mein Heiland, was hab ich getan?«
Sie wand sich das Bast von den Händen.

Sie kratzte mit blutigen Nägeln ein Grab
Am schilfigen Unkengestade.
»Da ruh du, mein Armes, da ruh nun in Gott,
Geborgen auf immer vor Elend und Spott! –
Mich hacken die Raben vom Rade!« – –

Das ist das Flämmchen am Unkenteich;
Das flimmert und flammert so traurig.
Das ist das Plätzchen, da wächst kein Gras;
Das wird vom Tau und vom Regen nicht naß;
Da wehen die Lüftchen so schaurig!

Hoch hinter dem Garten vom Rabenstein,
Hoch über dem Steine vom Rade

---

1. *schwache Form von* »verklommen«, *vor Kälte erstarrt.*

Blickt, hohl und düster, ein Schädel herab,
Das ist ihr Schädel, der blicket aufs Grab,
Drei Spannen lang an dem Gestade.

Allnächtlich herunter vom Rabenstein,
Allnächtlich herunter vom Rade
Huscht bleich und molkicht ein Schattengesicht,
Will löschen das Flämmchen, und kann es doch nicht,
Und wimmert am Unkengestade.

Der Bauer

An seinen durchlauchtigen Tyrannen

Wer bist du, Fürst, daß ohne Scheu
Zerrollen mich dein Wagenrad,
Zerschlagen darf dein Roß?

Wer bist du, Fürst, daß in mein Fleisch
Dein Freund, dein Jagdhund, ungebleut
Darf Klau' und Rachen haun?

Wer bist du, daß durch Saat und Forst
Das Hurra deiner Jagd mich treibt,
Entatmet, wie das Wild? –

Die Saat, so deine Jagd zertritt,
Was Roß und Hund und du verschlingst,
Das Brot, du Fürst, ist mein.

Du Fürst hast nicht, bei Egg' und Pflug,
Hast nicht den Erntetag durchschwitzt.
Mein, mein ist Fleiß und Brot! –

Ha! du wärst Obrigkeit von Gott?
Gott spendet Segen aus; du raubst!
Du nicht von Gott, Tyrann!

MATTHIAS CLAUDIUS

Geb. 15. August 1740 in Reinfeld (Holstein); gest. 21. Januar 1815 in Hamburg, Sohn eines Geistlichen. Kindheit auf dem Lande, 1755–59 Gelehrtenschule Plön, 1759–63 Studium der Theologie, Jurisprudenz und Kameralwissenschaften in Jena, 1764/65 Sekretär des Grafen Holstein in Kopenhagen, lebte drei Jahre ohne Stellung zu Hause, 1768–70 Mitarbeiter, später Redakteur einer Hamburger Zeitung, 1771–75 Redakteur des *Wandsbecker Boten* (seit 1773 *Deutscher Bote*), 1776/77 auf Herders Empfehlung Beamter in Darmstadt, ab 1777 als freier Schriftsteller und Erzieher in Wandsbek, ab 1785 mit einem Jahresgehalt des dänischen Kronprinzen, 1788 Revisor der Holsteinischen Bank in Altona, 1814 Übersiedlung nach Hamburg.
Werke: *Tändeleyen und Erzählungen* (1763); *Asmus omnia sua secum portans, oder Sämmtliche Werke des Wandsbecker Bothen* (8 Bde., 1775 bis 1812).

»Der Schwarze in der Zuckerplantage« erschien im »Wandsbecker Boten« vom 31. August 1773, »Zufriedenheit« im »Göttinger Musenalmanach auf 1774«, nachdem es in anderer Fassung schon im »Wandsbecker Boten« vom 21. Juni 1771 veröffentlicht worden war. Das »Abendlied« erschien im »Hamburger Musen-Almanach« 1779; Herder nahm es sogleich in den zweiten Teil seiner im selben Jahr erscheinenden Volksliedersammlung auf (ohne die beiden letzten Strophen). »Der Mensch« erschien im 4. Band der »Gesammelten Werke«. Die Gedichte »Zufriedenheit« und »Abendlied« entsprechen dem landläufigen Bild des stillen Poeten Claudius und sind Ausdruck seiner von der Aufklärung und ihrer Morallehre geprägten Christlichkeit. Neben der Lyrik Bürgers repräsentieren diese Gedichte eine andere Möglichkeit von Popularität: sie artikulieren ein bürgerliches Selbstverständnis, das sich außerhalb sozialer Geltung und öffentlicher Anerkennung mit der Existenz so, wie sie ist, bescheidet. Vor allem in dem Gedicht »Zufriedenheit« wird dieser in fast aller bürgerlichen Poesie des 18. Jahrhunderts zu beobachtende Zug stoischer Genügsamkeit deutlich. Man kann von einer individuellen Ethik sprechen, die nicht so sehr auf das der Gesellschaft zuträgliche Ver-

halten abhebt, sondern in erster Linie auf die Übereinstim-
mung mit dem eigenen Gewissen.

Daß Claudius auch kritisch und satirisch zu seiner Zeit
Stellung genommen hat, deutet das erste der hier wieder-
gegebenen Gedichte an; es wird darüber hinaus deutlich in
satirischen Aufsätzen und Erzählungen aus dem »Wands-
becker Boten«. Der Schluß des Gedichtes »Der Mensch«
läßt ahnen, daß die Vorstellung einer alle Probleme über-
windenden Geborgenheit im Glauben, die man häufig mit
dem Namen Claudius verbindet, zumindest stark verein-
fachend ist. Das bekannteste Gedicht von Claudius,
»Abendlied«, ist eine Umformung von Paul Gerhardts
»Nun ruhen alle Wälder«.

Der Schwarze in der Zuckerplantage

Weit von meinem Vaterlande
  Muß ich hier verschmachten und vergehn,
Ohne Trost, in Müh' und Schande;
  Ohhh die weißen Männer!! klug und schön!
Und ich hab' den Männern ohn' Erbarmen
  Nichts getan.
Du im Himmel! hilf mir armen
  Schwarzen Mann!

Zufriedenheit

Ich bin vergnügt, (im Siegeston
Verkünd' es mein Gedicht!)
Und mancher Mann, mit seiner Kron'
Und Scepter, ist es nicht.
Und wär' er's auch; nun, immerhin!
Mag er's; so ist er, was ich bin!

Des Sultans Pracht, des Mogols Geld,
Des Glück, (wie hieß er doch?)
Der, als er Herr war von der Welt,
Zum Mond hinaufsah noch –
Ich wünsche nichts von alle dem;
Zu lachen drob fällt mir bequem!

Zufrieden sein, das ist mein Spruch!
Was hülf' mir Geld und Ehr'!
Das, was ich hab', ist mir genug,
Wer klug ist, wünscht nicht sehr:
Denn, was man wünschet, wenn man's hat,
So ist man darum doch nicht satt!

Und Geld und Ehr' ist oben drauf
Ein sehr zerbrechlich Glas.
Der Dinge wunderbarer Lauf,
(Erfahrung lehret das!)
Verändert wenig oft in viel,
Und setzt dem reichen Mann sein Ziel.

Recht thun, und edel sein und gut,
Ist mehr als Geld und Ehr':
Da hat man immer guten Mut,
Und Freuden um sich her;
Und man ist stolz, und mit sich eins,
Scheut kein Geschöpf und fürchtet keins!

Ich bin vergnügt, (im Siegeston
Verkünd' es, mein Gedicht!)
Und mancher Mann, mit seiner Kron'
Und Scepter, ist es nicht;
Und wär' er's auch; nun, immerhin!
Mag er's; so ist er, was ich bin!

Abendlied

Der Mond ist aufgegangen,
Die goldnen Sternlein prangen
  Am Himmel hell und klar;
Der Wald steht schwarz und schweiget,
Und aus den Wiesen steiget
  Der weiße Nebel wunderbar.

Wie ist die Welt so stille,
Und in der Dämmrung Hülle
  So traulich und so hold!
Als eine stille Kammer,
Wo ihr des Tages Jammer
  Verschlafen und vergessen sollt.

Seht ihr den Mond dort stehen? –
Er ist nur halb zu sehen,
  Und ist doch rund und schön!
So sind wohl manche Sachen,
Die wir getrost belachen,
  Weil unsre Augen sie nicht sehn.

Wir stolze Menschenkinder
Sind eitel arme Sünder
  Und wissen gar nicht viel;
Wir spinnen Luftgespinste
Und suchen viele Künste
  Und kommen weiter von dem Ziel.

Gott, laß uns dein Heil schauen,
Auf nichts Vergänglichs trauen,
  Nicht Eitelkeit uns freun!
Laß uns einfältig werden
Und vor dir hier auf Erden
  Wie Kinder fromm und fröhlich sein!

Wollst endlich sonder Grämen
Aus dieser Welt uns nehmen
　　Durch einen sanften Tod!
Und, wenn du uns genommen,
Laß uns in Himmel kommen,
　　Du unser Herr und unser Gott!

So legt euch denn, ihr Brüder,
In Gottes Namen nieder;
　　Kalt ist der Abendhauch.
Verschon uns, Gott! mit Strafen,
Und laß uns ruhig schlafen!
　　Und unsern kranken Nachbar auch!

Der Mensch

Empfangen und genähret
　　Vom Weibe wunderbar
Kömmt er und sieht und höret
　　Und nimmt des Trugs nicht wahr;
Gelüstet und begehret,
　　Und bringt sein Tränlein dar;
Verachtet und verehret,
　　Hat Freude und Gefahr;
Glaubt, zweifelt, wähnt und lehret,
　　Hält nichts und alles wahr;
Erbauet, und zerstöret;
　　Und quält sich immerdar;
Schläft, wachet, wächst und zehret;
　　Trägt braun und graues Haar etc.
Und alles dieses währet,
　　Wenn's hoch kommt, achtzig Jahr.
Denn legt er sich zu seinen Vätern nieder,
Und er kömmt nimmer wieder.

JOHANN WOLFGANG GOETHE

»Willkommen und Abschied« wird allgemein auf das Frühjahr 1771 datiert und erschien 1775 in Johann Georg Jacobis Zeitschrift »Iris«. Hier ist die spätere Fassung wiedergegeben, wie sie in die »Schriften« 1789 aufgenommen wurde. »Maifest«, im Mai 1771 entstanden und 1775 in der »Iris« veröffentlicht, ist meist unter dem aus der Ausgabe von 1789 stammenden Titel »Mailied« bekannt. »Im Herbst 1775« erschien im selben Jahr in der »Iris«; 1789 erhielt das Gedicht den Titel »Herbstgefühl«. Auch »Das Veilchen« (der Titel steht in der Ausgabe von 1800) erschien 1775 erstmals in der »Iris«. »Der untreue Knabe« entstand 1774 und wurde von Goethe in das Singspiel »Claudine von Villa Bella« (1776) eingearbeitet. Der Titel steht erst in der Ausgabe letzter Hand (1827–40). »Mahomets-Gesang« entstand im Winter 1773/74 und erschien im »Göttinger Musenalmanach auf 1774«. Der Text folgt der Handschrift Goethes für Frau von Stein (1777), ebenso wie der der Hymnen »Prometheus« und »Ganymed«, die 1774 entstanden.

Die Lyrik Goethes, die von der Straßburger Zeit an entstand, kann in drei Bereiche unterteilt werden: die Naturlyrik, mit den sogenannten Sesenheimer Gedichten beginnend, die Balladen und die Hymnen. In allen drei Gattungen erreichte Goethe eine Steigerung über die bisher geläufigen Ausdrucksmöglichkeiten hinaus, indem er aus sprachlichen Elementen des sechzehnten Jahrhunderts, die ihm aus seiner Frankfurter Herkunft vertraut waren, aus Klopstock-Reminiszenzen und aus seiner Kenntnis des volkstümlichen Umgangstones eine neue poetische Sprache schuf, deren unkonventionelle Interpunktion und Syntax, deren kühne Bildlichkeit sie wie keine zuvor als Ausdruck von Emotionen und Affekten geeignet erscheinen ließ. Einige Charakteristika sind die Verlebendigung von Abstrakta (»Wo Finsternis aus dem Gesträuche | Mit hundert schwarzen Augen

sah«, »Ein rosenfarbnes Frühlingswetter | Umgab das lieb-
liche Gesicht«), eine bislang in der deutschen Literatur
nicht gekannte Metaphorik (»Der Abend wiegte schon die
Erde«, »Der Mutter Sonne | Scheideblick«), Partizipialkon-
struktionen (»Umfangend umfangen!«), Neologismen (»Blü-
tendampf«), die Häufung von Ausrufen und endlich der
scheinbar naive, volkstümliche Ton der Balladen. Derartige
stilistische Merkmale deuten nicht nur auf neue Inhalte als
vielmehr auf neue Formen.

Die Straßburger Gedichte sind neu, insofern sie die poetischen Elemente – Bildlichkeit, Syntax, Rhythmus, Klang –
in sich integrieren, so daß sie alle als notwendig erscheinen.
Es gibt hier keine die Struktur sprengenden Zufälligkeiten
der Wortwahl, des Reimes oder des Metrums. Die geschichtliche Bedeutung dieser Dichtungen liegt nicht nur in
dieser formalen Geschlossenheit, sondern in einem weit über
ihre Epoche hinausreichenden Kriterium, das sie – unaus-
gesprochen – in die deutsche Literatur einführen: es ist seither unmöglich, nur noch bekannte Gattungsmuster konven-
tionell mit leichten individuellen Nuancierungen abzuwan-
deln. Der Begriff Lyrik definiert sich anders als zuvor:
als die neuartige Artikulation eines einmaligen individuellen – also geschichtlichen – Bewußtseins. Die Natur wird in
der Sesenheimer Lyrik und in den Hymnen nicht mehr als
austauschbare Metapher benutzt, sondern sie wird Teil der
Darstellung einer Identität von Subjektivität und Welt.

Es kann nicht oft genug betont werden, daß es sich in diesen Gedichten um Kunstprodukte handelt. Der lange Zeit
in der Goethe-Philologie gebräuchliche Begriff Erlebnis-
lyrik widerlegt sich an den Balladen »Heidenröslein« und
»Das Veilchen«. Man hat diese Gedichte gern als poetische
Gestaltung von Goethes Beziehung zu Friederike Brion verstanden; höchstwahrscheinlich gehen sie aber auf literarische Traditionen zurück, die Goethe durch Herder ver-
mittelt wurden. (Vgl. Bd. 3 dieser Reihe S. 166.)

Willkommen und Abschied

Es schlug mein Herz, geschwind zu Pferde!
Es war getan fast eh gedacht.
Der Abend wiegte schon die Erde,
Und an den Bergen hing die Nacht;
Schon stand im Nebelkleid die Eiche,
Ein aufgetürmter Riese, da,
Wo Finsternis aus dem Gesträuche
Mit hundert schwarzen Augen sah.

Der Mond von einem Wolkenhügel
Sah kläglich aus dem Duft hervor,
Die Winde schwangen leise Flügel,
Umsausten schauerlich mein Ohr;
Die Nacht schuf tausend Ungeheuer,
Doch frisch und fröhlich war mein Mut:
In meinen Adern welches Feuer!
In meinem Herzen welche Glut!

Dich sah ich, und die milde Freude
Floß von dem süßen Blick auf mich;
Ganz war mein Herz an deiner Seite
Und jeder Atemzug für dich.
Ein rosenfarbnes Frühlingswetter
Umgab das liebliche Gesicht,
Und Zärtlichkeit für mich – ihr Götter!
Ich hofft' es, ich verdient' es nicht!

Doch ach, schon mit der Morgensonne
Verengt der Abschied mir das Herz:
In deinen Küssen welche Wonne!
In deinem Auge welcher Schmerz!
Ich ging, du standst und sahst zur Erden
Und sahst mir nach mit nassem Blick:
Und doch, welch Glück, geliebt zu werden!
Und lieben, Götter, welch ein Glück!

Maifest

Wie herrlich leuchtet
Mir die Natur!
Wie glänzt die Sonne!
Wie lacht die Flur!

Es dringen Blüten
Aus jedem Zweig
Und tausend Stimmen
Aus dem Gesträuch

Und Freud und Wonne
Aus jeder Brust.
O Erd', o Sonne,
O Glück, o Lust,

O Lieb', o Liebe,
So golden schön
Wie Morgenwolken
Auf jenen Höhn,

Du segnest herrlich
Das frische Feld –
Im Blütendampfe
Die volle Welt!

O Mädchen, Mädchen,
Wie lieb' ich dich!
Wie blinkt dein Auge,
Wie liebst du mich!

So liebt die Lerche
Gesang und Luft,
Und Morgenblumen
Den Himmelsduft,

Wie ich dich liebe
Mit warmem Blut,
Die du mir Jugend
Und Freud' und Mut

Zu neuen Liedern
Und Tänzen gibst.
Sei ewig glücklich,
Wie du mich liebst.

Im Herbst 1775

Fetter grüne, du Laub,
Das Rebengeländer,
Hier mein Fenster herauf.
Gedrängter quillet,
Zwillingsbeeren, und reifet
Schneller und glänzend voller.
Euch brütet der Mutter Sonne
Scheideblick, euch umsäuselt
Des holden Himmels
Fruchtende Fülle.
Euch kühlet des Monds
Freundlicher Zauberhauch,
Und euch betauen, ach,
Aus diesen Augen
Der ewig belebenden Liebe
Voll schwellende Tränen.

Das Veilchen

Ein Veilchen auf der Wiese stand,
Gebückt in sich und unbekannt,
Es war ein herzig's Veilchen.

Da kam eine junge Schäferin
Mit leichtem Schritt und munterm Sinn
Daher, daher,
Die Wiese her, und sang.

Ach! denkt das Veilchen, wär' ich nur
Die schönste Blume der Natur,
Ach, nur ein kleines Weilchen,
Bis mich das Liebchen abgeflückt
Und an dem Busen matt gedrückt!
Ach nur, ach nur
Ein Viertelstündchen lang!

Ach, aber ach! Das Mädchen kam
Und nicht in acht das Veilchen nahm,
Ertrat's, das arme Veilchen.
Und sank und starb und freut sich noch:
Und sterb' ich denn, so sterb ich doch
Durch sie, durch sie,
Zu ihren Füßen doch!

Der untreue Knabe

Es war ein Buhle frech genung,
War erst aus Frankreich kommen,
Der hat ein armes Maidel jung
Gar oft in Arm genommen,
Und liebgekost und liebgeherzt,
Als Bräutigam herumgescherzt,
Und endlich sie verlassen.

Das arme Maidel das erfuhr,
Vergingen ihr die Sinnen,
Sie lacht' und weint' und bet' und schwur –
So fuhr die Seel' von hinnen.

Die Stund, da sie verschieden war,
Wird bang dem Buben, graust sein Haar,
Es treibt ihn fort zu Pferde.

Er gab die Sporen kreuz und quer
Und ritt auf alle Seiten,
Herüber, 'nüber, hin und her,
Kann keine Ruh' erreiten;
Reit' sieben Tag und sieben Nacht –
Es blitzt und donnert, stürmt und kracht,
Die Fluten reißen über;

Und reit' im Blitz und Wetterschein
Gemäuerwerk entgegen,
Bindt 's Pferd hauß an und kriecht hinein
Und duckt sich vor dem Regen.
Und wie er tappt und wie er fühlt,
Sich unter ihm die Erd' erwühlt:
Er stürzt wohl hundert Klafter.

Und als er sich ermannt vom Schlag,
Sieht er drei Lichtlein schleichen.
Er rafft sich auf und krapelt nach,
Die Lichtlein ferne weichen,
Irrführen ihn die Quer und Läng',
Treppauf treppab durch enge Gäng',
Verfallne wüste Keller.

Auf einmal steht er hoch im Saal,
Sieht sitzen hundert Gäste,
Hohlaugig grinsen allzumal
Und winken ihm zum Feste.
Er sieht sein Schätzel unten an
Mit weißen Tüchern angetan,
Die wend't sich –

Mahomets-Gesang

Seht den Felsenquell
Freudehell,
Wie ein Sternenblick!
Über Wolken
Nährten seine Jugend
Gute Geister
Zwischen Klippen im Gebüsch.

Jünglingsfrisch
Tanzt er aus der Wolke
Auf die Marmorfelsen nieder,
Jauchzet wieder
Nach dem Himmel.

Durch die Gipfelgänge
Jagt er bunten Kieseln nach,
Und mit frühem Führertritt
Reißt er seine Bruderquellen
Mit sich fort.

Drunten werden in dem Tal
Unter seinem Fußtritt Blumen,
Und die Wiese
Lebt von seinem Hauch.

Doch ihn hält kein Schattental,
Keine Blumen,
Die ihm seine Knie' umschlingen,
Ihm mit Liebesaugen schmeicheln;
Nach der Ebne dringt sein Lauf,
Schlangewandelnd.

Bäche schmiegen
Sich gesellig an.

Nun tritt er
In die Ebne silberprangend,
Und die Ebne prangt mit ihm,
Und die Flüsse von der Ebne
Und die Bäche von Gebürgen
Jauchzen ihm und rufen: Bruder,
Bruder, nimm die Brüder mit,
Mit zu deinem alten Vater,
Zu dem ew'gen Ozean,
Der mit weitverbreit'ten Armen
Unsrer wartet;
Die sich, ach, vergebens öffnen,
Seine Sehnenden zu fassen;
Denn uns frißt in öder Wüste
Gier'ger Sand,
Die Sonne droben
Saugt an unserm Blut,
Ein Hügel
Hemmet uns zum Teiche.
Bruder,
Nimm die Brüder von der Ebne
Nimm die Brüder von Gebürgen
Mit, zu deinem Vater mit!

Kommt ihr alle! –
Und nun schwillt er
Herrlicher, ein ganz Geschlechte
Trägt den Fürsten hoch empor,
Und im rollenden Triumphe
Gibt er Ländern Namen, Städte
Werden unter seinem Fuß.

Unaufhaltsam rauscht er über,
Läßt der Türne Flammengipfel,
Marmorhäuser, eine Schöpfung
Seiner Fülle, hinter sich.

Zedernhäuser trägt der Atlas
Auf den Riesenschultern, sausend
Wehen über seinem Haupte
Tausend Segel auf zum Himmel
Seine Macht und Herrlichkeit.

Und so trägt er seine Brüder,
Seine Schätze, seine Kinder
Dem erwartenden Erzeuger
Freudebrausend an das Herz.

Prometheus

Bedecke deinen Himmel, Zeus,
Mit Wolkendunst!
Und übe, Knaben gleich,
Der Diesteln köpft,
An Eichen dich und Bergeshöhn!
Mußt mir meine Erde
Doch lassen stehn,
Und meine Hütte,
Die du nicht gebaut,
Und meinen Herd,
Um dessen Glut
Du mich beneidest.

Ich kenne nichts Ärmer's
Unter der Sonn' als euch Götter.
Ihr nähret kümmerlich
Von Opfersteuern
Und Gebetshauch
Eure Majestät
Und darbtet, wären
Nicht Kinder und Bettler
Hoffnungsvolle Toren.

Da ich ein Kind war,
Nicht wußte, wo aus, wo ein,
Kehrte mein verirrtes Aug'
Zur Sonne, als wenn drüber wär'
Ein Ohr, zu hören meine Klage,
Ein Herz wie meins,
Sich des Bedrängten zu erbarmen.
Wer half mir wider
Der Titanen Übermut?
Wer rettete vom Tode mich,
Von Sklaverei?
Hast du's nicht alles selbst vollendet,
Heilig glühend Herz?
Und glühtest, jung und gut,
Betrogen, Rettungsdank
Dem Schlafenden dadroben?

Ich dich ehren? Wofür?
Hast du die Schmerzen gelindert
Je des Beladenen?
Hast du die Tränen gestillet
Je des Geängsteten?

Hat nicht mich zum Manne geschmiedet
Die allmächtige Zeit
Und das ewige Schicksal,
Meine Herrn und deine?

Wähntest du etwa,
Ich sollte das Leben hassen,
In Wüsten fliehn,
Weil nicht alle Knabenmorgen-
Blütenträume reiften?

Hier sitz' ich, forme Menschen
Nach meinem Bilde,

Ein Geschlecht, das mir gleich sei,
Zu leiden, weinen,
Genießen und zu freuen sich,
Und dein nicht zu achten,
Wie ich.

Ganymed

Wie im Morgenrot
Du rings mich anglühst,
Frühling, Geliebter!
Mit tausendfacher Liebeswonne
Sich an mein Herz drängt
Deiner ewigen Wärme
Heilig Gefühl,
Unendliche Schöne!

Daß ich dich fassen möcht'
In diesen Arm!

Ach, an deinem Busen
Lieg' ich, schmachte,
Und deine Blumen, dein Gras
Drängen sich an mein Herz.
Du kühlst den brennenden
Durst meines Busens,
Lieblicher Morgenwind,
Ruft drein die Nachtigall
Liebend nach mir aus dem Nebeltal.

Ich komme! Ich komme!
Wohin? Ach, wohin?

Hinauf, hinauf strebt's,
Es schweben die Wolken

Abwärts, die Wolken
Neigen sich der sehnenden Liebe,
Mir, mir!

In eurem Schoße
Aufwärts,
Umfangend umfangen!
Aufwärts
An deinem Busen,
Alliebender Vater!

CHRISTIAN FRIEDRICH DANIEL SCHUBART

Geb. 24. März 1739 in Obersontheim (Württemberg), gest. 10. Oktober 1791 in Stuttgart, Sohn eines Pfarrvikars und Präzeptors. 1753–58 Gymnasien Nördlingen und Nürnberg, ab 1758 Studium der Theologie in Erlangen, von einem Wohltäter aus dem Schuldgefängnis befreit, Hauslehrer, Präzeptor, Organist, 1764 in Geislingen, 1769 Organist in Ludwigsburg und Kapellmeister am württembergischen Hof. 1773 vom Herzog amtsenthoben wegen satirischer Gedichte auf einen Geistlichen und »des Ehebruchs soviel als überwiesen«. 1774 Gründung der *Deutschen Chronik* in Augsburg, nach Ausweisung 1775 in Ulm. 1777 von Herzog Karl Eugen auf württembergisches Gebiet gelockt und bis 1787 ohne Gerichtsurteil auf der Festung Hohenasperg inhaftiert, danach Theater- und Musikdirektor des Stuttgarter Hofs, Fortführung seiner Zeitung als *Vaterlandschronik* (1787–91).
Werke: *Deutsche Chronik* (5 Bde., 1774–78); *Die Fürstengruft* G. (1780); *Gedichte aus dem Kerker* (1785); *Schubarts Vaterländische Chronik* (1787); *Vaterlandschronik* (1788/89); *Chronik* (1790/91).

Das »Freiheitslied eines Kolonisten« entstand 1775 und erschien im 64. Stück der Deutschen Chronik vom 10. August, ein Jahr vor der Annahme der Unabhängigkeitserklärung durch den amerikanischen Kongreß am 4. Juli 1776 und kurz nach dem Ausbruch des Unabhängigkeitskrieges im Frühjahr 1775. »Die Fürstengruft« entstand 1779 oder 1780 und erschien im »Frankfurter Musenalmanach auf 1781«.

*Der Herzog hatte Schubart auf einen bestimmten Termin
seine Freilassung versprochen und die Zusage gebrochen.
Nach dem Erscheinen kam das Gedicht dem Herzog zu
Ohren, und man nimmt an, daß dieser Umstand Schubarts
Haft abermals verlängerte, zumal er in der 8. Strophe deutlich auf sein Schicksal anspielt. Das »Kaplied« aus dem
Jahre 1787 verdankt seine Entstehung einem Geschäft, das
der Herzog mit der Holländisch-Ostindischen Kompagnie
abgeschlossen hatte: er überließ ihr zwei Bataillone Soldaten gegen Bezahlung. Schubart schreibt zu seinem Gedicht
in einem Brief an den Berliner Verleger Himburg am 22. Februar 1787: »Der Zweck der Dichtkunst ist, nicht mit
Geniezügen zu prahlen, sondern ihre himmlische Kraft zum
besten der Menschheit zu gebrauchen.« So sind die Gedichte Schubarts, auch wo sie sich auf geschichtliche und
öffentliche Ereignisse beziehen, keine Agitationslyrik wie
die nur fünf Jahre später in Straßburg entstandene »Mar-
seillaise«. Sie sprechen den einzelnen an, und zwar nicht
als gesellschaftliches, sondern als moralisches Wesen. Trotz
seiner Streitigkeiten mit Geistlichen beider Konfessionen
und trotz seines leichtfertigen Lebenswandels steht Schubart in christlichen Traditionen.*

Freiheitslied eines Kolonisten

Hinaus! Hinaus ins Ehrenfeld
  Mit blinkendem Gewehr!
Columbus, deine ganze Welt
  Tritt mutig daher!

Die Göttin Freiheit mit der Fahn –
  (Der Sklave sah sie nie)
Geht – Brüder, seht's! sie geht voran!
  O blutet für sie!

Ha, Vater Putnam[1] lenkt den Sturm,
　　Und teilt mit uns Gefahr.
Uns leuchtet wie ein Pharusturm[2]
　　Sein silbernes Haar!

Du gier'ger Britte, sprichst uns Hohn? –
　　Da nimm nur unser Gold!
Es kämpft kein Bürger von Boston[3]
　　Um sklavischen Sold!

Da seht Europens Sklaven an,
　　In Ketten rasseln sie! –
Sie braucht ein Treiber, ein Tyrann
　　Für würgbares Vieh.

Ihr reicht den feigen Nacken, ihr,
　　Dem Tritt der Herrschsucht dar?
Schwimmt her! – hier wohnt die Freiheit, hier!
　　Hier flammt ihr Altar!

Doch winkt uns Vater Putnam nicht?
　　Auf, Brüder, ins Gewehr! –
Wer nicht für unsre Freiheit ficht;
　　Den stürzet ins Meer!

Herbei, Columbier, herbei!
　　Im Antlitz sonnenrot!
Hör, Britte, unser Feldgeschrei
　　Ist's *Sieg* oder *Tod*.

---

1. *amerikan. General.*
2. *Leuchtturm (nach dem auf der Insel Pharus 280/279 v. Chr. errichteten Turm).*
3. *Von Boston nahm 1773–75 der amerikan. Unabhängigkeitskrieg seinen Ausgang.*

Die Fürstengruft

Da liegen sie, die stolzen Fürstentrümmer,
  Ehmals die Gözen ihrer Welt!
Da liegen sie, vom fürchterlichen Schimmer
  Des blassen Tags erhellt!

Die alten Särge leuchten in der dunklen
  Verwesungsgruft, wie faules Holz,
Wie matt die großen Silberschilde funkeln!
  Der Fürsten letzter Stolz.

Entsetzen packt den Wandrer hier am Haare,
  Geußt Schauer über seine Haut,
Wo Eitelkeit, gelehnt an eine Bahre,
  Aus hohlen Augen schaut.

Wie fürcherlich ist hier des Nachhalls Stimme!
  Ein Zehentritt stört seine Ruh.
Kein Wetter Gottes spricht mit lautrem Grimme:
  O Mensch, wie klein bist du!

Denn ach! hier liegt der edle Fürst! der gute!
  Zum Völkersegen einst gesandt,
Wie der, den Gott zur Nationenrute
  Im Zorn zusammenband.

An ihren Urnen weinen Marmorgeister;
  Doch kalte Tränen nur von Stein,
Und lachend grub – vielleicht ein welscher Meister,
  Sie einst dem Marmor ein.

Da liegen Schädel mit verloschnen Blicken,
  Die ehmals hoch herabgedroht,
Der Menschheit Schrecken! – Denn an ihrem Nicken
  Hing Leben oder Tod.

Nun ist die Hand herabgefault zum Knochen,
  Die oft mit kaltem Federzug
Den Weisen, der am Thron zu laut gesprochen,
  In harte Fesseln schlug.

Zum Totenbein ist nun die Brust geworden,
  Einst eingehüllt in Goldgewand,
Daran ein Stern und ein entweihter Orden,
  Wie zween Kometen stand.

Vertrocknet und verschrumpft sind die Kanäle,
  Drin geiles Blut, wie Feuer floß,
Das schäumend Gift der Unschuld in die Seele,
  Wie in den Körper goß.

Sprecht Höflinge, mit Ehrfurcht auf der Lippe,
  Nun Schmeichelei'n ins taube Ohr! –
Beräuchert das durchlauchtige Gerippe
  Mit Weihrauch, wie zuvor!

Er steht nicht auf, euch Beifall zuzulächeln,
  Und wiehert keine Zoten mehr,
Damit geschminkte Zofen ihn befächeln,
  Schamlos und geil, wie er.

Sie liegen nun, den eisern Schlaf zu schlafen,
  Die Menschengeiseln unbetraut!
Im Felsengrab, verächtlicher als Sklaven,
  In Kerker eingemaurt.

Sie, die im ehrnen Busen niemals fühlten
  Die Schrecken der Religion,
Und gottgeschaffne, beßre Menschen hielten
  Für Vieh, bestimmt zur Frohn;

Die das Gewissen jenem mächt'gen Kläger,
  Der alle Schulden niederschreibt,

Durch Trommelschlag, durch welsche Trillerschläger
   Und Jagdlärm übertäubt;

Die Hunde nur und Pferd' und fremde Dirnen
   Mit Gnade lohnten, und Genie
Und Weisheit darben ließen; denn das Zürnen
   Der Geister schreckte sie.

Die liegen nun in dieser Schauergrotte
   Mit Staub und Würmern zugedeckt,
So stumm! so ruhmlos! – Noch von keinem Gotte
   Ins Leben aufgeweckt.

Weckt sie nur nicht mit eurem bangen Ächzen,
   Ihr Scharen, die sie arm gemacht,
Verscheucht die Raben, daß von ihrem Krächzen
   Kein Wütrich hier erwacht!

Hier klatsche nicht des armen Landmanns Peitsche,
   Die nachts das Wild vom Acker scheucht!
An diesem Gitter weile nicht der Deutsche,
   Der sich vorüberkeucht!

Hier heule nicht der bleiche Waisenknabe,
   Dem ein Tyrann den Vater nahm;
Nie fluche hier der Krüppel an dem Stabe,
   Von fremdem Solde lahm.

Damit die Quäler nicht zu früh erwachen;
   Seid menschlicher, erweckt sie nicht.
Ha! früh genug wird über ihnen krachen,
   Der Donner am Gericht.

Wo Todesengel nach Tyrannen greifen,
   Wenn sie im Grimm der Richter weckt,
Und ihre Greul zu einem Berge häufen,
   Der flammend sie bedeckt.

Ihr aber, beßre Fürsten, schlummert süße
  Im Nachtgewölbe dieser Gruft!
Schon wandelt euer Geist im Paradiese,
  Gehüllt in Blütenduft.

Jauchzt nur entgegen jenem großen Tage,
  Der aller Fürsten Taten wiegt,
Wie Sternenklang tönt euch des Richters Waage,
  Drauf eure Tugend liegt.

Ach, unterm Lispel eurer frohen Brüder –
  Ihr habt sie satt und froh gemacht,
Wird eure volle Schale sinken nieder,
  Wenn ihr zum Lohn erwacht.

Wie wird's euch sein, wenn ihr vom Sonnenthrone
  Des Richters Stimme wandeln hört:
»Ihr Brüder, nehmt auf ewig hin die Krone,
  Ihr seid zu herrschen wert.«

Kaplied

Auf, auf! ihr Brüder, und seid stark!!
  Der Abschiedstag ist da.
Schwer liegt er auf der Seele, schwer!
Wir sollen über Land und Meer
  Ins heiße Afrika.

Ein lichter Kreis von Lieben steht,
  Ihr Brüder, um uns her.
Uns knüpft so manches teure Band
An unser teutsches Vaterland;
  Drum fällt der Abschied schwer.

Dem bieten graue Eltern noch
  Zum letzten Mal die Hand.

Den kosen Bruder, Schwester, Freund,
Und alles schweigt, und alles weint,
   Totblaß von uns gewandt.

Und wie ein Geist schlingt um den Hals
   Das Liebchen sich herum.
»Willst mich verlassen, liebes Herz
Auf ewig?« – Und der bittre Schmerz
   Macht's arme Liebchen stumm.

Ist hart! – Drum wirble du Tambour
   Den Generalmarsch drein.
Der Abschied macht uns sonst zu weich.
Wir weinten kleinen Kindern gleich.
   Es muß geschieden sein!

Lebt wohl! ihr Freunde, sehn wir uns
   Vielleicht zum letzten Mal;
So denkt: nicht für die kurze Zeit,
Freundschaft ist für die Ewigkeit,
   Und Gott ist überall.

An Teutschlands Grenze füllen wir
   Mit Erde unsre Hand,
Und küssen sie, – das sei der Dank
Für deine Pflege, Speis' und Trank
   Du *liebes Vaterland*!

Wenn dann die Meereswoge sich
   An unsern Schiffen bricht;
So segeln wir gelassen fort;
Denn Gott ist hier, und Gott ist dort,
   Und *der* verläßt uns nicht.

Und ha, wenn sich der *Tafelberg*
   Aus blauen Düften hebt,

So strecken wir empor die Hand,
Und jauchzen: Land, ihr Brüder, Land!
   Daß unser Schiff erbebt.

Und wenn Soldat und Offizier
   Gesund ans Ufer springt;
Dann jubeln wir: ihr Brüder, ha,
Nun sind wir ja in Afrika,
   Und alles dankt und singt.

Wir leben drauf in fernem Land
   Als *Teutsche* brav und gut.
Und sagen soll man weit und breit:
Die Teutsche sind doch brave Leut',
   Sie haben Geist und Mut.

Und trinken auf dem Hoffnungskap
   Wir seinen Götterwein;
So denken wir, von Sehnsucht weich,
Ihr fernen Freunde dann an euch,
   Und Tränen fließen drein.

FRIEDRICH SCHILLER

*Das »Monument Moors des Räubers« wurde erstmals in der
»Anthologie auf das Jahr 1782« veröffentlicht; »Die Herr-
lichkeit der Schöpfung« läßt sich nicht genau datieren,
stammt aber allem Vermuten nach aus Schillers frühester
Zeit.*
*Im Gegensatz zu den anderen in diesem Band präsentierten
Beispielen für die Lyrik des Sturm und Drang, die man als
Ausdruck individueller Erfahrungen von ungefähr um-
schreiben kann, handelt es sich in der Lyrik Schillers durch-
weg um »Gedankenlyrik«: auch dies ein wenig präziser*

Terminus, der indes den speziellen Charakter dieser Lyrik
andeutet. In der Tradition der spätbarocken, klassizistischen
Lehrdichtung der Aufklärung stehend, behandelt sie durch-
weg Themen allgemeineren, prinzipielleren Interesses. So
stellt das »Monument Moors des Räubers« die Tragik der
Dramengestalt dar in oxymorischen Wendungen; das Mo-
nument ist der Galgen, an dem paradoxerweise Moors
»Vollendung« in der »Schande« manifest wird. Wenn man
so will, läßt sich hier ein Bruch mit den harmonisierenden
Moralvorstellungen der Aufklärung erkennen. Die »Phan-
tasie« über »Die Herrlichkeit der Schöpfung« demonstriert
die Wirkung von Klopstocks »Frühlingsfeier« auf Schiller
und seine geistige Herkunft aus dem schwäbischen Pietis-
mus.

Monument Moors des Räubers

Vollendet!
Heil dir! Vollendet!
Majestätischer Sünder!
Deine furchtbare Rolle vollbracht.

Hoher Gefallener!
Deines Geschlechts Beginner und Ender!
Seltner Sohn ihrer schröcklichsten Laune,
Erhabner *Verstoß* der Mutter Natur!

Durch wolkigte Nacht ein prächtiger Blitz!
Hui! hinter ihm schlagen die Pforten zusammen!
Geizig schlingt ihn der Rachen der Nacht!
Zucken die Völker
Unter seiner verderbenden Pracht!
Aber Heil dir! vollendet!
Majestätischer Sünder!
Deine furchtbare Rolle vollbracht!

Modre – verstieb
In der Wiege des offnen Himmels!
Fürchterlich jedem Sünder zur Schau,
Wo dem *Thron gegenüber*
Heißer Ruhmsucht *furchtbare Schranke* steigt!
Siehe! der Ewigkeit übergibt dich die Schande!
Zu den Sternen des Ruhms
Klimmst du auf den Schultern der Schande!
Einst wird unter dir auch die Schande zerstieben,
Und dich reicht – die Bewunderung.

Nassen Auges an deinem schauernden Grabe
Männer vorüber –
Freue dich der Träne der Männer,
Des Gerichteten Geist!
Nassen Auges an deinem schauernden Grabe
Jüngst ein Mädchen vorüber,
Hörte die furchtbare Kunde
Deiner Taten vom steinernen Herold,
Und das Mädchen – freue dich! freue dich!
Wischte die Träne nicht ab.
Ferne stand ich – sah die Perle fallen,
Und ich rief ihr: Amalia!

Jünglinge! Jünglinge!
Mit des *Genies* gefährlichem Ätherstrahl
Lernt behutsamer spielen.
Störrig knirscht in den Zügel das Sonnenroß,
Wie's am Seile des Meisters
Erd und Himmel in sanfterem Schwunge wiegt,
Flammts am kindischen Zaume
Erd und Himmel in lodernden Brand!
Unterging in den Trümmern
Der mutwillige Phaethon[1].

---

1. ›der Leuchtende‹; in der griech. *Mythologie Sohn des Sonnengottes Helios. Er wurde, als er einmal von seinem Vater die Lenkung des*

Kind des himmlischen Genius,
Glühendes, tatenlechzendes Herz!
Reizet dich das Mal meines Räubers?
War wie du glühenden, tatenlechzenden Herzens,
War wie du des himmlischen Genius Kind.
Aber du lächelst und gehst –
Dein Blick durchfliegt den Raum der Weltgeschichte,
Moorn den Räuber findest du nicht –
Steh und lächle nicht, Jüngling!
Seine Sünde lebt – lebt seine Schande,
Räuber Moor nur – ihr Name nicht.

Die Herrlichkeit der Schöpfung

Eine Phantasie

Vorüber war der Sturm, der Donner Rollen
Das hallende Gebirg hinein verschollen,
    Geflohn die Dunkelheit;
In junger Schöne lächelten die Himmel wieder
Auf ihre Schwester, Gottes Erde, nieder
    Voll Zärtlichkeit.
Es lagen lustig da die Auen und die Tale,
Aus Maigewölken von der Sonnen Strahle
    Holdselig angelacht:
Die Ströme schimmerten, die Büsch und Wäldchen alle
Bewegten freudig sich im tauigen Kristalle,
    In funkelndlichter Pracht.
Und sieh! da hebt von Berg zu Berg sich prächtig
    Ein Regenbogen übers Land. –   ausgespannt

In dieser Ansicht schwamm vom Brocken oben
Mein Auge trunken, als ich aufgehoben
    Mich plötzlich fühlte ... Heilig heilge Lüfte kamen,

Sonnenwagens erbeten und dabei die Erde in Brand gesteckt hatte, von
Zeus in den Eridanus geschleudert.

Umwebten zärtlich mich, indessen über mir,
Stolztragend übers All den Ewigen daher,
    Die innre Himmel majestätisch schwammen.

        Und itzt trieb ein Wind
Fort die Wolken, mich auf ihrem Zuge,
Unter mir wichen im Fluge
    Schimmernde Königesstädte zurück,
        Schnell wie ein Blick
    Länderbeschattende Berge zurück,
Und das schönste Gemisch von blühenden Feldern,
Goldenen Saaten und grünenden Wäldern,
    Himmel und Erde im lachenden Glanz
    Wiegten sich um mich im sanftesten Tanz.

Da schweb ich nun in den saphirnen Höhen
Bald überm unabsehlich weiten Meer;
Bald seh ich unter mir ein langes Klippenheer,
Itzt grausenvolle Felsenwüsten stehen,
Und dort den Frühling mir entgegenwehen;
Und hier die Lichteskönigin,
Auf rosichtgoldnen Wolken hingetragen,
Zu ihrer Himmelsruhe ziehn.

    O welch Gesicht! Mein Lied! wie könntest du es sagen,
Was dieses Auge trank vom weltumwandelnden Wagen?
Der Schöpfung ganze Pracht, die Herrlichkeit,
Die in dem Einsamen der dunkeln Ewigkeit
    Der Allerhöchste ausgedacht
Und sich zur Augenlust, und euch, o Menschen!
    Zur Wohnung hat gemacht,
Lag vor mir da! ... Und welche Melodien
Dringen herauf? welch unaussprechlicher Klang
Schlägt mein entzücktes Ohr? ... Der große Lobgesang
Tönt auf der Laute der Natur! ... In Harmonien
    Wie einen süßen Tod verloren, preist
    Den Herrn des Alls mein Geist!

III. Epik

Eine der wichtigsten poetischen Gattungen des 19. und 20. Jahrhunderts entwickelte ihre Gesetze in dem kurzen Zeitraum zwischen Gellerts Roman »Leben der schwedischen Gräfin von G.«, der Ende der vierziger Jahre erschien, und den siebziger Jahren. Die hier in Ausschnitten vorgeführten Werke Goethes, Jung-Stillings und Moritz' erheben von ihrer Anlage her den Anspruch, die Auseinandersetzung eines Individuums mit der gesellschaftlichen Wirklichkeit darzustellen. Sie unterscheiden sich von den Romanen der Aufklärung durch die Abkehr von der didaktischen Tendenz; besonders deutlich wird das an der Wirkung des »Werther«. Man kann diese Romane als realistisch bezeichnen, wenn man den Begriff nicht als literaturhistorische Epochenbezeichnung, sondern als Darstellungsprinzip versteht. Realismus in diesem weiteren Sinn bedeutet die Darstellung einer Lebenswirklichkeit in mittlerer Stillage oder im Wechsel verschiedener Stillagen. Die so dargestellte Wirklichkeit beansprucht nun ein eigenes Recht im Roman; sie ist nicht länger Demonstrationsobjekt für eine als verbindlich dargestellte Überzeugung, die auch außerhalb des Werkes existiert. Dieser Realismus unterscheidet die Werke Goethes, Jung-Stillings und Moritz' von den zur Zeit der beginnenden Klassik und der Romantik eine Renaissance erfahrenden Abenteuer- und Ritterromanen ebenso wie von den Werken der Aufklärungsliteratur. Freilich ist die Produktion noch ziemlich schmal; außer den hier vertretenen Beispielen wären die Briefromane »Geschichte des Fräuleins von Sternheim« von Sophie von La Roche (1771), »Sophiens Reise von Memel nach Sachsen« von Johann Timotheus Hermes (1769/73) oder der bereits 1760/62 erschienene Roman »Grandison der Zweite oder Geschichte des Herrn von N.« von Johann Karl August Musäus zu nennen. Auch

»Siegwart. Eine Klostergeschichte« (1776), der ungemein rühr- und tränenselige Roman des Hainbündlers Johann Martin Miller, gehört noch in diese Reihe der zwischen Aufklärung und Empfindsamkeit angesiedelten Werke.

Die Wendung zur realistischen Darstellung des bürgerlichen Lebens vollziehen auch die Idyllen von Johann Heinrich Voß. Das hier präsentierte Beispiel »Luise« läßt zwar wenig von der demokratischen Gesinnung seines Verfassers, des Enkels eines freigelassenen Leibeigenen, spüren, der darin noch durch die Repressionen bestärkt wurde, die er als Hofmeister der Familie von Oertzen erleiden mußte; das Elend der Unterklassen, das er in seinen die Leibeigenschaft und das ländliche Leben darstellenden Idyllen immer wieder beschrieb, wird hier nicht gespiegelt. Aber »Luise« demonstriert ebenso wie die Beispiele für den Roman den in der Epoche durchbrechenden Drang zur Gestaltung des alltäglichen Lebens.

In diesem Zusammenhang nimmt der auf die vierziger Jahre zurückgehende »Messias« Klopstocks eine Sonderstellung ein: das Werk steht hier vor allem wegen seines Einflusses auf die Generation der Stürmer und Dränger. Es konnte zwar nicht unmittelbar schulebildend wirken, aber es repräsentiert den großangelegten Versuch, ein neues nationales Epos zu schaffen. Gewirkt hat es vor allem als sprachliche Leistung. Klopstock führte antike Versmaße in die deutsche poetische Sprache ein, so daß sie wie deutsche Metren klangen. Er verwendete den Hexameter im »Messias«, da er an ihm »den Strom, den Schwung und das Feuer« bewunderte; mit dieser Charakterisierung verwendete er erstmals neue Kriterien gegenüber den für die Rokoko- und Aufklärungspoesie geltenden.

FRIEDRICH GOTTLIEB KLOPSTOCK

Der Messias (Auszug)

*Der Plan zum »Messias« entstand in den beiden letzten
Jahren, die Klopstock in Schulpforta zubrachte. Seine lateinische Abschiedsrede vom 21. September 1745 forderte
ein deutsches Epos, das der Menschheit, der Unsterblichkeit
und Gottes würdig sei. 1745/46, während des Studiums in
Jena, schrieb er einige Teile in Prosa nieder, die nicht mehr
erhalten sind. Die drei ersten Gesänge erschienen 1748 in
den »Bremer Beiträgen«. Erst 1773 lag das Werk vollstän-
dig vor. Klopstock überarbeitete es wiederholt bis zur Ausgabe von 1799. Hier ist der Text der Ausgabe von 1780
(sog. Altonaer Ausgabe) abgedruckt. Die Quellen Klopstocks sind die vier Evangelien, die Apostelgeschichte und
die Offenbarung Johannis. Das formale Vorbild ist John
Miltons Epos »Paradise Lost« (1667). »Der Messias« ist
kein nationales Epos, wie die Hermanns-Dramen nationale
Dramen sind, sondern ein christliches Epos, dessen Schauplätze die Erde, der Himmel und der Kosmos sind, in
nationalem Gewande. Waren die antiken Epen Homers und
Vergils, auf die sich Klopstock in der Abschiedsrede beruft,
in Entstehung, Verbreitung und Stil durch den Umstand
bestimmt, daß sie durch Rhapsoden vorgetragen wurden, so
stellt in gewissem Sinn die Abfassung eines Epos zur Zeit
eines modernen Lesepublikums einen Anachronismus dar.
Gleichwohl blieb die Gattung seit dem »Messias« bis ins
zwanzigste Jahrhundert in einzelnen Exemplaren lebendig.
Die Eingangsverse nennen programmatisch die Weite und
Majestät des Geschehens und seines Schauplatzes; daraus
werden Rang und Verpflichtung des Dichters abgeleitet.
Im Aufbau folgen die ersten Zeilen – das Proömium – dem
Vorbild Homers; wo dieser aber die Muse anredet, wendet
sich Klopstock an die »unsterbliche Seele«.*

Erster Gesang

Sing, unsterbliche Seele, der sündigen Menschen Erlösung,
Die der Messias auf Erden in seiner Menschheit vollendet,
Und durch die er Adams Geschlechte die Liebe der Gottheit
Mit dem Blute des heiligen Bundes von neuem geschenkt
                                                    hat.
Also geschah des Ewigen Wille. Vergebens erhub sich
Satan wider den göttlichen Sohn; umsonst stand Juda
Wider ihn auf: er tats, und vollbrachte die große
                                                Versöhnung.
   Aber, o Tat, die allein der Allbarmherzige kennet,
Darf aus dunkler Ferne sich auch dir nahen die Dichtkunst?
Weihe sie, Geist Schöpfer, vor dem ich hier still anbete,
Führe sie mir, als deine Nachahmerin, voller Entzückung,
Voll unsterblicher Kraft, in verklärter Schönheit, entgegen.
Rüste mit deinem Feuer sie, du, der die Tiefen der Gottheit
Schaut, und den Menschen aus Staube gemacht zum Tempel
                                                sich heiligt!
Rein sei mein Herz! So darf ich, obwohl mit der bebenden
                                                Stimme
Eines Sterblichen, doch den Gottversöhner besingen,
Und die furchtbare Bahn, mit verziehnem Straucheln,
                                                durchlaufen.
   Menschen, wenn ihr die Hoheit kennt, die ihr damals
                                                empfinget,
Da der Schöpfer der Welt Versöhner wurde; so höret
Meinen Gesang, und ihr vor allen, ihr wenigen Edlen,
Teure, herzliche Freunde des liebenswürdigen Mittlers,
Ihr mit dem kommenden Weltgerichte vertrauliche Seelen,
Hört mich, und singt den ewigen Sohn durch ein göttliches
                                                Leben.
   Nah an der heiligen Stadt, die sich jetzt durch Blindheit
                                                entweihte,
Und die Krone der hohen Erwählung unwissend hinweg-
                                                warf,

Der Meßias

ein

Heldengedicht.

LABORVM DVLCE LENIMEN.

CHH.

HALLE,
bey Carl Herrmann Hemmerde.
1749.

Titelblatt der Erstausgabe von Klopstocks »Messias«

Sonst die Stadt der Herrlichkeit Gottes, der heiligen Väter
Pflegerin, jetzt ein Altar des Bluts vergossen von Mördern;
Hier wars, wo der Messias von einem Volke sich losriß,
Das zwar jetzt ihn verehrte, doch nicht mit jener
                                        Empfindung,
Die untadelhaft bleibt vor dem schauenden Auge der
                                        Gottheit.
Jesus verbarg sich diesen Entweihten. Zwar lagen hier
                                        Palmen
Vom begleitenden Volk; zwar klang dort ihr lautes
                                        Hosanna;
Aber umsonst. Sie kannten ihn nicht, den König sie nennten,
Und, den Gesegneten Gottes zu sehn, war ihr Auge zu
                                        dunkel.
Gott kam selber vom Himmel herab. Die gewaltige Stimme:
Sieh, ich hab' ihn verklärt, und will ihn von neuem ver-
                                        klären!
War die Verkündigerin der gegenwärtigen Gottheit.
Doch sie waren, Gott zu verstehn, zu niedrige Sünder.
Unterdes nahte sich Jesus dem Vater, der wegen des Volkes,
Dem die Stimme geschah, voll Zorn gen Himmel hinaufstieg.
Denn noch einmal wollte der Sohn des Bundes Ent-
                                        schließung,
Seine Menschen zu retten, dem Vater feierlich kundtun.
    Gegen die östliche Seite Jerusalems liegt ein Gebirge,
Welches auf seinem Gipfel schon oft den göttlichen Mittler,
Wie ins Heilige Gottes, verbarg, wenn er einsame Nächte
Unter des Vaters Anschaun ernst in Gebeten durchwachte.
Jesus ging nach diesem Gebirge. Der fromme Johannes
Er nur folgt' ihm dahin bis an die Gräber der Seher,
Wie sein göttlicher Freund, die Nacht in Gebete zu bleiben.
Und der Mittler erhub sich von dort zu der Spitze des
                                        Berges.
Da umgab ihn vom hohen Moria[1] ein Schimmer der Opfer,

---

1. auch ›Morija‹, Tempelberg Jerusalems (vgl. 2. Chron. 3, 1).

Die den ewigen Vater noch jetzt in Bilde versöhnten.
Ringsum nahmen ihn Palmen ins Kühle. Gelindere Lüfte,
Gleich dem Säuseln der Gegenwart Gottes, umflossen sein
Antlitz.
Und der Seraph, der Jesus auf Erden zum Dienste gesandt
war,
Gabriel nennen die Himmlischen ihn, stand feiernd am
Eingang
Zwoer umdufteter Zedern, und dachte dem Heile der
Menschen,
Und dem Triumphe der Ewigkeit nach, als jetzt der Erlöser
Seinem Vater entgegen vor ihm im stillen vorbeiging.
Gabriel wußte, daß nun die Zeit der Erlösung herankam.
Diese Betrachtung entzückt' ihn, er sprach mit leiserer
Stimme:
Willst du die Nacht, o Göttlicher, hier in Gebete durch-
wachen?
Oder verlangt dein ermüdeter Leib nach seiner Erquickung?
Soll ich zu deinem unsterblichen Haupt ein Lager bereiten?
Siehe, schon streckt der Sprößling der Zeder den grünenden
Arm aus,
Und die weiche Staude des Balsams. Am Grabe der Seher
Wächst dort unten ruhiges Moos in der kühlenden Erde.
Soll ich davon, o Göttlicher, dir ein Lager bereiten?
Ach wie bist du, Erlöser, ermüdet! Wie vieles erträgst du
Hier auf Erden, aus inniger Liebe zu Adams Geschlechte!
Gabriel sagts. Der Mittler belohnt ihn mit segnenden
Blicken,
Steht voll Ernst auf der Höhe des Bergs am benachbarten
Himmel.
Dort war Gott. Dort betet' er. Unter ihm tönte die Erde,
Und ein wandelndes Jauchzen durchdrang die Pforten des
Abgrunds,
Als sie von ihm tief unten die mächtige Stimme vernahmen.
Denn sie war es nicht mehr des Fluches Stimme, die Stimme
Angekündigt in Sturm, in donnerndem Wetter gesprochen,

Welche die Erde vernahm. Sie hörte des Segnenden Rede,
Der mit unsterblicher Schöne sie einst zu verneuen
                                        beschlossen.
Ringsum lagen die Hügel in lieblicher Abenddämmrung,
Gleich als blühten sie wieder, nach Edens Bilde geschaffen.
Jesus redte. Nur er, und der Vater durchschauten den
                                        Inhalt
Grenzlos; dies nur vermag des Menschen Stimme zu sagen:
  Göttlicher Vater, die Tage des Heils, und des ewigen
                                        Bundes
Nahen sich mir, die Tage zu größern Werken erkoren,
Als die Schöpfung, die du mit deinem Sohne vollbrachtest.
Sie verklären sich mir so schön und herrlich, als damals,
Da wir die Reihe der Zeiten durchschauten, die Tage der
                                        Zukunft,
Durch mein göttliches Schaun bezeichnet, und glänzender
                                        sahen.
Dir nur ist es bekannt, mit was vor Einmut wir damals,
Du, mein Vater, und ich, und der Geist die Erlösung
                                        beschlossen.
In der Stille der Ewigkeit, einsam, und ohne Geschöpfe,
Waren wir beieinander. Voll unsrer göttlichen Liebe,
Sahen wir auf die Menschen, die noch nicht waren, herunter.
Edens selige Kinder, ach unsre Geschöpfe, wie elend
Waren sie, sonst unsterblich, nun Staub, und entstellt von
                                        der Sünde!
Vater, ich sah ihr Elend, du meine Tränen. Da sprachst du:
Laßt das Bild der Gottheit im Menschen von neuem uns
                                        schaffen!
Also beschlossen wir unser Geheimnis, das Blut der
                                        Versöhnung,
Und die Schöpfung der Menschen verneut zum ewigen
                                        Bilde!
Hier erkor ich mich selbst, das göttliche Werk zu vollenden.
Ewiger Vater, das weißt du, das wissen die Himmel, wie
                                        innig

Mich seit diesem Entschluß nach meiner Erniedrung verlangte!

Erde, wie oft warst du, in deiner niedrigen Ferne,
Mein erwähltes, geliebteres Augenmerk! Und o Kanan,
Heiliges Land, wie oft hing mein sanfttränendes Auge
An dem Hügel, den ich von des Bundes Blute schon voll
sah.

Und wie bebt mir mein Herz von süßen, wallenden
Freuden,

Daß ich so lange schon Mensch bin, daß schon so viele
Gerechte

Sich mir sammeln, und nun bald alle Geschlechte der
Menschen

Mir sich heiligen werden! Hier lieg ich, göttlicher Vater,
Noch nach deinem Bilde geschmückt mit den Zügen der
Menschheit,

Betend vor dir: bald aber, ach bald wird dein tötend Gericht
mich

Blutig entstellen, und unter den Staub der Toten begraben.
Schon, o Richter der Welt, schon hör ich von fern dich, und
einsam

Kommen, und unerbittlich in deinen Himmeln dahergehn.
Schon durchdringt mich ein Schauer, dem ganzen Geister-
geschlechte

Unempfindbar, und wenn du sie auch mit Zorne der
Gottheit

Tötetest, unempfindbar! Ich sehe den nächtlichen Garten
Schon vor mir liegen, sinke vor dir in niedrigen Staub hin,
Lieg', und bet', und winde mich, Vater, in Todesschweiße.
Siehe, da bin ich, mein Vater. Ich will des Allmächtgen
Zürnen,

Deine Gerichte will ich mit tiefem Gehorsam ertragen.
Du bist ewig! Kein endlicher Geist hat das Zürnen der
Gottheit,

Keiner je, den Unendlichen tötend mit ewigem Tode,
Ganz gedacht, und keiner empfunden. Gott nur vermochte

Gott zu versöhnen. Erhebe dich, Richter der Welt! Hier bin
                                                        ich!
Töte mich, nimm mein ewiges Opfer zu deiner Versöhnung.
Noch bin ich frei, noch kann ich dich bitten; so tut sich der
                                                        Himmel
Mit Myriaden von Seraphim auf, und führet mich
                                                        jauchzend,
Vater, zurück in Triumph zu deinem erhabenen Throne!
Aber ich will leiden, was keine Seraphim fassen,
Was kein denkender Cherub in tiefen Betrachtungen ein-
                                                        sieht;
Ich will leiden, den furchtbarsten Tod ich Ewiger leiden!
    Weiter sagt' er, und sprach: Ich hebe gen Himmel mein
                                                        Haupt auf,
Meine Hand in die Wolken, und schwöre dir bei mir selber,
Der ich Gott bin, wie du: Ich will die Menschen erlösen!
    Jesus sprachs, und erhub sich. In seinem Antlitz war
                                                        Hoheit,
Seelenruh, und Ernst, und Erbarmung, als er vor Gott
                                                        stand.
    Aber unhörbar den Engeln, nur sich und dem Sohne ver-
                                                        nommen,
Sprach der ewige Vater, und wandte sein schauendes
                                                        Antlitz
Nach dem Mittler hin: Ich breite mein Haupt durch die
                                                        Himmel,
Meinen Arm aus durch die Unendlichkeit, sage: Ich bin
Ewig! und schwöre dir, Sohn: Ich will die Sünde vergeben!
    Also sprach er, und schwieg. Indem die Ewigen sprachen,
Ging durch die ganze Natur ein ehrfurchtvolles Erbeben.
Seelen, die jetzo wurden, noch nicht zu denken begannen,
Zitterten, und empfanden zuerst. Ein gewaltiger Schauer
Faßte den Seraph, ihm schlug sein Herz, und um ihn lag
                                                        wartend,
Wie vor dem nahen Gewitter die Erde, sein schweigender
                                                        Weltkreis.

Nur in die Seelen künftiger Christen kam sanftes
                         Entzücken,
Und ein süßbetäubend Gefühl des ewigen Lebens.
Aber sinnlos, und zur Verzweiflung allein noch
                         empfindlich,
Sinnlos, wider Gott was zu denken, entstürzten im Abgrund
Ihren Thronen die Geister der Hölle. Da jeder dahinsank,
Stürzt' auf jeden ein Fels, brach unter jedem die Tiefe
Ungestüm ein, und donnernd erklang die unterste Hölle.
    Jesus stand noch vor Gott; und jetzo begannen die Leiden
Seiner Erlösung. Gabriel lag in der Fern' auf dem Antlitz
Tiefanbetend, von neuen Gedanken gewaltig erhoben.
Seit den Jahrhunderten, die er durchlebt, so lang' als die
                         Seele
Sich die Ewigkeit denkt, wenn sie dem Leib' in Gedanken
Schnelles Fluges entfleugt, seit diesen Jahrhunderten hatt' er
So erhabne Gedanken noch nie empfunden. Die Gottheit,
Ihre Versöhnten, die ewige Liebe des göttlichen Mittlers,
Alles eröffnet sich ihm. Gott bildete diese Gedanken
In des Seraphs Geiste. Der Ewige dachte sich jetzo,
Als den Erbarmer erschaffner Wesen. Der Seraph erhub
                         sich,
Stand, und erstaunt', und betet', und unaussprechliche
                         Freuden
Zitterten durch sein Herz, und Licht und blendendes
                         Glänzen
Ging von ihm aus. Die Erde zerfloß in himmlische
                         Schimmer
Unter ihm hin, so dacht er. Ihn sah der göttliche Mittler,
Daß er den Gipfel des ganzen Gebirgs mit Klarheit erfüllte.
    Gabriel, rief er, hülle dich ein, du dienst mir auf Erden!
Mache dich auf, dies Gebet vor meinen Vater zu bringen,
Daß die edelsten unter den Menschen, die seligen Väter,
Daß der versammelte Himmel der Zeiten Fülle vernehme,
Die er mit jedem entflammten Verlangen verlangte. Dort
                         leuchte,

Als der Gesendete Jesus, des Mittlers, im Glanze der Engel!
  Schweigend, mit göttlichheitren Gebärden, erhub sich der
                     Seraph.
Jesus schaut' ihm vom Ölberg nach. Der Göttliche sahe
Schon, was der Seraph tat, am Throne der Herrlichkeit
                     Gottes,
Eh der Eilende noch des Himmels Grenzen erreichte.
  Itzo erhuben sich neue, geheimnisvolle Gespräche
Zwischen ihm und dem Ewigen, schicksalenthüllendes
                     Inhalts,
Furchtbar und hehr und heilig, voll Lebens und Todes
                     Entscheidung,
Selbst Unsterblichen dunkel, Gespräche von Dingen, die
                     künftig
Gottes Erlösung, vor allen Erschaffnen, verherrlichen
                     werden.
  Unterdes eilte der Seraph zur äußersten Grenze des
                     Himmels
Wie ein Morgen empor. Hier füllen nur Sonnen den
                     Umkreis;
Und, gleich einer Hülle gewebt aus Strahlen des Urlichts,
Zieht sich ihr Glanz um den Himmel herum. Kein
                     dämmernder Erdkreis
Naht sich des Himmels verderbendem Blick. Entfliehend
                     und ferne
Geht die bewölkte Natur vorüber. Da eilen die Erden
Klein, unmerkbar dahin, wie unter dem Fuße des Wandrers
Niedriger Staub, von Gewürme bewohnt, aufwallet, und
                     hinsinkt.
Um den Himmel herum sind tausend eröffnete Wege,
Lange, nicht auszusehende Wege, von Sonnen umgeben.
  Durch den glänzenden Weg, der gegen die Erde sich
                     wendet,
Floß, nach ihrer Erschaffung, am Fuße des Thrones
                     entspringend
Einst ein Strom der Himmelsheitre nach Eden herunter.

Über ihm, oder an seinem Gestade von Farben erhoben,
Gleich den Farben des Regenbogens, oder der Frühe,
Kamen damals Engel, und Gott, zum vertraulichen
                                        Umgang,
Zu den Menschen. Doch schnell ward der Strom herüber-
                                        gerufen,
Als durch Sünde der Mensch zu Gottes Feinde sich um-
                                        schuf.
Denn die Unsterblichen wollten nicht mehr, in sichtbarer
                                        Schönheit,
Gegenden sehn, die vor ihnen des Todes Verwüstung ent-
                                        stellte.
Damals wandten sie schauernd sich weg. Die stillen Gebirge,
Wo noch die Spur des Ewigen war; die rauschenden Haine,
Welche vordem das Säuseln der Gegenwart Gottes beseelte;
Selige, friedsame Täler, die sonst die Jugend des Himmels
Gern besuchte; die schattigen Lauben, wo ehmals die
                                        Menschen,
Überwallend von Freuden und süßen Empfindungen,
                                        weinten,
Daß Gott ewig sie schuf; die Erde trug des Fluches
Lasten jetzt, war ihrer vordem unsterblichen Kinder
Großes Grab. Doch dereinst, wenn die Morgensterne ver-
                                        jünget
Aus der Asche des Weltgerichts triumphierend hervorgehn;
Wenn nun Gott die Kreise der Welten mit seinem Himmel
Durch allgegenwärtiges Anschaun alle vereinbart,
Dann wird auch der ätherische Strom vom himmlischen
                                        Urquell
Wieder mit hellerer Schöne zum neuen Eden sich senken.
Nie wird dann sein Gestade von hohen Versammlungen
                                        leer sein,
Die zu der Erde, Gespielen der neuen Unsterblichen, wallen.
Dies ist der heilige Weg, mit welchem Gabriel fortging,
Und von fern dem Himmel der göttlichen Herrlichkeit
                                        nahte.

JOHANN WOLFGANG GOETHE

Die Leiden des jungen Werthers (Auszüge)

Dieser Briefroman wurde von Goethe im Februar 1774 niedergeschrieben und erschien zur Herbstmesse desselben Jahres bei Weygand in Leipzig. Eine zweite, veränderte Fassung erschien 1787; ihr folgt der hier wiedergegebene Text.

Brief vom 16. Junius 1771

Werther erzählt seinem Freund Wilhelm von der Bekanntschaft mit Lotte. Auf dem Weg zu einem ländlichen Ball, in Begleitung seiner Tänzerin und ihrer Base, soll Lotte mit Werther zusammen fahren. Als er in ihr Haus tritt, erscheint sie ihm in der Mitte ihrer Geschwister, denen sie das Abendbrot austeilt. Der erste Eindruck von Lotte bestätigt sich Werther während der Wagenfahrt: Es ist eine »Bekanntschaft«, die sein »Herz näher angeht«. Der Text setzt ein mit der Beschreibung des Balles, er umfaßt etwa das letzte Drittel des Briefes. Er hat seine Bedeutung zunächst für Werthers Schicksal: seine Neigung zu Lotte, die auf der Harmonie des Geschmacks, der Gemeinsamkeit von Urteilen beruht, bestätigt und vertieft sich bis zu jenem ersten Höhepunkt der Beziehung, da sie sich angesichts des abziehenden Gewitters in der Losung »Klopstock« finden: eine literarische Reminiszenz an die »Frühlingsfeyer«, die deutlich macht, wie die junge, sich eben entwickelnde bürgerliche Nationalliteratur als Verständigungsmittel der Werther-Generation fungierte. Der »Werther« selbst gewann diese Bedeutung im Augenblick seines Erscheinens. Aber auch abgesehen von dieser spezifisch literarischen Bedeutung der Stelle ist der Text ein Dokument der bürgerlichen Kultur der Zeit. Man trifft sich zum Ball außerhalb der alten engen Stadt, man sucht die Natur auch in der Geselligkeit. Und man tanzt nicht mehr das höfische Me-

nuett, sondern statt dessen das Einzelpaarmenuett und mo-
dernere Tänze, die sich zum Teil aus alten Bauerntänzen
entwickelt haben: den Kontretanz und den Englischen — man
»walzt«, wie der Terminus technicus lautet, das heißt, man
tanzt eine Vorform des Wiener Walzers, den Deutschen
oder den Ländler.

Wir schlangen uns in Menuetts[1] umeinander herum; ich forderte ein Frauenzimmer nach dem andern auf, und just die
unleidlichsten konnten nicht dazu kommen, einem die Hand
zu reichen und ein Ende zu machen. Lotte und ihr Tänzer
fingen einen Englischen an, und wie wohl mir's war, als sie
auch in der Reihe die Figur mit uns anfing, magst Du fühlen. Tanzen muß man sie sehen! Siehst Du, sie ist so mit
ganzem Herzen und mit ganzer Seele dabei, ihr ganzer Körper Eine Harmonie, so sorglos, so unbefangen, als wenn das
eigentlich alles wäre, als wenn sie sonst nichts dächte, nichts
empfände; und in dem Augenblicke gewiß schwindet alles
andere vor ihr.
Ich bat sie um den zweiten Kontretanz; sie sagte mir den
dritten zu und mit der liebenswürdigsten Freimütigkeit von
der Welt versicherte sie mir, daß sie herzlich gern Deutsch[2]
tanze. — Es ist hier so Mode, fuhr sie fort, daß jedes Paar,
das zusammengehört, beim Deutschen zusammenbleibt, und
mein Chapeau[3] walzt schlecht und dankt mir's, wenn ich
ihm die Arbeit erlasse. Ihr Frauenzimmer kann's auch nicht
und mag nicht, und ich habe im Englischen gesehn, daß Sie
gut walzen; wenn Sie nun mein sein wollen fürs Deutsche,
so gehn Sie und bitten sich's von meinem Herrn aus, und
ich will zu Ihrer Dame gehn. — Ich gab ihr die Hand darauf, und wir machten aus, daß ihr Tänzer inzwischen meine
Tänzerin unterhalten sollte.

1. *Einzelpaartänze; nicht, was wir heute Menuett nennen.*
2. *Der Deutsche, auch die Allemande, war eine Art des Kontretanzes*
mit erweitertem Einzelpaartanz, dem Walzen.
3. *frz., Tänzer.*

Nun ging's an! und wir ergetzten uns eine Weile an mannigfaltigen Schlingungen der Arme. Mit welchem Reize, mit welcher Flüchtigkeit bewegte sie sich! und da wir nun gar ans Walzen kamen und wie die Sphären umeinander herumrollten, ging's freilich anfangs, weil's die wenigsten können, ein bißchen bunt durcheinander. Wir waren klug und ließen sie austoben, und als die Ungeschicktesten den Plan geräumt hatten, fielen wir ein und hielten mit noch einem Paare, mit Audran und seiner Tänzerin, wacker aus. Nie ist mir's so leicht vom Flecke gegangen. Ich war kein Mensch mehr. Das liebenswürdigste Geschöpf in den Armen zu haben und mit ihr herumzufliegen wie Wetter, daß alles rings umher verging, und – Wilhelm, um ehrlich zu sein, tat ich aber doch den Schwur, daß ein Mädchen, das ich liebte, auf das ich Ansprüche hätte, mir nie mit einem andern walzen sollte als mit mir, und wenn ich drüber zugrunde gehen müßte. Du verstehst mich!

Wir machten einige Touren gehend im Saale, um zu verschnaufen. Dann setzte sie sich, und die Orangen, die ich beiseite gebracht hatte, die nun die einzigen noch übrigen waren, taten vortreffliche Wirkung, nur daß mir mit jedem Schnittchen, das sie einer unbescheidenen Nachbarin ehrenhalber zuteilte, ein Stich durchs Herz ging.

Beim dritten englischen Tanz waren wir das zweite Paar. Wie wir die Reihe durchtanzten und ich, weiß Gott mit wie viel Wonne, an ihrem Arm und Auge hing, das voll vom wahrsten Ausdruck des offensten reinsten Vergnügens war, kommen wir an eine Frau, die mir wegen ihrer liebenswürdigen Miene auf einem nicht mehr ganz jungen Gesichte merkwürdig gewesen war. Sie sieht Lotten lächelnd an, hebt einen drohenden Finger auf, und nennt den Namen Albert zweimal im Vorbeifliegen mit viel Bedeutung.

Wer ist Albert? sagte ich zu Lotten, wenn's nicht Vermessenheit ist zu fragen. – Sie war im Begriff zu antworten, als wir uns scheiden mußten, um die große Achte zu machen, und mich dünkte, einiges Nachdenken auf ihrer

Stirn zu sehen, als wir so voreinander vorbeikreuzten. –
Was soll ich's Ihnen leugnen, sagte sie, indem sie mir die
Hand zur Promenade bot, Albert ist ein braver Mensch,
dem ich so gut als verlobt bin. – Nun war mir das nichts
Neues (denn die Mädchen hatten mir's auf dem Wege gesagt) und war mir doch so ganz neu, weil ich es noch nicht
im Verhältnis auf sie, die mir in so wenig Augenblicken so
wert geworden war, gedacht hatte. Genug, ich verwirrte
mich, und kam zwischen das unrechte Paar hinein, daß
alles drunter und drüber ging und Lottens ganze Gegenwart und Zerren und Ziehen nötig war, um es schnell wieder in Ordnung zu bringen.

Der Tanz war noch nicht zu Ende, als die Blitze, die wir
schon lange am Horizonte leuchten gesehn, und die ich
immer für Wetterkühlen[4] ausgegeben hatte, viel stärker zu
werden anfingen und der Donner die Musik überstimmte.
Drei Frauenzimmer liefen aus der Reihe, denen ihre Herren
folgten; die Unordnung wurde allgemein, und die Musik
hörte auf. Es ist natürlich, wenn uns ein Unglück oder
etwas Schreckliches im Vergnügen überrascht, daß es stär-
kere Eindrücke auf uns macht als sonst, teils wegen des
Gegensatzes, der sich so lebhaft empfinden läßt, teils und
noch mehr, weil unsere Sinne einmal der Fühlbarkeit geöffnet sind und also desto schneller einen Eindruck annehmen. Diesen Ursachen muß ich die wunderbaren Gri-
massen zuschreiben, in die ich mehrere Frauenzimmer aus-
brechen sah. Die klügste setzte sich in eine Ecke, mit dem
Rücken gegen das Fenster, und hielt die Ohren zu. Eine
andere kniete vor ihr nieder und verbarg den Kopf in der
ersten Schoß. Eine dritte schob sich zwischen beide hinein
und umfaßte ihre Schwesterchen mit tausend Tränen.
Einige wollten nach Hause; andere, die noch weniger wuß-
ten, was sie taten, hatten nicht so viel Besinnungskraft, den
Keckheiten unserer jungen Schlucker zu steuern, die sehr

4. *Wetterleuchten.*

beschäftigt zu sein schienen, alle die ängstlichen Gebete, die dem Himmel bestimmt waren, von den Lippen der schönen Bedrängten wegzufangen. Einige unserer Herren hatten sich hinabbegeben, um ein Pfeifchen in Ruhe zu rauchen; und die übrige Gesellschaft schlug es nicht aus, als die Wirtin auf den klugen Einfall kam, uns ein Zimmer anzuweisen, das Läden und Vorhänge hätte. Kaum waren wir da angelangt, als Lotte beschäftigt war, einen Kreis von Stühlen zu stellen, und als sich die Gesellschaft auf ihre Bitte gesetzt hatte, den Vortrag[5] zu einem Spiele zu tun.

Ich sah manchen, der in Hoffnung auf ein saftiges Pfand sein Mäulchen spitzte und seine Glieder reckte. – Wir spielen Zählens, sagte sie. Nun gebt acht! Ich geh' im Kreise herum von der Rechten zur Linken, und so zählt ihr auch rings herum, jeder die Zahl, die an ihn kommt, und das muß gehen wie ein Lauffeuer, und wer stockt oder sich irrt, kriegt eine Ohrfeige, und so bis tausend. – Nun war das lustig anzusehen. Sie ging mit ausgestrecktem Arm im Kreise herum. Eins, fing der erste an, der Nachbar zwei, drei der folgende und so fort. Dann fing sie an geschwinder zu gehn, immer geschwinder; da versah's einer, patsch! eine Ohrfeige, und über das Gelächter der folgende auch patsch! Und immer geschwinder. Ich selbst kriegte zwei Maulschellen und glaubte mit innigem Vergnügen zu bemerken, daß sie stärker seien, als sie sie den übrigen zuzumessen pflegte. Ein allgemeines Gelächter und Geschwärm endigte das Spiel, ehe noch das Tausend ausgezählt war. Die Vertrautesten zogen einander beiseite, das Gewitter war vorüber, und ich folgte Lotten in den Saal. Unterwegs sagte sie: Über die Ohrfeigen haben sie Wetter und alles vergessen! – Ich konnte ihr nichts antworten. – Ich war, fuhr sie fort, eine der Furchtsamsten, und indem ich mich herzhaft stellte, um den andern Mut zu geben, bin ich mutig geworden. – Wir traten ans Fenster. Es donnerte abseitwärts, und der herr-

5. *Vorschlag und Erläuterung zu einem Gesellschaftsspiel.*

liche Regen säuselte auf das Land, und der erquickendste
Wohlgeruch stieg in aller Fülle einer warmen Luft zu uns
auf. Sie stand, auf ihren Ellenbogen gestützt, ihr Blick
durchdrang die Gegend, sie sah gen Himmel und auf mich,
ich sah ihr Auge tränenvoll, sie legte ihre Hand auf die
meinige und sagte – Klopstock! – Ich erinnerte mich sogleich der herrlichen Ode, die ihr in Gedanken lag, und ver-
sank in dem Strome von Empfindungen, den sie in dieser Losung über mich ausgoß. Ich ertrug's nicht, neigte mich auf
ihre Hand und küßte sie unter den wonnevollsten Tränen.
Und sah nach ihrem Auge wieder – Edler! Hättest Du Deine
Vergötterung in diesem Blicke gesehn, und möcht' ich nun
Deinen so oft entweihten Namen nie wieder nennen hören.

Werthers Ossian-Übersetzung

*Werther liest Lotte ein von ihm übersetztes Stück aus
Ossians Dichtungen vor, das dort den Titel »Songs of Selma« führt. Goethe war durch Herder in Straßburg mit
Ossian bekannt geworden und hatte damals schon daraus
übersetzt; eine Reinschrift fertigte er für Friederike Brion
an. Bei der Niederschrift des »Werther« arbeitete er seine
Übersetzung von 1771 um. Die Ossian-Übersetzung Werthers hat einen doppelten Stellenwert. Zunächst ist sie re-
präsentativ für die Ossian-Begeisterung der sechziger und
siebziger Jahre des 18. Jahrhunderts. Auf der Suche nach
dem großen schottischen Nationalepos begegnete der Edin-
burger Literaturprofessor Hugh Blair dem jungen Theolo-
gen James Macpherson. Dieser, im Hochland aufgewachsen
und noch der gälischen Ursprache mächtig, lieferte dem
Professor, wonach er suchte: die Prosaepen »Fingal« 1762
und »Temora« 1763. Daß es sich um Fälschungen handelte,
denen allenfalls geringfügige Fragmente echter Urpoesie
beigemischt worden waren, ist erst 1797–1805 erforscht
worden. Die Ossian-Rezeption ist ein Phänomen der Emp-*

findsamkeit: die Melancholie einer nordisch-trüben Land-
schaft, die Trostlosigkeit einer Welt ohne Gott und Götter
wirkte auf eine Generation, die im Begriffe stand, sich
selbst von den religiösen Bindungen ihrer Väter zu lösen
(vgl. Herbert Schöffler). Innerhalb des Romans »Die Lei-
den des jungen Werthers« sind die Ossian-Passagen Aus-
druck der »Krankheit zum Tode«, an der Werther leidet.
Seine Ossian-Paraphrasen signalisieren die Isolation des auf
sich selbst verwiesenen Individuums angesichts des Todes.
Insofern sind sie ein Dokument melancholischer Empfind-
samkeit. Neuerdings ist der Roman, nicht zuletzt aufgrund
von Werthers Entfremdung von der Religion, als »Kataly-
sator einer in Deutschland auf der Tagesordnung stehenden
gesellschaftlichen Auseinandersetzung« gedeutet worden
(Peter Müller).

Stern der dämmernden Nacht, schön funkelst du in Westen,
hebst dein strahlend Haupt aus deiner Wolke, wandelst
stattlich deinen Hügel hin. Wornach blickst du auf die
Heide? Die stürmenden Winde haben sich gelegt; von ferne
kommt des Gießbachs Murmeln; rauschende Wellen spielen
am Felsen ferne; das Gesumme der Abendfliegen schwärmet
übers Feld. Wornach siehst du, schönes Licht? Aber du
lächelst und gehst, freudig umgeben dich die Wellen und
baden dein liebliches Haar. Lebe wohl, ruhiger Strahl. Er-
scheine, du herrliches Licht von Ossians Seele!
Und es erscheint in seiner Kraft. Ich sehe meine geschiede-
nen Freunde, sie sammeln sich auf Lora, wie in den Tagen,
die vorüber sind. – Fingal kommt wie eine feuchte Nebel-
säule; um ihn sind seine Helden, und, siehe! die Barden des
Gesanges: Grauer Ullin! stattlicher Ryno! Alpin, lieblicher
Sänger! und du, sanft klagende Minona! – Wie verändert
seid ihr, meine Freunde, seit den festlichen Tagen auf Selma, da wir buhlten um die Ehre des Gesangs, wie Früh-
lingslüfte den Hügel hin wechselnd beugen das schwach
lispelnde Gras.

Da trat Minona hervor in ihrer Schönheit, mit niederge-
schlagenem Blick und tränenvollem Auge, schwer floß ihr
Haar im unsteten Winde, der von dem Hügel herstieß. –
Düster ward's in der Seele der Helden, als sie die liebliche
Stimme erhob; denn oft hatten sie das Grab Salgars gesehen, oft die finstere Wohnung der weißen Colma. Colma,
verlassen auf dem Hügel, mit der harmonischen Stimme; Salgar versprach zu kommen; aber ringsum zog sich die Nacht.
Höret Colmas Stimme, da sie auf dem Hügel allein saß.

Colma

Es ist Nacht! – Ich bin allein, verloren auf dem stürmischen
Hügel. Der Wind saust im Gebirge. Der Strom heult den
Felsen hinab. Keine Hütte schützt mich vor dem Regen,
mich Verlaßne auf dem stürmischen Hügel.
Tritt, o Mond, aus deinen Wolken! Erscheinet, Sterne der
Nacht! Leite mich irgendein Strahl zu dem Orte, wo meine
Liebe ruht von den Beschwerden der Jagd, sein Bogen
neben ihm abgespannt, seine Hunde schnobend um ihn!
Aber hier muß ich sitzen allein auf dem Felsen des ver-
wachsenen Stroms. Der Strom und der Sturm saust, ich
höre nicht die Stimme meines Geliebten.
Warum zaudert mein Salgar? Hat er sein Wort vergessen? –
Da ist der Fels und der Baum und hier der rauschende
Strom! Mit einbrechender Nacht versprachst du hier zu
sein; ach! wohin hat sich mein Salgar verirrt? Mit dir wollt'
ich fliehen, verlassen Vater und Bruder! die Stolzen! Lange
sind unsere Geschlechter Feinde, aber wir sind keine Feinde,
o Salgar!
Schweig eine Weile, o Wind, still eine kleine Weile, o Strom!
daß meine Stimme klinge durchs Tal, daß mein Wanderer
mich höre. Salgar! ich bin's, die ruft! Hier ist der Baum
und der Fels! Salgar! mein Lieber! hier bin ich; warum
zauderst du zu kommen?
Sieh, der Mond erscheint, die Flut glänzt im Tale, die Fel-

sen stehen grau den Hügel hinauf; aber ich seh' ihn nicht auf der Höhe, seine Hunde vor ihm her verkündigen nicht seine Ankunft. Hier muß ich sitzen allein.

Aber wer sind, die dort unten liegen auf der Heide? – Mein Geliebter? Mein Bruder? Redet, o meine Freunde! Sie antworten nicht. Wie geängstet ist meine Seele! – Ach sie sind tot! Ihre Schwerter rot vom Gefechte! O mein Bruder, mein Bruder! warum hast du meinen Salgar erschlagen? O mein Salgar! warum hast du meinen Bruder erschlagen? Ihr wart mir beide so lieb! Oh, du warst schön an dem Hügel unter Tausenden! Er war schrecklich in der Schlacht. Antwortet mir! hört meine Stimme, meine Geliebten! Aber ach! sie sind stumm! stumm auf ewig! kalt, wie die Erde, ist ihr Busen!

Oh, von dem Felsen des Hügels, von dem Gipfel des stürmenden Berges, redet, Geister der Toten! Redet! mir soll es nicht grausen! – Wohin seid ihr zur Ruhe gegangen? In welcher Gruft des Gebirges soll ich euch finden! – Keine schwache Stimme vernehme ich im Winde, keine wehende Antwort im Sturme des Hügels.

Ich sitze in meinem Jammer, ich harre auf den Morgen in meinen Tränen. Wühlet das Grab, ihr Freunde der Toten; aber schließt es nicht, bis ich komme. Mein Leben schwindet wie ein Traum, wie sollt' ich zurückbleiben. Hier will ich wohnen mit meinen Freunden an dem Strome des klingenden Felsens – Wenn's Nacht wird auf dem Hügel und Wind kommt über die Heide, soll mein Geist im Winde stehn und trauern den Tod meiner Freunde. Der Jäger hört mich aus seiner Laube, fürchtet meine Stimme und liebt sie; denn süß soll meine Stimme sein um meine Freunde, sie waren mir beide so lieb!

Das war dein Gesang, o Minona, Tormans sanft errötende Tochter. Unsere Tränen flossen um Colma, und unsere Seele ward düster.

Ullin trat auf mit der Harfe und gab uns Alpins Gesang – Alpins Stimme war freundlich, Rynos Seele ein Feuerstrahl.

Aber schon ruhten sie im engen Hause, und ihre Stimme
war verhallet in Selma. Einst kehrte Ullin zurück von der
Jagd, ehe die Helden noch fielen. Er hörte ihren Wette-
gesang auf dem Hügel. Ihr Lied war sanft, aber traurig.
Sie klagten Morars Fall, des Ersten der Helden. Seine Seele
war wie Fingals Seele, sein Schwert wie das Schwert Os-
kars – Aber er fiel, und sein Vater jammerte, und seiner
Schwester Augen waren voll Tränen, Minonas Augen
waren voll Tränen, der Schwester des herrlichen Morars.
Sie trat zurück vor Ullins Gesang wie der Mond in Westen,
der den Sturmregen voraussieht und sein schönes Haupt in
eine Wolke verbirgt. – Ich schlug die Harfe mit Ullin zum
Gesange des Jammers.

JOHANN HEINRICH JUNG-STILLING

Johann Heinrich Jung, geb. 12. September 1740 in Grund bei Hilchen-
bach (Westfalen), gest. 2. April 1817 in Karlsruhe, Sohn eines Schnei-
ders. Jugend unter strenger pietistischer Erziehung, Autodidakt, Schnei-
derlehre, 1755–62 abwechselnd Dorfschullehrer und Schneidergeselle,
1763–71 Lehrer und Gehilfe eines Kaufmannes bei Elberfeld, Plan des
Medizinstudiums, 1771/72 Studium in Straßburg, Bekanntschaft mit
Goethe und seinem Kreis, 1772 als Arzt in Elberfeld, bekannt durch
zahlreiche Staroperationen, 1778 Professor für Kameralwissenschaften
in Kaiserslautern, 1784 in Heidelberg, 1787 in Marburg, 1803 in Heidelberg, ab 1806 in Karlsruhe mit einem Gehalt des Großherzogs Karl
Friedrich von Baden. Im Alter zunehmendes Ansehen als geistlicher
Ratgeber und Verfasser von Erbauungsschriften.
Werke: *Henrich Stillings Jugend* R. (1777); *Henrich Stillings Jünglings-
Jahre* R. (1778); *Henrich Stillings Wanderschaft* R. (1778); *Die Geschichte Florentins von Fahlendorn* R. (3 Bde., 1781–83).

Henrich Stillings Jugend (Auszug)

*Jung-Stilling schrieb den ersten Band seiner Lebens-
geschichte auf Anraten Goethes in der ersten Elberfelder
Zeit. Goethe verhalf dem Buch zum Druck (1777). Der*

*große Erfolg von »Henrich Stillings Jugend. Eine wahr-
hafte Geschichte« veranlaßte Jung-Stilling zu den Fortsetzungen »Henrich Stillings Jünglings-Jahre«, »Wanderschaft«, »häusliches Leben«, »Lehrjahre«. Das Pseudonym
Stilling erinnert an die pietistische Herkunft Jung-Stillings;
man nannte die Pietisten die Stillen im Lande (vgl. Ps.
35, 20). Für die Fortsetzungen der Lebensgeschichte behielt
es der Verfasser der »Jugend« bei; bisweilen bediente er
sich für Veröffentlichungen auch seines Familiennamens
Jung, nannte sich auch Jung, gen. Stilling oder Jung-Stilling – dieser Name hat sich in der Literaturgeschichte ein-
gebürgert. Der hier wiedergegebene Textausschnitt berichtet
von der Bekehrung des Vaters zum Pietismus und von seinen daraus resultierenden Erziehungsmethoden sowie ihren
Ergebnissen.*

*Der gleichförmige Rhythmus dieser Erzählprosa, gemein-
sam mit altertümlichen Wendungen wie »fehlet«, »beweiset«, »niemalen«, »mehresten«, »verbeut« (für ›verbiete‹),
»entfleugt«, die im Erscheinungsjahr des Buches von den
Lesern des »Werther« oder der Dramen von Lenz als be-
wußte Archaismen verstanden werden konnten, unterstreichen die empfindsam-pietistische Atmosphäre dieser Erzählung von individuellen, seelischen Vorgängen und
Schicksalen. Die Erzählung Jung-Stillings bietet darüber
hinaus sozialgeschichtlich höchst interessante Einblicke in
das noch wenig erforschte Leben der ländlichen, halb hand-
werklichen und halb bäuerlichen Mittelschichten im
18. Jahrhundert. Die getreuliche Schilderung dieser Ver-
hältnisse bewirkte wohl den Erfolg.*

Dieser Niclas war oft in Stillings Hause gewesen; weil er
aber wußte, wie feste man daselbst an den Grundsätzen der
reformierten Religion und Kirche hinge, so hatte er sich nie
herausgelassen; zu dieser Zeit aber, da Wilhelm Stilling anfing aus dem schwärzesten Kummer sich loszuwinden, fand
er Gelegenheit mit ihm zu reden. Dieses Gespräch ist wich-

Titelkupfer von Chodowiecki zur Erstausgabe von
»Henrich Stillings Jugend«

tig; darum will ich es hier beifügen, so wie mir's Niclas selbsten erzählt hat.

Nachdem sich Niclas gesetzt, fing er an: »Wie geht's Euch nun Meister Stilling, könnt Ihr Euch auch in das Sterben Eurer Frau schicken?«

»Nicht zu wohl! das Herz ist noch so wund daß es blutet; doch fange ich an mehrern Trost zu finden.«

»So geht's, Meister Stilling, wenn man mit seinen Begierden sich zu sehr an etwas Vergängliches anfesselt. Und wir sind gewiß glücklicher wenn wir Weiber haben, als hätten wir keine. Wir können sie von Herzen lieben; allein wie nützlich ist es doch auch, wenn man sich übt, auch diesem Vergnügen abzusterben, und es zu verleugnen; gewiß wird uns denn der Verlust nicht so schwerfallen.«

»Das läßt sich recht gut predigen, aber tun, tun, leisten, halten, das ist eine andere Sache.«

Niclas lächelte und sagte: »Freilich ist es schwer, besonders wenn man ein solches Dortchen gehabt hat; doch aber wenn's nur jemand ein Ernst ist, ja wenn nur jemand glaubt, daß die Lehre Jesu Christi zur höchsten Glückseligkeit führet, so wird's einem ernst. Alsdenn ist es wirklich so schwer nicht, als man sich's vorstellt. Laßt mich Euch die ganze Sache kürzlich erklären. Jesus Christus hat uns eine Lehre hinterlassen, die der Natur der menschlichen Seele so angemessen ist, daß sie, wann sie nur befolgt wird, notwendig vollkommen glücklich machen muß. Wenn wir alle Lehren aller Weltweisen durchgehen, so finden wir eine Menge Regeln, die so zusammenhangen, wie sie sich ihr Lehrgebäude geformt hatten. Bald hinken sie, bald laufen sie, und dann stehen sie still; nur die Lehre Christi, aus den tiefsten Geheimnissen der menschlichen Natur herausgezogen, fehlet nie, und beweiset, dem der es recht einsieht, vollkommen, daß ihr Verfasser den Menschen selber müsse gemacht haben, indem er ihn bis auf den ersten Grundtrieb kannte. Der Mensch hat einen unendlichen Hunger nach Vergnügen, nach Vergnügen, die imstande sind ihn zu sättigen, die immer was Neues ausliefern, die eine unaufhörliche Quelle neuer Vergnügen sind. In der ganzen Schöpfung finden wir keine von solcher Art. Sobald wir ihrer durch den Wechsel der Dinge verlustig werden, so lassen sie eine Qual zurück, wie Ihr zum Exempel bei Eurem Dortchen gewahr worden. Dieser göttliche Gesetzgeber wußte, daß der Grund aller menschlichen Handlungen die wahre Selbstliebe sei. Weit davon entfernt, diesen Trieb, der viel Böses anrichten kann, zu verdrängen, so gibt er lauter Mittel an die Hand, denselben zu veredlen und zu verfeinern. Er befiehlt, wir sollen andern das beweisen, was wir wünschen, daß sie uns beweisen sollen; tun wir nun das, so sind wir ihrer Liebe gewiß, sie werden uns wohltun und viel Vergnügen machen, wenn sie anders keine böse Menschen sind. Er befiehlt, wir sollen die Feinde lieben; sobald wir nun einem Feinde Liebes und Gutes erzeigen, so wird er gewiß auf das äußerste gefoltert, bis er sich mit uns ausgesöhnt hat; wir selbsten aber genießen bei der Ausübung dieser Pflichten, die uns nur im Anfang ein wenig Mühe kosten, einen innern Frieden, der alle sinnliche Vergnügen weit übertrifft. Überdas ist der Stolz eigentlich die Quelle aller unserer gesellschaftlicher Laster, alles Unfriedes, Hasses und Störens der Ruhe. Wider diese Wurzel alles Übels nun ist kein besser Mittel, als obige Gesetze Jesu Christi. Ich mag mich für jetzo nicht weiter darüber erklären; ich wollte Euch nur so viel sagen: daß es wohl der Mühe wert sei, Ernst anzuwenden, der Lehre Christi zu folgen, weil sie uns dauerhafte und wesentliche Vergnügen verschaffet, die uns im Verlust anderer die Waage halten können.«

»Sagt mir doch dieses alles vor, Freund Niclas! ich muß es aufschreiben, ich glaube daß es wahr ist, was Ihr sagt.«

Niclas wiederholte es von Herzen, und immer mit einem bißchen mehr oder weniger, und Wilhelm schrieb es auf, so wie er's ihm vorsagte.

»Aber«, fuhr er fort, »wenn wir durch die Nachfolge der Lehre Christi selig werden, wofür ist dann sein Leiden und

Sterben? Die Prediger sagen ja, wir könnten die Gebote nicht halten, sondern wir würden nur durch den Glauben an Christum und durch sein Verdienst gerecht und selig.«

Niclas lächelte und sagte: »Davon läßt sich all einmal weiter reden. Nehmt's nur eine Weile so, daß wie er uns durch sein heiliges reines Leben, da er in der Gnade vor Gott und den Menschen hinwandelte, eine freie Aussicht über unser Leben, über die verworrne Erdhändel verschafft hat, daß wir durch einen Blick auf ihn mutig werden, und offen der Gnade die über uns waltet, zur größern Einfalt des Herzens, mit der man überall durchkommt, so hat er auch, sag ich, sein Kreuz hin in die Nacht des Todes gepflanzt, wo die Sonne untergeht und der Mond sein Licht verliert, daß wir dahinaufblicken, und ein ›Gedenke mein!‹ in demütiger Hoffnung rufen. So werden wir durch sein Verdienst selig, wenn Ihr wollt; denn er hat sich die Freiheit der Seinen vom ewigen Tod scharf und sauer genug verdient, und so werden wir durch den Glauben selig, denn der Glaube ist Seligkeit. Laßt Euch indessen das all nicht anfechten, und seid im Kleinen treu, sonst werdet Ihr im Großen nichts ausrichten. Ich will Euch ein paar Blätter hierlassen, die aus dem Französischen des Erzbischofs Fénélon[1] übersetzt sind; sie handeln von der Treue in kleinen Dingen; auch will ich Euch die ›Nachfolge Christi‹ des Thomas von Kempis mitbringen, Ihr könnt da weiter Nachricht bekommen.«

Ich kann nicht eigentlich sagen, ob Wilhelm aus wahrer Überführung diese Lehre angenommen, oder ob der Zustand seines Herzens so beschaffen gewesen, daß er ihre Schönheit empfunden, ohne ihre Wahrheit zu untersuchen. Gewiß, wenn ich mit kaltem Blut den Vortrag dieses Niclasens durchdenke, so find ich daß ich nicht alles reimen kann, aber im Ganzen ist's doch herrlich und gut.

Wilhelm kaufte von Niclasen einige Ellen Stoff, ohne sie

---

1. *François de Fénélon (1651–1715), Erzbischof von Cambrai und Prinzenerzieher, Verf. pädagogischer, theologischer und politischer Schriften (Cunz).*

nötig zu haben, und da nahm der gute Prediger sein Bündel auf den Nacken und ging, doch mit dem Versprechen, bald wiederzukommen; und gewiß wird Niclas den ganzen Giller durch Gott recht herzlich für die Bekehrung Wilhelms gedankt haben. Dieser nun fand eine tiefe unwiderstehliche Neigung in seiner Seele, die ganze Welt dranzugeben und mit seinem Kinde oben im Hause auf einer Kammer allein zu wohnen. Seine Schwester Elisabeth wurde an einen Leineweber Simon an seine Stelle ins Haus verheuratet, er aber bezog seine Kammer, schaffte sich einige Bücher an, die ihm von Niclas vorgeschlagen wurden, und so verlebte er daselbst mit seinem Knaben viele Jahre.

Die ganze Beschäftigung dieses Mannes ging während dieser Zeit dahin, mit seinem Schneiderhandwerke seine Bedürfnisse zu erwerben; (denn er gab für sich und sein Kind wöchentlich ein erträgliches Kostgeld ab an seine Eltern) und dann, alle Neigungen seines Herzens, die nicht auf die Ewigkeit abzielten, zu dämpfen; endlich aber auch seinen Sohn in eben den Grundsätzen zu erziehen, die er sich als wahr und festgegründet eingebildet hatte. Des Morgens um vier Uhr stund er auf, und fing an zu arbeiten; um sieben weckte er seinen Henrichen, und beim ersten Erwachen erinnerte er ihn freundlich an die Gütigkeit des Herrn, der ihn die Nacht durch von seinen Engeln bewachen lassen. »Danke ihm dafür, mein Kind!« sagte Wilhelm, indem er den Knaben ankleidete. War dieses geschehen, so mußte er sich in kaltem Wasser waschen, und dann nahm ihn Wilhelm bei sich, schloß die Kammer zu, und fiel mit ihm vor dem Bette auf die Knie, und betete mit der größten Inbrunst des Geistes zu Gott, wobei ihm die Tränen oft häufig zur Erde flossen. Dann bekam der Junge sein Frühstück, welches er mit einem Anstand und Ordnung verzehren mußte, als wenn er in Gegenwart eines Prinzen gespeiset hätte. Nun mußte er ein kleines Stück im Katechismus lesen, und vor und nach auswendig lernen; auch war ihm erlaubt, alte anmutige und einem Kinde begreifliche Ge-

schichten, teils geistliche, teils weltliche, zu lesen, als da
war: der Kaiser Oktavianus mit seinen Weib und Söhnen,
die Historie von den vier Haimonskindern; die schöne Melusine[2] und dergleichen. Wilhelm erlaubte niemalen dem
Knaben mit andern Kindern zu spielen, sondern er hielt ihn
so eingezogen, daß er im siebenten Jahr seines Alters noch
keine Nachbarskinder, wohl aber eine ganze Reihe schöner
Bücher kannte. Daher kam es denn, daß seine ganze Seele
anfing sich mit Idealen zu belustigen; seine Einbildungskraft ward erhöht, weil sie keine andere Gegenstände bekam, als idealische Personen und Handlungen. Die Helden
alter Romanzen, deren Tugenden übertrieben geschildert
wurden, setzten sich unvermerkt, als so viel nachahmungs-
würdige Gegenstände in sein Gemüt feste, und die Laster
wurden ihm zum größesten Abscheu; doch aber, weil er
beständig von Gott und frommen Menschen reden hörte,
so wurde er unvermerkt in einen Gesichtspunkt gestellt, aus
dem er alles beobachtete. Das erste wornach er fragte, wenn
er von jemand etwas las oder reden hörte, bezog sich auf
seine Gesinnung gegen Gott und Christum. Daher, als er
einmal Gottfried Arnolds[3] »Leben der Altväter« bekam,
konnte er gar nicht mehr aufhören zu lesen, und dieses
Buch, nebst Reitzens[4] »Historie der Wiedergebornen«, blieb
sein bestes Vergnügen in der Welt, bis ins zehnte Jahr seines Alters; aber alle diese Personen, deren Lebensbeschreibungen er las, blieben so fest in seiner Einbildungskraft
idealisiert, daß er sie nie in seinem Leben vergessen hat.
Am Nachmittag, von zwo bis drei Uhr, oder auch etwas
länger, ließ ihn Wilhelm in den Baumhof und Geisenberger
Wald spazieren; er hatte ihm daselbst einen Distrikt ange-

2. *deutsche Volksbücher des 16. Jh.s.*
3. *Gottfried Arnold (1666–1714), Theologe, Pietist: Vitae patrum, oder
Das Leben der Altväter und anderer gottseligen Personen. Halle 1700
(Cunz).*
4. *Johann Heinrich Reitz (1655–1720), pietistischer Schriftsteller: Die
Historie der Wiedergeborenen, Lebensbeschreibungen gottseliger Christen aus allen Ständen (Cunz).*

wiesen, den er sich zu seinen Belustigungen zueignen, aber über welchen er nicht weiter ohne Gesellschaft seines Vaters hinausgehen durfte. Diese Gegend war nicht größer, als Wilhelm aus seinem Fenster übersehen konnte, damit er ihn nie aus den Augen verlieren möchte. War denn die gesetzte Zeit um, oder wenn sich auch ein Nachbarskind Henrichen von weiten näherte, so pfiff Wilhelm, und auf dieses Zeichen war er den Augenblick wieder bei seinem Vater.

Diese Gegend, Stillings Baumhof und ein Strich Waldes, der an den Hof grenzte, wurde von unserm jungen Knaben also täglich bei gutem Wetter besucht, und zu lauter idealischen Landschaften gemacht. Da war eine ägyptische Wüste, in welcher er einen Strauch zur Höhle umbildete, in welche er sich verbarg und den heiligen Antonius vorstellte, betete auch wohl in diesem Enthusiasmus recht herzlich. In einer andern Gegend war der Brunn' der Melusine; dort war die Türkei, wo der Sultan und seine Tochter, die schöne Marcebilla, wohnten; da war auf einem Felsen das Schloß Montalban, in welchem Reinold wohnte usw. Nach diesen Örtern wallfahrte er täglich, kein Mensch kann sich die Wonne einbilden die der Knabe daselbst genoß; sein Geist floß über, er stammelte Reimen und hatte dichterische Einfälle. So war die Erziehung dieses Kindes beschaffen bis ins zehnte Jahr. Eins gehört noch hierzu. Wilhelm war sehr scharf; die mindeste Übertretung seiner Befehle bestrafte er aufs schärfeste mit der Rute. Daher kam zu obigen Grundlagen eine gewisse Schüchternheit in des jungen Stillings Seele, und aus Furcht für den Züchtigungen suchte er seine Fehler zu verhehlen und zu verdecken, so daß er sich nach und nach zum Lügen verleiten ließ; eine Neigung die ihm zu überwinden bis in sein zwanzigstes Jahr viele Mühe gemacht hat. Wilhelms Absicht war, seinen Sohn beugsam und gehorsam zu erziehen, um ihn zu Haltung göttlicher und menschlicher Gesetze fähig zu machen; und eine gewissenhafte Strenge führte, deuchte ihn, den nächsten Weg zum Zwecke; und da konnte er gar nicht begreifen, woher es doch käme, daß seine Seligkeit, die er an den schönen Eigenschaften seines Jungens genoß, durch das Laster der Lügen, auf welchem er ihn oft ertappte, so häßlich versalzen würde. Er verdoppelte seine Strenge, besonders wo er eine Lüge gewahr wurde; allein er richtete dadurch weiter nichts aus, als daß Henrich alle erdenkliche Kunstgriffe anwendete seine Lügen wahrscheinlicher zu machen; und so wurde denn doch der gute Wilhelm betrogen. Sobald merkte der Knabe nicht daß es ihm gelung, so freute er sich und dankte noch wohl Gott, daß er ein Mittel gefunden, einem Strafgericht zu entgehen. Doch muß ich auch dieses zu seiner Ehrenrettung sagen; er log nicht, als nur dann, wann er Schläge damit abwenden konnte.

Der alte Stilling sah alles dieses ganz ruhig an. Die strenge Lebensart seines Sohnes beurteilte er nie; lächelte aber wohl zuweilen und schüttelte die grauen Locken, wann er sah, wie Wilhelm nach der Rute griff, weil der Knabe etwas gegessen oder getan hatte, das gegen seinen Befehl war. Dann sagte er auch wohl in Abwesenheit des Kindes: »Wilhelm! wer nicht will, daß seine Gebote häufig übertreten werden, der muß nicht viel befehlen. Alle Menschen lieben die Freiheit.« – »Ja«, sagte Wilhelm dann, »so wird mir aber der Junge eigenwillig.« »Verbeut du ihm«, erwiderte der Alte, »seine Fehler, wann er sie eben begehen will, und unterrichte ihn warum; hast du es aber vorhin verboten, so vergißt der Knabe die vielen Gebote und Verbote, fehlt immer, du aber mußt dein Wort handhaben, und so gibt's immer Schläge.« Wilhelm erkannte dieses, und ließ vor und nach die mehrsten Regeln in Vergessenheit kommen; er regierte nun nicht mehr so sehr nach Gesetzen, sondern ganz monarchisch; er gab seinen Befehl immer wenn's nötig war, richtete ihn nach den Umständen ein, und nun wurde der Knabe nicht mehr soviel gezüchtigt, seine ganze Lebensart wurde in etwas aufgeweckter, freier und edler.

Henrich Stilling wurde also ungewöhnlich erzogen, ganz ohne Umgang mit andern Menschen; er wußte daher nichts

von der Welt, nichts von Lastern, er kannte gar keine
Falschheit und Ausgelassenheit; beten, lesen und schreiben
war seine Beschäftigung; sein Gemüt war also mit wenigen
Dingen angefüllt: aber alles was darin war, war so lebhaft,
so deutlich, so verfeinert und veredelt, daß seine Ausdrücke,
Reden und Handlungen sich nicht beschreiben lassen. Die
ganze Familie erstaunte über den Knaben, und der alte Stilling sagte oft: »Der Junge entfleugt uns, die Federn wachsen ihm größer, als je einer in unserer Freundschaft gewesen; wir müssen beten, daß ihn Gott mit seinem guten
Geist regieren wolle.« Alle Nachbarn, die wohl in Stillings
Hause kamen, und den Knaben sahen, verwunderten sich;
denn sie verstunden nichts von allem was er sagte, ob er
gleich gut deutsch redete. Unter andern kam einmal Nachbar Stähler hin, weilen er von Wilhelmen ein Kamisol gemacht haben wollte; doch war wohl seine Hauptabsicht
dabei, unter der Hand sein Mariechen zu versorgen; denn
Stilling war im Dorf angesehen, und Wilhelm war fromm
und fleißig. Der junge Henrich mochte acht Jahr' alt sein;
er saß in einem Stuhl und las in einem Buch, sah seiner Gewohnheit nach ganz ernsthaft, und ich glaube nicht, daß er
zu der Zeit noch in seinem Leben stark gelacht hatte. Stähler sah ihn an und sagte: »Henrich was machst du da?«
»Ich lese.«
»Kannst du denn schon lesen?«
Henrich sah ihn an, verwunderte sich und sprach: »Das ist
ja eine dumme Frage, ich bin ja ein Mensch.« – Nun las er
hart, mit Leichtigkeit, gehörigem Nachdruck und Unter-
scheidung. Stähler entsetzte sich und sagte: »Hol' mich der
T... so was hab ich mein Lebtag nicht gesehen.« Bei diesem
Fluch sprang Henrich auf, zitterte und sah schüchtern um
sich; wie er endlich sah daß der Teufel ausblieb, rief er:
»Gott, wie gnädig bist du!« – trat darauf vor Stählern und
sagte: »Mann! habt Ihr den Satan gesehen?« »Nein«, antwortete Stähler. »So ruft ihm nicht mehr«, versetzte Henrich, und ging in eine andere Kammer.

JOHANN HEINRICH VOSS

Geb. 20. Februar 1751 in Sommersdorf bei Waren (Mecklenburg), gest. 29. März 1826 in Heidelberg, Sohn eines Schullehrers. Jugend in ärmlichen Verhältnissen, 1766–69 Gymnasium Neubrandenburg, dann Hofmeister in Ankershagen, ab 1772 Studium der Theologie und namentlich der Altphilologie in Göttingen, Mitbegründer und gewähltes Haupt des Hainbundes, 1775 Redakteur des *Göttinger Musenalmanachs*, 1775–78 in Wandsbek, 1778–82 Rektor in Otterndorf (Hadeln), 1782 Rektor in Eutin durch Fürsprache Stolbergs, 1786 Hofrat ebenda, nach einem Zerwürfnis mit Stolberg 1802 Privatgelehrter in Jena, ab 1805 mit einem Ehrensold des Großherzogs von Baden in Heidelberg.
Werke: *Homers Odyssee* (Ü., 1781); *Homers Werke* (Ü., 4 Bde., 1793); *Luise* Idylle (1795).

Luise (Zweite Idylle)

Diese Idyllen erschienen in drei Teilen: die erste 1784 im »Hamburger Musen-Almanach«, die zweite ein Jahr zuvor ebenda, die dritte im »Teutschen Merkur«. Die Gattung Idylle (die etymologische Herleitung von griech. εἰδύλλιον, ›Bildchen‹, ist unrichtig, vgl. Böschenstein) hatte im 18. Jahrhundert als Natur- und Schäferidylle in den Werken vor allem Salomon Geßners (1730–88), Ewald von Kleists (1715–59) und Maler Müllers – dort auch als Bauernidylle – weite Verbreitung. »Luise« ist neben Goethes »Hermann und Dorothea« (1798) ein Beispiel für die bürgerliche Idyllendichtung, das bis ins 19. Jahrhundert viel gelesen wurde, trotz Hegels Kritik in der »Ästhetik«[1]. *Die Beschreibung bürgerlicher Lebensformen spiegelt eine soziale Wirklichkeit, die nicht nur dem 18. Jahrhundert zugehört. Die Definition Renate Böschensteins wird durch »Luise« verifiziert; sie bestimmt als Gegenstand der Gattung »Grundformen menschlicher Existenz [...] in einem*

---

1. *Georg Wilhelm Friedrich Hegel: Vorlesungen über die Ästhetik. 3. Teil. Hrsg. von Rüdiger Bubner. Stuttgart 1971. (Reclams UB Nr. 7985 [4]. S. 198 f.)*

beschränkten, aus den Bewegungen der Geschichte ausgesparten Raum«.

Der Besuch.

Rosig strahlt' in die Fenster des Mai's aufglühender
Morgen;
Daß ihr scheibiges Bild mit der Pfirsiche wankendem
Laube
Glomm an der Wand, und hellte des Alkovs grüne
Gardinen,
Wo dich, redlicher Greis, umschwebeten Träume der
Ahndung.
Durch den Schimmer geweckt, und den Schlag des
Kanarienvogels,
Rieb er froh die Augen sich wach, und faltete betend
Seine Hände zu Gott, der neue Kraft und Gesundheit
Ihm geschenkt zu Pflicht und Beruf, und in nächtlicher
Stille
Väterlich abgewandt von den Seinigen Feuer und Diebstahl.
Jetzo empor sich hebend am Bettquast, dreht' er sich
langsam
Um, und streckte die Hand, sein Ernestinchen zu wecken.
Aber die Stätte war leer. Da riß er den rauschenden
Vorhang
Auf, und sah durch die gläserne Thür' in der Stube den
Theetisch
Hingestellt, und geschmückt mit geriefelten Dresdener
Tassen:
Welche die häusliche Frau vornehmeren Gästen nur anbot,
Etwa dem Propst beim Kirchenbesuch, und der gnädigen
Gräfin,
Und wenn ihr Hochzeitfest sie erfreuete, und ein Geburts-
tag.
Auch das silberne Kaffeegeschirr, der gnädigen Gräfin

Patengeschenk, mit der Dos' und den schöngewundenen
　　　　　　　　　　Löffeln,
Blinkt' im rötlichen Glanz hochfeierlich; und in der Küche
Hört' er der knatternden Flamme Gesaus' und des
　　　　　　　　　　siedenden Kessels.
Zweimal zog er den Ring, daß hell in der Küche das
　　　　　　　　　　Glöcklein
Klingelte. Siehe da kam, im ehrbaren Schmucke der Haus-
　　　　　　　　　　frau,
Trippelnd die alte Mama, und sprach, die Lippen ihm
　　　　　　　　　　küssend:
　»Väterchen, wachst du schon? Da ich aufstand, schliefst
　　　　　　　　　　du so ruhig;
Und so leis' entschlüpft' ich dem Bett'; in der Hand die
　　　　　　　　　　Pantoffeln,
Ging ich auf Socken hinaus, und schloß den Drücker mit
　　　　　　　　　　Vorsicht.
Siehe, die Augen wie klar! Doch warte nur! gegen den
　　　　　　　　　　Hahnschrei
Hast du schon wieder im Traum mit gebrochener Stimme
　　　　　　　　　　gepredigt,
Auch geweint. So viel ich verstand, war die Red' an dem
　　　　　　　　　　Trautisch.«
　Freundlich die Hand ihr drückend, begann der redliche
　　　　　　　　　　Pfarrer:
»Richtig! getraut ward eben. Mein Text war: ›Willst du
　　　　　　　　　　mit diesem
Manne ziehn?‹ und die Bilder des Wegziehns machten mich
　　　　　　　　　　traurig.
Aber so innig es kränkt, ein solches Kind zu entlassen;
Wohnete nicht die Witwe das Gnadenjahr in dem Pfarr-
　　　　　　　　　　haus,
Allzusehr einengend die Kinderchen; oder ihr Weiber
Hättet nur erst aus dem Rohen gefertigt alle die Aussteu'r,
Linnen und Schränk' und Betten, und anderen Trödel der
　　　　　　　　　　Wirtschaft,

Was wohl Kind und Enkel nicht aufbraucht! Heute für-
wahr noch
Wollt' ich sie trau'n, und sagen: ›Seid fruchtbar, Kinder,
und mehrt euch!
Zeuch in Frieden, o Tochter, und sei die Krone des Mannes;
Denn ein tugendsam Weib ist edler, denn köstliche Perlen!
Thu ihm liebes dein lebenlang, und nimmer kein leides
Bis euch scheide der Tod!‹ – Nun, Mütterchen, nicht so
ernsthaft!
Sieh mich an! Wir selber verließen ja Vater und Mutter.
Hurtig den Schlafrock her, den festlichen neuen von
Damast;
Auch die Mütze von feinem Batist! denn ich muß ja
geschmückt sein,
Wann der Bräutigam kömmt von Seldorf, jenes berühmten
Hochfreiherrlichen Guts hochwohlehrwürdiger Pastor!
Horch! da blies ja die Post, und rasselte über den
Steindamm!«
Lächelnd erwiderte drauf die alte verständige Hausfrau:
»Männchen, das war in der Küche; Susanna windet ihr
Garn ab.«
Sprach's, und trat zur Kommode, der blankgebohnten
von Nußbaum,
Welche die Priesterbefchen, die Oberhemd' und die Ärmel
Ihres Gemahls einschloß, und die steifgefalteten Kragen,
Ihm ein Greul! auch den schönen und weitbewunderten
Taufschmuck,
Und die flitternden Kronen, gewünscht von den Bräuten
des Dorfes.
Jetzo fand sie die Mütz', und reichte sie. Dann zu dem
Schranke
Ging sie, den Schlafrock holend von blauem wollenem
Damast;
Über die Lehn' ihn breitend des Armstuhls, sagte sie also:
»Dehne dich noch ein wenig, mein Väterchen; denn zur
Gesundheit

Dienet es, saget der Arzt. Dann zieh mir die weicheren
                              Strümpf' an,
Welche Luise gestrickt aus Lämmerwolle des Marschlands;
Daß nicht kalte der Fuß; es ist noch kühlig des Morgens.
Auch dies seidene Tuch verehr' ich dir, welches Luise
Sonntags trug um den Hals, und dir schon lange bestimmte.
Liesest du erst ein wenig im Bett'? ein Kapitel der Bibel,
Dort auf der kleinen Riole* zur Seite dir; oder ein Leibbuch
Jener Zeit, da noch Menschen wie Washington lebten und
                              Franklin;
Oder den alten Homer, der so natürlich und gut ist?
Daß du es warm mitteilst bei dem Frühstück? Unsere Post
                              hat
Zeit! Des Verwalters Georg, der die Pferde bewacht in der
                              Koppel,
Meldet es, wann er das Blasen des Posthorns über dem
                              Wasser
Hört; dann schwingt sich der Weg noch weit herum nach
                              dem Dorfe.
Dort am Wald' ist ein Echo; da bläst der fröhliche Post-
                              knecht
Gerne sein Morgenlied, und den Marsch des Fürsten von
                              Dessau.«
  So, wohlmeinendes Sinnes, ermahnte sie. Aber der
                              Pfarrer
Hörete nicht; auf stand er, und redete, rasch sich bekleidend:
  »Mutter, wer kann nun lesen! Ich bin unruhig und lustig!
Wahrlich, er muß bald kommen! Georg hat etwa
                              geschlummert,
Oder auch selber ein Stück auf der Feldschalmei sich
                              gedudelt.
Stehet doch fest der Sand, da es regnete! Weiset die Uhr
                              nicht
Funfzig Minuten auf fünf? O wie oft dann las ich die
                              Zeitung!

---

* Ein Bord oder Fach, besonders für Bücher.

Hurtig das Becken gereicht, und das Handtuch! Glüht mir
das Antlitz
Nicht, als hätt' ich im Eifer geprediget, oder mit Walter
Über Europa geschwatzt und Amerika, jenes im Dunkel
Dies im tagenden Lichte der Menschlichkeit! Öffne das
Fenster!
Frische Luft ist dem Menschen so not, wie dem Fische das
Wasser,
Oder dem Geist frei denken, so weit ein Gedanke den Flug
hebt,
Nicht durch Bann und Gewalt zu den folgsamen Tieren
entwürdigt;
Ah! wie der labende Duft da hereinweht! und wie der
Garten
Blühet und blüht, von des Taus vielfarbigen Tropfen um-
funkelt!
Schau die Morell', und die Pflaum', und dort an der Planke
den kleinen
Apfelbaum, wie gedrängt er die rötlichen Knöpfchen
entfaltet!
Und den gewaltigen Riesen, den schneeweiß prangenden
Birnbaum!
Das ist Segen vom Herrn! Fürwahr, wie die Bienen und
Vögel,
Möchte man schwelgen im Duft: Herr Gott, dich loben wir!
singend!
Aber die Braut, wo bleibt sie? die sonst mit dem Hahne mir
aufsteht,
Und mir am Pult den Kaffee besorgt! Nichts hört' ich noch
trippeln
Über mir! Ganz gewiß, sie verschläft des Bräutigams
Ankunft!«
Ihm antwortete drauf die alte verständige Hausfrau:
»Mann, wie du reden kannst! Sie verschläft des Bräutigams
Ankunft?
Unsere rasche Luise? Gewiß, sie steht vor dem Spiegel,

Kleidet sich, ordnet ihr Haar in schlau erkünstelter Einfalt;
Ordnet die Lilaschleifen, das seidene Tuch, und den frischen
Blumenstrauß, holdlächelnd, und gern noch schöner sich
                                            machend.
Oder sie schlich in den Garten hinab, und beschaut die
                                            Aurikeln,
Unruhvoll, und rot im Gesicht, wie die Gluten des Himmels;
Blickt oft über den Zaun, und hört die Nachtigall
                                            schmettern
Unten am Bach, und hört, o mit klopfendem Herzen! das
                                            Posthorn.
Holla, wie lärmt Packan! Unfehlbar wird es Georg sein.«
   Kaum war geredet das Wort; da klingelt' es rasch, und
                                            Susanna
Öffnete; plötzlich erschien im Reisemantel der Eidam[1].
Aber vor Freude bestürzt und Verwunderung, eilten die
                                            Eltern,
Und: »Willkommen, mein Sohn! willkommen uns!« riefen
                                            sie herzlich,
Fest an die Brust ihn gedrückt, und Wang' und Lippen ihm
                                            küssend.
Sorgsam eilt' ihn Mama aus dem Reisegewand zu enthüllen,
Nahm ihm den Hut, und stellte den knotigen Stab in den
                                            Winkel.
Samt dem türkischen Rohr, das er mitgebracht für den
                                            Vater.
Thränend begannst du anitzt, ehrwürdiger Pfarrer von
                                            Grünau:
   »Gott sei gelobt, mein Sohn, der große Dinge gethan hat,
Und wie die Wasserbäche das Herz der Gemeine gelenket;
Daß Ihn all' einmütig erwähleten, Prediger Gottes
Ihnen zu sein, der Natur und der Menschlichkeit weiser
                                            Verkünder,
Die Abschattungen sind uns Endlichen, endloser Gottheit!

---

1. *Schwiegersohn.*

Üb' Er denn seinen Beruf mit Freudigkeit, stets wie Johannes
Lehrend das große Gebot: ›Liebt, Kindelein, liebt euch
einander!‹
Nicht durch eitelen Zank um Geheimnis, oder um Satzung,
Nahen wir Gott; nur Liebe, des Endloliebenden Ausfluß,
Schafft uns Vertraun und Glauben zum Heil des gesendeten
Helfers,
Der sein Wort mit dem Tode versiegelte! Religion sei
Uns zum Gedeihn, und nicht unthätiger Religion wir!
Solches aus Schrift und Vernunft einpredigend, selber ein
Beispiel,
Leucht' Er zu irdischem Wohl und himmlischem! – Nun
was ich sagen
Wollte: das Pfarrhaus, schreibt Er, ist hübsch, mit bequemen
Gemächern;
Aber das Obst nur gemein, und der Küchengarten voll
Unkraut.
Was die Menschen doch wunderlich sind! Wie leicht ist ein
Fruchtbaum
Hingepflanzt, der so reichlich die wenige Pflege belohnet!
Glaubt Er? Ich löse des Jahrs an hundert Thaler aus Back-
obst,
Und aus feinerem Obst, aus Pfirsichen, Pflaumen und
Äpfeln,
Pflänzlingen auch, und Spargel, und Blumenkohl und
Melonen!
Was? und den baren Gewinn, wie erhöht ihn die Lust,
durch Beispiel,
Rat und That, zum Fleiße das willige Dorf zu ermuntern!
Sohn, Er ehrt mein Geschenk: als Brautschatz nehm' Er den
Lüder*!«
Freundlich die Wang' ihm klopfend, begann die
verständige Hausfrau:

---

* Lüders Briefe vom Küchengarten. Verbesserungen der Landwirtschaft
verdankt manche protestantische Gegend den Erfahrungen geistlicher
Haushalter.

»Vater, du kommst auch sogleich mit der Wirtschaft! War
es die Nacht kalt,
Lieber Sohn? Wie verdrießlich Sein Predigeramt Ihn ein-
schränkt!
Nachts fünf Meilen zu fahren durch Tau und kältende
Nebel,
Seiner Braut zum Besuch, wie gewissenhaft! Konnte der
Küster
Doch zur Not die Gemein' aus dem redlichen Brückner*
erbauen!
Trinkt mein Sohn auch ein Gläschen fürs Nüchterne? oder
nur Kaffee?«
Ihr antwortete drauf der edle bescheidene Walter:
»Kaffee nur, liebe Mama. Mir ist schauderig; war es die
Nacht gleich
Heiter und schwül, und lockte die Nachtigall aus den
Gebüschen,
Während am Rande der Mond blutrot in Geduft hinabglitt,
Und vor dem Wetterleuchten die Pferd' oft stutzten am
Wagen.
Doch als eben der Tag andämmerte, weht' es empfindlich
Über den See, bis die Sonne, mit lieblichen Strahlen sich
hebend,
Grünaus Dächer beschien, den spitzigen Turm, und das
Pfarrhaus.
Langsam karrt' indessen der unbarmherzige Schwager
Durch den Kies; denn ein wenig zu stark aus dem Glase
vernüchtert,
Nickt' er beständig das Haupt; und zuletzt noch tränkt' er
die Pferde.
Auch der sinnige Schäfer, der dort die gehürdeten Schafe
Weidete, kroch nun erwacht aus den bretternen Hüttchen
auf Rädern;
Und wie dem belfernden Fix er nachsah, über die Augen

* Brückners Predigten für Ungelehrte [Neubrandenburg 1778/79,
2 Bde.] werden in vielen Dorfkirchen zum Vorlesen gebraucht.

Deckend die Hand; laut rief er, und jagete scheltend den
Hund weg:
›Gott zum Gruß, Herr Walter! Wie geht's? Willkommen in
Grünau!‹
Rief's, da er über die Brach' anrennete, drückte die Hand
mir
Kraftvoll, fragete viel, und freute sich, minder geschlank
mich
Wiederzusehn, und erzählte von Frau und Schafen und
Kindern,
Und von der neulichen Ostermusik, wo ich leider gefehlet.
Kaum ging weiter der Zug; da begegnete singend der Jäger,
Stutzt', und begann auflachend: ›Aha! der listige Waid-
mann,
Der uns das niedliche Reh wegbirscht*, die behende Luise!
Ganz im Vertraun! wir sandten ein schön Rehziemer** dem
Pastor,
Das sich herübergewagt von der Zucht des Eutinischen
Landes!‹
Fern dann grüßte der Fischer vom Bach, und zeigt' aus dem
Kahne
Einen gewaltigen Aal, der hell an der Sonne sich umwand.
Dicht am Dorfe begegneten noch ausziehende Pflüger,
Otto Rahn mit dem klugen Gesicht, und der jüngere Geldo,
Gruß und Gespräch anbietend. Doch schnell auf dem
rasselnden Steindamm
Flog ich vorbei, und enteilt', abspringend am Krug', um
den Kirchhof.
Hier ein türkisches Rohr, und echter Virginiaknaster,
Lieber Papa, der wie Balsam emporwallt. Schaun Sie, das
Rohr ist
Rosenholz, und der Kopf aus Siegelerde*** von Lemnos.«

---

* wegschießen.
** Das Rückenstück, besonders das hintere.
*** Ein feiner Ton, der, zur Bewährung der Echtheit, in versiegelten
Beuteln verkauft wird: terra sigillata.

Jener sprach's; und der Vater bewunderte, freudig
empfangend,
Wie so lang und gerade der Schoß des Rosengebüsches,
Blank von bräunlichem Lack, aufstieg mit der Mündung
des Bernsteins.
Laut nun erhobst du die Stimm', ehrwürdiger Pfarrer von
Grünau:
»Welch ein Rohr! O gewiß von dem Freund aus
Konstantinopel
Mitgebracht! Wie gewaltig! Bei Mohammed! über die
Scheitel
Raget es! Aber, mein Sohn, zu der Pfeif' Anzündung
bedarf es
Einer Cirkasserin wohl; und Er raubet mir meine Luise!
Auch in dem Lehnstuhl muß ich gestreckt ausruhn, wie ein
Mufti,
Und ein Vezier im Kaftan auf damascenischem Sofa!
Rasch, den Virginiaknaster geprüft! Weib, rufe Susanna,
Daß sie den Trank der Levant' einbring', und den brennen-
den Wachsstock.
Wecke mir auch die Luise! Das wittere ja der Propst nicht,
Daß ein Priester die Lippen entweiht mit dem türkischen
Greuel!«
Drauf mit ängstlicher Stimme begann der verlobte
Jüngling:
»Liebe Mama, ob Luise nicht wohl ist? Frühe ja pflegt sie
Aufzustehn, und Kaffee dem Väterchen einzuschenken.«
Lächelnd erwiderte drauf die alte verständige Hausfrau:
»Faul, mein Sohn! Ich wette, sie steckt noch tief in den
Federn.«
Sprach's, und eilte hinaus, und rief der treuen Susanna,
Die an dem Brunnenschwengel den tröpfelnden Eimer her-
aufzog:
»Hole die silberne Kann', und spute dich, liebe Susanna,
Daß du den Kaffee geklärt einbringst, und den brennenden
Wachsstock.

Nicht zu schwach, wie gesagt! der levantische haßt die
                    Verdünnung.
Setze die Kann' auf Kohlen mit Vorsicht, wenn du ihn
                    trichterst.
Flugs dann stich mir im Garten die neugeschossenen Spargel,
Schneid' auch jungen Spinat; wir nötigen, denk' ich, die
                    Herrschaft.
Käme nur Hedewig bald von den Milchkühn, ohne zu
                    plaudern;
Daß sie sogleich die Karauschen und Hechtlein holte vom
                    Fischer,
Und mir die Laub' ausharkt' und den Gang! Leicht ordnet
                    die Mahlzeit
Heute Papa dorthin, wo der Quell von gelegten Steinen
Niederrauscht in den Bach, und vorn die Kastanie blühet,
Und noch glänzet das Laub des gebogenen Erlenganges.
Siehe, wie rennend der Hahn vom gestapelten Holz mit den
                    Weibern
Futter ertrotzt, und die Enten vom Pfuhl, und die Glucke
                    mit Küchlein!
Habt doch Geduld! gleich bring' ich euch Haber und Klei'
                    in der Wanne!
Aber was schimmerte da so geschwind an dem Zaune vor-
                    über?
Schon ein Besuch? Ja wahrlich! Amalia kommt mit dem
                    Kleinen!«
Sprach's, und zur Pforte des Hofes enteilte sie; unter
                    dem Schauer
Hüpfte Packan frohknurrend hervor; und sie wehrte dem
                    Schmeicheln.
Also rief sie entgegen, die alte verständige Hausfrau:
»Kinder, so früh in die Luft? O denken Sie! meine Luise
Schläft noch fest wie ein Dachs; und der Bräutigam ist in
                    der Stube!
Treten Sie ein, ich wecke. Wie wird sich das Töchterchen
                    schämen!«

Also Mama; da klopft' in die Händ' Amalia lachend.
Aber sie dämpfte die Stimm', und redete, fröhliches Mutes:
»Ach unschuldiges Ding! schlaflos an den Bräutigam
                                        denkend
Lagst du; da schwand der Gedank' in des lieblichen
                                        Traumes Betäubung,
Unter den Brautmelodieen der Nachtigall! Mütterchen, laß
                                        mich!
Leise mit Kuß und Gelispel erweck' ich sie; und wenn sie
                                        aufstarrt:
Schmücke dich, spott' ich, mein Kind! dein Bräutigam
                                        harret mit Inbrunst!«
  Ihr mit drohendem Wink antwortete also die Mutter:
»Wo mir Amalia wagt, mein armes Kind zu verspotten!
Flink in die Stube hinein, und gegrüßt das junge Pastörchen!
Denn ihn gilt der Besuch doch eigentlich. Nicht zu
                                        geschäftig
Liebgekost um den Walter, ich red' im Ernste, mein
                                        Mädchen;
Daß sich die Braut an der Freundin nicht ärgere! Seid ihr
                                        vernünftig,
Kinder, so kommt arglos auf ein Stück Rehbraten zu
                                        Mittag,
Und auf ein freundlich Gesicht; ich werd' auch die
                                        gnädige Gräfin
Nötigen. Dann mir gelacht nach Herzenslust, und
                                        geplaudert:
Sei's in der Laub' am Bach, sei's unter dem blühenden Birn-
                                        baum,
Der beim leisesten Wind' uns weiß die Schüssel beregnet.
Aber, in aller Welt! was tragen Sie unter dem Mantel?«
  Und die gepriesene Gräfin Amalia sagte dagegen:
»Eya, wüßten Sie das, mein Mütterchen; gerne vielleicht
                                        wohl
Würde die Lust mir gegönnt, die Luis' aus dem Bette zu
                                        holen.

Einen Talar voll Würde, zur Festsamarie*, bring' ich,
Aus gewässertem Taft, und zwölf ansehnliche Beffchen.
Anziehn soll er es heut', um recht amtsmäßig und ehrbar
Auszusehn. Nur Schad' um die fehlende Priesterperücke,
Und das gekräuselte Rad! Gar lächerlich schreitet ein
                                         Neuling
Unter dem langen Gewand', und hebt den hindernden
                                      Saum auf.«
  So die fröhliche Gräfin Amalia; schnell dann entflog sie
Leichteres Gangs in die Stube, wo schon mit dem Greise der
                                    Jüngling
War in tiefem Gespräch von Gelehrsamkeit, und von der
                                    Zeitung.
Leise die Thür' aufschließend, wie abgewendet sie standen,
Sprang sie hinan, und grüßte den froh umschauenden
                                    Jüngling.
  Aber das Mütterchen stieg die Treppe hinauf nach der
                                    Kammer,
Wo die rasche Luise noch schlummerte; trat dann behutsam,
Auf den Zehn sich wägend, damit nicht knarrte der Boden.
Und sie erblickt' im Bette die rosenwangige Tochter,
Welche sich über der Deck' in völligem Schmucke gelagert,
Weiß, wie den gestrigen Tag, im rötenden Glanz der
                                    Gardine.
Jetzo, wie sanft ihr Kind aufatmete, stand sie betrachtend,
Neigte sich, küßte die Wang', und begann mit leisem
                                    Geflüster:
»Was? unartiges Kind, Langschläferin! träumst du noch
                                    jetzo,
Daß die Wangen dir glühn? und sogar in völligem Anzug?
Wahrlich allzu bequem! Hoch steht an dem Himmel die
                                    Sonne;
Längst auch zirpte die Schwalb', und der Sauhirt tutet im
                                    Dorf um;

---

* Die lange, vorn geschlossene Amtskleidung der Geistlichen.

Kinderchen, glaub' ich sogar, mit dem Frühstück gehn in
die Schule.
Mädchen, heraus! und mustre die frisch entfalteten Blumen;
Auch ob die Ros' in dem Topf am Morgenstrahl sich
geöffnet.
Binde den tauigen Strauß, und leg' ihn behend' in den
Alkov;
Daß dein Vater sich freu' und wundere, wann er erwachet,
Dann nach der Thäterin frag', und, wie artig du seist, dir
erzähle.
Dein geperletes Hühnchen hat schon im Stalle gegakelt;
Eil', und suche das Ei, eh dir's abhole der Iltis.
Aber du schläfst mir, Dirne, mit duftenden Blumen im
Zimmer!
Schädlich ja sind sie dem Haupte, zumal die Muskat-
hyacinthen!«
Also redete jene; da fuhr aus dem Schlafe die Jungfrau,
Blickte verstört umher, und seufzete tief aus dem Herzen.
Jetzo die glühende Wange dem Arm aufstützend, begann sie:
»Bist du's, liebe Mama? O wie kam das? Hat denn der
böse
Blumenduft mich betäubt? Ein Strauß am offenen Fenster,
Meint' ich, schadete nicht; und es sind fast lauter Aurikeln.
Gestern störte die Schwül' am Schlafe mich. Als nun der
Wächter:
Ein ist die Glock'! ausrief; mit Verdruß nun sprang ich
vom Lager,
Kleidete mich, und sahe die funkelnden Stern' aus dem
Fenster,
Vom anhauchenden Winde gekühlt, und die Gegend im
Mondschein:
Wo der Nachtigall Lied ringsum wetteifernd ertönte,
Und der Gesang auf der Bleich', und die einsame Flöte des
Schäfers;
Sahe des Thals grau ziehenden Duft, und des plätschernden
Baches

Helle Flut, und den Himmel von Wetterleuchten durch-
                                                schlängelt.
Endlich nahte der Schlaf; und niedergelegt in den Kleidern,
Schlummert' ich ein allmählich, und hört' im Traume noch
                                                immer
Nachtigallengesang, und der wehenden Linde Gesäusel.
Aber ein sehr unruhiger Schlaf! O du beste der Mütter,
Sage mir, ob an dem Walde Georg schon blasen gehöret!
Lag ich zu tief mit dem Haupte? Mir schlägt das Herz so
                                                gewaltig!«
    Lächelnd erwiderte drauf die alte verständige Hausfrau:
»Schlägt dir das liebe Herz, mein Töchterchen? Klas hat
                                                die Zeitung
Eben gebracht. Sie erzählt von Amerika, und von Gibraltar,
Auch von dem Parlement, und der Reise des heiligen Vaters.
Eiferig liest der Papa, und vergaß, sich die Pfeife zu
                                                stopfen.
Auch ist unten ein Brief an die Jungfrau Anna Luise;
Walters Hand, wie ich glaube; doch geb' ich's nicht für
                                                Gewißheit.«
    Wieder begann liebkosend die freundliche schöne Luise:
»Wirklich ein Brief? Du lächelst. O Mütterchen, sei nicht
                                                grausam!
Denke, was soll ich doch mit Amerika, oder Gibraltar,
Oder dem Parlement, und der Reise des heiligen Vaters?
Sage, du warst auch Braut! o sage mir, ist er schon unten?«
    Ihr antwortete drauf die alte verständige Hausfrau:
»Tochter, ich will dir's sagen, auf Ehrlichkeit. Eben besucht'
                                                uns
Einer im Reisegewand', und bracht' ein türkisches Rohr mit,
Rosenholz, und den Kopf aus Siegelerde von Lemnos,
Unserem Vater zur Lust: ein wohlgearteter Jüngling,
Hoch und schön von Gestalt, der gar nicht priesterlich aus-
                                                sieht.
Dieser erkundigte sich, wie Gebrauch ist, nach der
                                                Gesundheit

Unserer lieben Mamsell; auch Amalia, welche hereintrat,
Grüßt' er, wie lange bekannt. Komm selber, mein Kind, und
betracht' ihn.«
Also Mama; und im Taumel entsprang dem Lager die
Jungfrau,
Schmiegte die Arm' ihr fest um den Hals, und mit feurigen
Küssen
Unterbrach sie die Red', in dem Laut der Begeisterung
rufend:
»Mütterchen, freue dich doch! Du sollst auch die beste
Mama sein!
Sollst auch die Braut aufputzen, und tanzen auf unserer
Hochzeit!
Sollst auch selber noch Braut, und Bräutigam werden der
Vater!
Hurtig hinab, ihn zu sehen, den wohlgearteten Jüngling!«
Ihr antwortete drauf die alte verständige Hausfrau:
»Mädchen, du bist wahnsinnig! Zum Bräutigam geht man
ehrbar,
So war's Sitte vordem, mit niedergeschlagenen Augen!
Schwärmerin, willst du auf Socken hinabgehn? Ziehe die
Schuh' an!
Und wie das Halstuch hängt! Fi, schäme dich, garstige
Dirne!«
Also schalt die Mama; und das Töchterchen, lieblich
errötend,
Hüllete schnell in die Seide den schön aufwallenden Busen;
Schnallte sich dann, oft fehlend, mit zitternden Händen
die Schuhe
Fest um die zierlichen Füß', und enteilete. Bange vor
Sehnsucht
Flog sie die Stufen hinab; und die Treppenthüre sich
öffnend,
Kreischte sie auf; denn begrüßt von der wartenden
Freundin Gelächter,
Sank sie, ach! in die Arme des überseligen Jünglings.

KARL PHILIPP MORITZ

Geb. 15. September 1756 in Hameln, gest. 26. Juni 1793 in Berlin. Unglückliche Kindheit in armen Verhältnissen, 1763 Übersiedlung der Familie nach Hannover, 1768–70 Lehre bei einem Hutmacher in Braunschweig, 1771–76 Gymnasium Hannover, 1776–78 Wanderungen, Studium der Theologie in Erfurt und Wittenberg, 1778–86 Lehrer, später Konrektor des Gymnasiums zum Grauen Kloster in Berlin, 1782 Fußreise durch England, 1784 Gymnasialprofessor, 1786–88 Italienaufenthalt, in Rom Begegnung mit Goethe, 1789 Professor für Altertumskunde an der Kunstakademie Berlin, 1791 Mitglied der Akademie der Wissenschaften.
Werke: *Reisen eines Deutschen in England* (1783); *Magazin für Erfahrungsseelenkunde* (10 Bde., 1783–93); *Anton Reiser* R. (4 Bde., 1785–90); *Versuch einer deutschen Prosodie* (1786); *Über die bildende Nachahmung des Schönen* (1788).

Anton Reiser (Auszug)

»Anton Reiser. Ein psychologischer Roman« (4 Bde., 1785 bis 1790) schildert die Jugendzeit des Autors bis zum Beginn seines Studiums. Das Buch dürfte eines der ersten sein, das das Leben des »gemeinen Mannes«, der unteren Mittelschichten, literaturfähig macht. Der Textausschnitt gibt einen Einblick in die pietistisch-selbstgerechte Lebensführung eines Handwerksmeisters und der von ihm Abhängigen. Zugleich ist der Roman ein frühes Dokument intensiver psychologischer Selbstbeobachtung, in dieser Hinsicht der Autobiographie von Rousseaus »Les Confessions« vergleichbar. Unter dem Gesichtspunkt strenger literaturhistorischer Klassifizierung wäre Moritz entweder als Spätaufklärer zu bezeichnen (er wurde in Berlin Freimaurer) oder als Klassiker. Sein »Anton Reiser« wurzelt jedoch in den Erfahrungen der sechziger und siebziger Jahre, deren Bild er entwirft.

Es fing schon an, dunkel zu werden, als Anton mit seinem
Vater über die großen Zugbrücken, und durch die gewölb-
ten Tore in die Stadt B[raunschweig] einwanderte.
Sie kamen durch viele enge Gassen, vor dem Schlosse vor-
bei, und endlich über eine lange Brücke in eine etwas dunkle
Straße, wo der Hutmacher L[obenstein] einem langen öffentlichen Gebäude gegenüber wohnte.
Nun standen sie vor dem Hause. Es hatte eine schwärzliche
Außenseite, und eine große schwarze Tür, die mit vielen
eingeschlagenen Nägeln versehen war.
Oben hing ein Schild mit einem Hute heraus, woran der
Name L[obenstein] zu lesen war.
Ein altes Mütterchen, die Ausgeberin vom Hause, eröffnete
ihnen die Tür, und führte sie zur rechten Hand in eine
große Stube, die mit dunkelbraun angestrichnen Brettern
getäfelt war, worauf man noch mit genauer Not eine halb
verwischte Schilderung von den fünf Sinnen entdecken
konnte.
Hier empfing sie denn der Herr des Hauses. Ein Mann von
mittlern Jahren, mehr klein als groß, mit einem noch ziemlich jugendlichen aber dabei blassen und melancholischen
Gesichte, das sich selten in ein andres, als eine Art von
bittersüßem Lächeln verzog, dabei schwarzes Haar, ein
ziemlich schwärmerisches Auge, etwas Feines und Delikates
in seinen Reden, Bewegungen, und Manieren, das man sonst
bei Handwerksleuten nicht findet, und eine reine aber
äußerst langsame, träge und schleppende Sprache, die die
Worte, wer weiß wie lang zog, besonders wenn das Gespräch auf andächtige Materien fiel: auch hatte er einen
unerträglich intoleranten Blick, wenn sich seine schwarzen
Augenbrauen über die Ruchlosigkeit und Bosheit der Menschenkinder, und insbesondre seiner Nachbaren, oder seiner
eignen Leute, zusammenzogen.
Anton erblickte ihn zuerst in einer grünen Pelzmütze,
blauem Brusttuch und braunem Kamisol drüber, nebst einer
schwarzen Schürze, seiner gewöhnlichen Hauskleidung, und

es war ihm beim ersten Blick, als ob er in ihm einen strengen Herrn und Meister, statt eines künftigen Freundes und Wohltäters gefunden hätte.

Seine vorgefaßte innige Liebe verlosch, als wenn Wasser auf einen Funken geschüttet wäre, da ihn die erste kalte, trockne, gebieterische Miene seines vermeinten Wohltäters ahnden ließ, daß er nichts weiter, wie sein Lehrjunge sein werde.

Die wenigen Tage über, daß sein Vater dablieb, wurde noch einige Schonung gegen ihn beobachtet; allein sobald dieser abgereist war, mußte er ebenso, wie der andre Lehrbursch, in der Werkstatt arbeiten.

Er wurde zu den niedrigsten Beschäftigungen gebraucht; er mußte Holz spalten, Wasser tragen, und die Werkstatt auskehren.

Sosehr dies gegen seine Erwartungen abstach, wurde ihm doch das Unangenehme einigermaßen durch den Reiz der Neuheit ersetzt. Und er fand wirklich eine Art von Vergnügen, selbst beim Auskehren, Holzspalten, und Wassertragen.

Seine Phantasie aber, womit er sich alles dies ausmalte, kam ihm auch sehr dabei zustatten. – Oft war ihm die geräumige Werkstatt, mit ihren schwarzen Wänden, und dem schauerlichen Dunkel, das des Abends und Morgens nur durch den Schimmer einiger Lampen erhellt wurde, ein Tempel, worin er diente.

Des Morgens zündete er unter den großen Kesseln das heilige belebende Feuer an, wodurch nun den Tag über alles in Arbeit und Tätigkeit erhalten, und so vieler Hände beschäftiget wurden.

Er betrachtete dann dies Geschäft, wie eine Art von Amt, dem er in seinen Augen eine gewisse Würde erteilte.

Gleich hinter der Werkstatt floß die Oker, auf welcher eine Fülle[1] oder Vorsprung von Brettern zum Wasserschöpfen hinausgebauet war.

---

1. *Vom Ufer in den Fluß gebautes Gerüst zum Wasserschöpfen (Martens).*

Er betrachtete dies alles gewissermaßen als sein Gebiet -
und zuweilen, wenn er die Werkstatt gereinigt, die großen
eingemauerten Kessel gefüllt, und das Feuer unter denselben
angezündet hatte, konnte er sich ordentlich über sein Werk
freuen – als ob er nun einem jeden sein Recht getan hätte -
seine immer geschäftige Einbildungskraft belebte das Leb-
lose um ihn her, und machte es zu wirklichen Wesen, mit
denen er umging, und sprach.

Überdem machte ihm der ordentliche Gang der Geschäfte,
den er hier bemerkte, eine Art von angenehmer Empfindung, daß er gern ein Rad in dieser Maschine mit war, die
sich so ordentlich bewegte: denn zu Hause hatte er nichts
dergleichen gekannt.

Der Hutmacher L[obenstein] hielt wirklich sehr auf Ordnung in seinem Hause, und alles ging hier auf den Glocken-
schlag: Arbeiten, Essen, und Schlafen.

Wenn ja eine Ausnahme gemacht wurde, so war es in An-
sehung des Schlafs, der freilich ausfallen mußte, wenn des
Nachts gearbeitet wurde, welches denn wöchentlich wenigstens einmal geschahe.

Sonst war das Mittagsessen immer auf den Schlag zwölf, das
Frühstück morgens, und das Abendbrot abends um acht
Uhr, pünktlich da.

Dies war es denn auch, worauf bei der Arbeit immer gerechnet wurde – so verfloß damals Antons Leben: des Morgens von sechs Uhr an rechnete er bei seiner Arbeit aufs
Frühstück, das er immer schon in der Vorstellung schmeck-
te, und wenn er es erhielt, mit dem gesundesten Appetit
verzehrte, den ein Mensch nur haben kann, ob es gleich in
weiter nichts, als dem Bodensatz vom Kaffee, mit etwas
Milch, und einem Zweipfennigbrote bestand.

Dann ging es wieder frisch an die Arbeit, und die Hoffnung aufs Mittagsessen brachte wiederum neues Interesse in
die Morgenstunden, wenn die Einförmigkeit der Arbeit zu
ermüdend wurde.

Des Abends wurde jahraus, jahrein, eine Kalteschale von

starkem Biere gegeben. Reiz genug, um die Nachmittags-
arbeiten zu versüßen.

Und dann vom Abendessen an, bis zum Schlafengehen, war
es der Gedanke an die bald bevorstehende sehnlich ge-
wünschte Ruhe, der nun über das Unangenehme und Müh-
same der Arbeit, wieder seinen tröstlichen Schimmer ver-
breitete.

Freilich wußte man, daß den folgenden Tag der Kreislauf
des Lebens so von vorn wieder anfing. Aber auch diese zuletzt ermüdende Einförmigkeit im Leben, wurde durch die
Hoffnung auf den Sonntag wieder auf eine angenehme Art
unterbrochen.

Wenn der Reiz des Frühstücks, und des Mittags- und
Abendessens nicht mehr hinlänglich war, die Lebens- und
Arbeitslust zu erhalten, dann zählte man, wie lange es noch
bis auf den Sonntag war, wo man einen ganzen Tag von
der Arbeit feiern, und einmal aus der dunklen Werkstatt
vors Tor hinaus in das freie Feld gehen, und des Anblicks
der freien offnen Natur genießen konnte.

Oh, welche Reize hat der Sonntag für den Handwerks-
mann, die den höheren Klassen von Menschen unbekannt
sind, welche von ihren Geschäften ausruhen können, wenn
sie wollen.

»Daß deiner Magd Sohn sich erfreue!« – Nur der Hand-
werksmann kann es ganz fühlen, was für ein großer, herrlicher, menschenfreundlicher Sinn in diesem Gesetze
liegt! –

Wenn man nun auf einen Tag Ruhe von der Arbeit schon
sechs Tage lang rechnete, so fand man es wohl der Mühe
wert, auf drei oder gar vier Feiertage nacheinander, ein
Dritteil des Jahres zu rechnen.

Wenn selbst der Gedanke an den Sonntag oft nicht mehr
fähig war, den Überdruß an dem Einförmigen zu verhin-
dern, so wurde durch die Nähe von Ostern, Pfingsten, oder
Weihnachten der Lebensreiz wieder aufgefrischt.

Und wenn dies alles zu schwach war, so kam die süße

Hoffnung an die Vollendung der Lehrjahre, an das Ge
sellenwerden hinzu, welche alles andre überstieg, und ein
neue große Epoche ins Leben brachte.

Weiter ging nun aber auch der Gesichtskreis bei Anton
Mitlehrburschen nicht – und sein Zustand war dadurch ge
wiß um nichts verschlimmert.

Nach einer allgütigen und weisen Einrichtung der Dinge
hat auch das mühevolle, einförmige Leben des Handwerks
mannes, seine Einschnitte und Perioden, wodurch ein ge
wisser Takt und Harmonie hereingebracht wird, welche
macht, daß es unbemerkt abläuft, ohne seinem Besitzer eben
Langeweile gemacht zu haben.

Aber Antons Seele war durch seine romanhaften Ideen ein
mal zu diesem Takt verstimmt.

Dem Hause des Hutmachers grade gegenüber war ein
lateinische Schule, die Anton zu besuchen vergeblich ge
hofft hatte – sooft er die Schüler heraus- und hineingehen
sahe, dachte er mit Wehmut an die lateinische Schule, und
an den Konrektor in H[annover] zurück – und wenn er
gar etwa vor der großen Martinsschule vorbeiging, und die
erwachsenen Schüler herauskommen sahe, so hätte er alle
darum gegeben, dies Heiligtum nur einmal inwendig be
trachten zu können.

Einmal eine solche Schule besuchen zu dürfen, hielt er
zwar bei seinem jetzigen Zustande beinahe für unmöglich
demohngeachtet aber konnte er sich einen schwachen
Schimmer von Hoffnung dazu nicht ganz versagen.

Selbst die Chorschüler schienen ihm Wesen aus einer höhern
Sphäre zu sein; und wenn er sie auf der Straße singen
hörte, konnte er sich nicht enthalten, ihnen nachzugehen
sich an ihrem Anblick zu ergötzen, und ihr glänzende
Schicksal zu beneiden.

Wenn er mit seinem Mitlehrburschen in der Werkstat
alleine war, suchte er ihm alle die kleinen Kenntnisse mit
zuteilen, welche er sich teils durch eignes Lesen, und teils
durch den Unterricht, den er genossen, erworben hatte.

Er erzählte ihm vom Jupiter und der Juno, und suchte ihm den Unterschied zwischen Adjektivum und Substantivum deutlich zu machen, um ihn zu lehren, wo er einen großen Buchstaben, oder einen kleinen setzen müsse.

Dieser hörte ihm denn aufmerksam zu, und zwischen ihnen wurden oft moralische und religiöse Gegenstände abgehandelt. Antons Mitlehrbursche war bei diesen Gelegenheiten vorzüglich stark in Erfindung neuer Wörter, wodurch er seine Begriffe bezeichnete. So nannte er z. B. die Befolgung der göttlichen Befehle, die *Erfüllikeit Gottes*. – Und indem er vorzüglich die religiösen Ausdrücke des Herrn L[obenstein] von Ertötung, usw. nachzuahmen suchte, geriet er oft in ein sonderbares Galimathias[2].

Mit vorzüglichem Nachdruck wußte er sich einiger Stellen aus den Psalmen Davids, worin eben keine sanftmütigen Gesinnungen gegen die *Feinde* geäußert werden, zu bedienen, wenn er glaubte, durch die Haushälterin oder jemand anders, angeschwärzt und verleumdet zu sein.

So waren fast alle Hausgenossen mehr oder weniger von den religiösen Schwärmereien des Herrn L[obenstein] angesteckt, ausgenommen der Geselle. Dieser warf ihm, wenn er ihm manchmal zuviel von Ertötung und Vernichtung schwatzte, einen solchen tötenden und vernichtenden Blick zu, daß Herr L[obenstein] sich mit Abscheu wegwandte, und stillschwieg.

Sonst konnte Herr L[obenstein] zuweilen stundenlange Strafpredigten gegen das ganze menschliche Geschlecht halten. Mit einer sanften Bewegung der rechten Hand teilte er dann Segen und Verdammnis aus. Seine Miene sollte dabei mitleidsvoll sein, aber die Intoleranz und der Menschenhaß hatten sich zwischen seinen schwarzen Augenbrauen gelagert.

Die Nutzanwendung lief denn immer, politisch genug, darauf hinaus, daß er seine Leute zum Eifer und zur Treue –

2. *Geschwätz, Unsinn.*

in seinem Dienste ermahnte, wenn sie nicht ewig im höllischen Feuer brennen wollten.

Seine Leute konnten ihm nie genug arbeiten – und er machte ein Kreuz über das Brot und die Butter, wenn er ausging.

Dem Anton, der ihm vielleicht nicht gnug arbeiten konnte, verbitterte er sein Mittagsessen durch tausend wiederholte Lehren, die er ihm gab, wie er das Messer und die Gabel halten, und die Speise zum Munde führen sollte, daß diesem oft alle Lust zum Essen verging; bis sich der Geselle einmal nachdrücklich seiner annahm, und Anton doch nun in Frieden essen konnte. –

Übrigens aber durfte er es auch nicht wagen, nur einen Laut von sich zu geben, denn an allem, was er sagte, an seinen Mienen, an seinen kleinsten Bewegungen, fand L[obenstein] immer etwas auszusetzen; nichts konnte ihm Anton zu Danke machen, welcher sich endlich beinahe in seiner Gegenwart zu gehen fürchtete, weil er an jedem Tritt etwas zu tadeln fand. – Seine Intoleranz erstreckte sich bis auf jedes Lächeln, und jeden unschuldigen Ausbruch des Vergnügens, der sich in Antons Mienen oder Bewegungen zeigte: denn hier konnte er sie einmal recht nach Gefallen auslassen, weil er wußte, daß ihm nicht widersprochen werden durfte.

Während der Zeit wurden die ganz verblichnen fünf Sinne an dem schwarzen Getäfel der Wand wieder neu überfirnißt – die Erinnerung an den Geruch davon, welcher einige Wochen dauerte, war bei Anton nachher beständig mit der Idee von seinem damaligen Zustande vergesellschaftet. Sooft er einen Firnisgeruch empfand, stiegen unwillkürlich alle die unangenehmen Bilder aus jener Zeit in seiner Seele auf; und umgekehrt, wenn er zuweilen in eine Lage kam, die mit jener einige zufällige Ähnlichkeiten hatte, glaubte er auch, einen Firnisgeruch zu empfinden.

IV. Dramatik

*Die Dramatik des Sturm und Drang ist formal gekenn-
zeichnet durch die theoretisch begründete und praktisch
vollzogene Abkehr von der klassischen Lehre der »drey-
fachen Einheit«. Diese Doktrin, die auf die Poetik des
Aristoteles zurückgeht und in Deutschland am nachdrück-
lichsten von Gottsched verfochten worden war, besagt, daß
ein Drama in Handlung, Zeit und Ort einheitlich sein
müsse. Es darf nur ein Geschehen ablaufen, es muß sich
innerhalb von vierundzwanzig Stunden bei unveränderter
Lokalität begeben.*

*Welche Leistung diese Absage an die herrschende Konven-
tion des Theaters bedeutete, wird durch einen Blick auf
Gerstenbergs »Ugolino« anschaulich, der trotz der theoretischen Berufung seines Verfassers auf Shakespeare noch im
Jahre 1768 formal im Banne des Klassizismus steht. Die
ersten wichtigen Vertreter des neuen dramatischen Stils
waren Goethe, Lenz und Klinger. Goethes Schauspiel »Götz
von Berlichingen mit der eisernen Hand« (1773), deutlicher
aber bereits die Urfassung »Geschichte Gottfriedens von
Berlichingen mit der eisernen Hand. Dramatisiert« (1771)
ist das erste maßgebliche Beispiel der neuen Dramaturgie:
die Handlung spielt in annähernd fünfzig verschiedenen
Bildern auf Götzens Schloß, im Walde, am Hofe des Fürstbischofs von Bamberg und in Heilbronn, sie erstreckt sich
über die Dauer eines Menschenlebens und kreist nicht nur
um Götz selbst, sondern um Weislingen, um politische und
kriegerische Händel. Den gleichen dramaturgischen Prinzi-
pien folgt »Urfaust« (»Faust in ursprünglicher Gestalt«),
der 1887 von Erich Schmidt entdeckt wurde und vermutlich vor Goethes Übersiedlung nach Weimar 1775 entstand.*

Lenz folgte dem bewunderten Vorbild Goethe mit seinen

Komödien »Der Hofmeister« (1774), »Die Freunde machen
den Philosophen«, »Der neue Menoza« und »Die Soldaten«
(1776). Die Kritik an zeitgenössischen Verhältnissen, an der
Aufklärung, an der Haltung und Stellung des Adels und
des Militärs ist pointierter als bei Goethe, die Handlung
bisweilen noch verwickelter, gar unübersichtlich. Die Bezeichnung dieser Stücke als Komödien macht den Abstand
zur Aufklärung deutlich: hatte es sich dort, in der sächsi-
schen Typenkomödie etwa, um die Demonstration menschlicher Schwächen, sogenannter Laster, gehandelt, deren
Darstellung zu ihrer Behebung und damit zur Beförderung
allgemeiner Tugend beitragen sollte, so stellen die Komödien von Lenz weit prinzipieller soziale Einrichtungen,
Denkgewohnheiten und herrschende Überzeugungen in
Frage. Daß ihm selbst ebenso wie dem Zuschauer nicht immer ganz wohl war bei der Gattungsbezeichnung Komödie,
zeigt sein Brief an Johann Georg Zimmermann vom März
1776, in dem er sie für die »Soldaten« zurücknimmt.

Das Bild der Dramatik der siebziger Jahre wird entschei-
dend mitbestimmt von Klinger. Seine »geniale« Begabung,
die ihn zum Beispiel »Das leidende Weib« innerhalb von
vier Tagen zu Papier bringen ließ, die Leidenschaftlichkeit
seiner Gestalten, die Atmosphäre der von unkontrollierten
Einfällen beherrschten Ereignisse und Handlungswendun-
gen, die Kraftmeierei eines Wild in »Sturm und Drang« –
all das prägte das Bild nicht nur Klingers selbst, sondern
überhaupt der Geniezeit. Der Charakter seiner Kunst wird
vielleicht am sinnfälligsten durch einen Vergleich seines
Trauerspiels »Die Zwillinge« mit dem von Johann Anton
Leisewitz »Julius von Tarent«: was hier sorgsam aufge-
baute, in den einzelnen Motivationen minuziös begründete
Handlungsführung leistet, überzeugte schon die Zeitgenossen als Äußerung psychologisierender Motivationskunst
weit stärker als Klingers von den Emotionen eines mono-
manischen Charakters bestimmtes, bühnenwirksames Stück,
das vor dem Werk von Leisewitz das von der Ackermann-

*Schröderschen Schauspielgesellschaft ausgesetzte Honorar
gewann.*

*Eine Randfigur unter den Dramatikern der Epoche ist
Heinrich Leopold Wagner, dessen bekanntestes Stück »Die
Kindermörderin« (1776) zwar auch realistische Elemente
aufweist – die getreuliche Schilderung kleinbürgerlicher
Lebensumstände, die Konfrontation verschiedener Sprach-
schichten –, das aber weder in den einzelnen Szenen noch
im Aufbau mit den Stücken von Lenz und Goethe vergli-
chen werden kann.*

*Um sieben bis zehn Jahre jünger als die anderen Dramati-
ker des Sturm und Drang, ist Schiller ein Nachzügler. »Die
Räuber« erschienen 1781 in einem Augenblick, da die Produktion von Lenz bereits versiegt, da Klinger längst Leutnant in russischen Diensten ist und da Goethe an seinen
klassischen Dramen »Iphigenie« und »Tasso« zu arbeiten
beginnt. Gleichwohl sind »Die Räuber« und »Kabale und
Liebe« dem Sturm und Drang zuzurechnen; jenes Drama
wegen seiner die dramaturgischen Errungenschaften der
literarischen Revolution nutzenden Struktur (zwei fast be-
ziehungslos nebeneinanderher laufende Handlungen, die
Mißachtung der Einheit von Zeit und Ort) und das andere
Stück vor allem wegen der scharfen Kritik am Absolutis-
mus (Kammerdienerszene, Darstellung des Hoflebens).*

HEINRICH WILHELM VON GERSTENBERG

Geb. 3. Januar 1737 in Tondern (Schleswig), gest. 1. November 1823 in
Altona, Sohn eines dänischen Rittmeisters. 1757–59 Studium der Rechte
in Jena, 1760 im dänischen Militärdienst, gab 1762 die moralische
Wochenschrift *Der Hypochondrist* heraus und 1766/67 die *Briefe über
Merkwürdigkeiten der Literatur*, 1765–71 in Kopenhagen, Umgang mit
Klopstock, nahm 1771 seinen Abschied, 1775–83 dänischer Konsul in
Eutin, Freundschaft mit Johann Heinrich Voß, seit 1786 in Altona,
1789–1812 Justizdirektor des Lottos ebenda.

Werke: *Briefe über Merkwürdigkeiten der Literatur* (3 Bde., 1766/67)
Gedicht eines Skalden (1766); *Ugolino* Tr. (1768).

Ugolino (3. Aufzug)

»Ugolino. Eine Tragödie in fünf Aufzügen« erschien anonym bei Cramer in Hamburg und Bremen 1768. Die
Handlung greift eine im 33. Gesang von Dantes *»Inferno«*
berichtete Episode aus der Auseinandersetzung zwischer
Guelfen und Ghibellinen im 13. Jahrhundert auf: Gra
Ugolino Gherardesca wird mit seinen drei Söhnen, dem
20jährigen Francesco, dem 13jährigen Anselmo und dem
6jährigen Gaddo von Erzbischof Ruggieri in einen Turm
zu Pisa gesperrt und dort dem Hungertode preisgegeben
Gerstenberg drängt das Geschehen auf eine Nacht zusammen; er befolgt durchaus die Regel der drei Einheiten. E
kommt ihm auf die Darstellung der Leidenschaften an
seine Gestalten durchlaufen alle Möglichkeiten der Affekte
von zärtlicher Vaterliebe und standhafter Männlichkeit bi
zu den Exzessen des Hungers und der ins Äußerste getrie
benen Verzweiflung. Das historische Thema hätte Gelegen
heit geboten, die politische Wirklichkeit in den italienische
Stadtstaaten des Mittelalters zum Hintergrund eines hand
lungsreichen Dramas zu machen – so etwa verfährt Goeth
im *»Götz«* – Gerstenberg aber schreibt ein Drama de
Emotionen; er verzichtet zugleich auf die Demonstratio
eines moralischen Satzes, die Gottsched in seinem *»Versuc
einer critischen Dichtkunst«* als *»Hauptabsicht«* der Tragö
die gefordert hatte. Bedeutsam ist *»Ugolino«* vermöge sei
ner literaturhistorischen Stellung: einerseits ist das Stüc
noch dem klassizistischen Regelkanon verpflichtet, anderer
seits bemüht es sich um die Anknüpfung an Shakespeare
einerseits finden sich Elemente barocker Rhetorik, anderer
seits eine bisweilen heftige, bisweilen empfindsame Sprach
der Leidenschaften und Gefühle.*

DRITTER AUFZUG

Gaddo in einer Ecke des Zimmers schlafend. Einige Männer tragen zween Särge über das Theater, die sie Gaddo gegenüber hinstellen, daß nur der vorderste gesehn wird. Gaddo erwacht und betrachtet ihn mit vieler Aufmerksamkeit.

G a d d o. Dieser große Kasten sieht natürlich aus wie ein Totenkasten. Wenn ich den Kasten betrachte, richtet sich mein Haar ganz langsam in die Höhe; weh mir! und ein Fieber klappert in meinen Zähnen! Holla! spricht hier niemand als der kranke Gaddo? *(Es wird ein starkes Pochen im vordersten Sarge gehört.)* Ach, heilige Jungfrau! was ist das? *(Eine dumpfichte Stimme ruft Gaddo! Gaddo!)* Hilf mir! mein Vater! Mein Vater! Anselmo!

U g o l i n o *(ohne die Särge zu sehn).* Was ist dir, Gaddo?

G a d d o. O mir! Die Gebeine haben sich geregt! rufen: Gaddo! Gaddo!

A n s e l m o *(im Hereinlaufen).* Wartet, wartet, ihr Männer. Nehmt mich und Gaddo auch mit. Wir sind Francescos Brüder. *(Stößt auf den Sarg.)* Ah!

U g o l i n o *(sieht sich nach Anselmo um).* Welch ein Traum ist dies? Ein Sarg? *(Pochen im Sarg. Ugolino tritt zurück.)* Nun, beim wunderbaren Gott! das ist seltsam! *(Die Stimme ruft Hülfe!)* Der Deckel dieses Sarges ist nicht befestigt. *(Er hebt den Deckel auf und fährt zurück.)* Ha! *(Francesco steigt heraus. Nachdem sie einander lange mit Erstaunen betrachtet haben, fällt Francesco seinem Vater zu Füßen.)*

F r a n c e s c o. Der Blinde lehnte sich wider den Sehenden auf. Ich bin bestraft, mein Vater.

U g o l i n o. Ich erwartete nicht, dich so wiederzusehen. Wo bist du gewesen?

F r a n c e s c o. Wollte Gott, ich dürfte nicht sagen, im Hause Gherardescas.

U g o l i n o. Du erfandst einen Sprung vom Turme; Ruggieri eine neue Art, dich wieder herzubringen: wer unter euch beiden ist der sinnreichste, mich zu quälen?

Francesco. Dies ist so strenge – so erstaunlich strenge, mein Vater –

Ugolino. Du warst frei. Die Kühnheit deiner Unternehmung ließ mich hoffen, daß der Ausgang *weniger* schimpflich sein würde. In einen Sarg rafft man Gherardescas Erstgebornen; und er vergißt seiner Hände – Doch ich tue dir Unrecht, du brauchtest sie zum Pochen im Sarge.

Francesco. Ich erdulde deine Streiche ohne Murren.

Ugolino. Murren, Knabe? Wer bist du? Ha?

Francesco. Dein Sohn, mein Vater; ein zwanzigjähriger Jüngling; nie bisher von dir verachtet; und ich wage hinzuzusetzen, noch itzt deiner Verachtung nicht würdig –

Ugolino. Redseliger! Der Hülflose, der in diesem Kasten wimmerte, sollte bescheidner sprechen. Ich habe keine Geduld mit dir. Geh zurück, wo du hergekommen bist.

Francesco. Und bald! meine Sprache soll dich nicht lange beleidigen. Ah! kann Gherardesca ungerecht gegen seinen Francesco sein? Anselmo, er muß nicht wissen, wie ungerecht er ist.

Anselmo. Francesco, ich hatte alle meine besten Hoffnungen auf dich gesetzt, und du nennst unsern Vater ungerecht? Ach Gaddo! wir sind betrogen! wir sind betrogen! *(Ringt die Hände.)*

Gaddo. Gib mir Speise, Francesco, oder ich sterbe!

Anselmo. Speise her! Speise! Francesco! Ich bin standhaft gewesen, weil ich auf deine Zusage baute. Aber nun kann ich's nicht länger aushalten, Gott ist mein Zeuge!

Ugolino. Oh, es dringt tief in die Seele! Unglücklicher was hast du gemacht!

Anselmo. Gaddo wird dich vor Gottes Richterstuhl verklagen, wenn du ihn hier verschmachten lässest.

Gaddo. Ach ich Verlaßner! soll ich denn Hungers sterben?

Francesco. Es ist grausam! oh, es ist grausam! Der

Gott, den ihr zum Zeugen wider euren Bruder anruft, er weiß es, daß ich unschuldig bin.

A n s e l m o. Was kümmert mich deine Unschuld? Solltest du zurückkommen, ohne einen Bissen Brot für deine hungernden Brüder mitzubringen, du?

G a d d o. Er weint, Anselmo. Vielleicht ist er unschuldig. Gott vergebe ihm, daß er uns betrogen hat!

A n s e l m o. Sprich wenigstens, teurer Francesco! sprich, daß der Turmwärter noch einmal, nur einmal! kommen wird! Du hast Empfindung, mein Bruder: ach, bei allen Heiligen im Himmel! sprich, daß du den Turmwärter zu deinen armen Brüdern hergewiesen hast!

F r a n c e s c o. Nichts, nichts darf ich sagen! Wenn der große Erbarmer nicht einen Engel vom Himmel herabschickt, euch Speise zu bringen, ach so – so –

U g o l i n o. Daß ein Todesengel vom Himmel herabsteige, deine Zunge zu lähmen, der du meine fürchterlichen Ahndungen zur Wahrheit machst! Verstumme, verstumme auf ewig!

F r a n c e s c o. Warum fluchst du mir, mein Vater? Was ich dir zu erzählen hatte, würde warme Tränen hervorlocken: darum verschwieg ich's; und stille sei mein Geheimnis wie das Grab.

U g o l i n o. Komm seitwärts. Was hattest du mir zu erzählen?

F r a n c e s c o. Nichts.

U g o l i n o. Seit wann bin ich dir der Schwache, dem du sein Unglück verbergen müßtest?

F r a n c e s c o. Du bist Mensch, Gemahl und Vater.

U g o l i n o. Ha! du hast deine Mutter gesehn? Hurtig! sie ist doch sicher?

F r a n c e s c o. Ihr Friede ist unzerstörbar.

U g o l i n o. Das ist mehr als das Los einer Sterblichen. Sprich deutlicher. Deine weggewandte Augen, diese Glut auf deiner Stirne sind treuere Erzähler als deine Lippen. Du ängstigst mich.

F r a n c e s c o. Frage mich nicht, Vater.

U g o l i n o. Keine Geheimnisse, junger Mensch!

A n s e l m o *(schreit erschrocken).*

U g o l i n o. Schon wieder? was nun, Anselmo?

A n s e l m o. Ach! Sieh! sieh! mein Vater!

U g o l i n o. Wo? was?

A n s e l m o. Wenn mich kein Gesicht täuscht, so steht hier noch ein Sarg.

F r a n c e s c o. Anblick des Entsetzens! den Sarg kenn ich!

U g o l i n o *(tritt herzu)*. Lebt's in diesem Sarge auch? *(Will den Deckel abschieben: Francesco hält ihm den Arm.)*

F r a n c e s c o. Tu es nicht, mein bester, mein teurer Vater!

U g o l i n o. Nicht? nicht?

F r a n c e s c o. Um Gottes willen! Ich will dir alles erzählen.

U g o l i n o *(reißt sich von ihm los und schiebt den Deckel ab)*. Mein Weib! o Himmel und Erde!

F r a n c e s c o. Warum zerschmetterte ich mir nicht das Gehirn? Warum zerstieben die Sturmwinde den Spreu nicht? Warum ward ich geboren? *(Reißt sich die Haare aus.)*

A n s e l m o *(wirft sich bei Gaddo auf den Boden hin und verhüllt sich das Gesicht).*

U g o l i n o. Sie schweigt. Bleich ist ihr schöner Mund. Kalt der Schnee ihrer Brust.

F r a n c e s c o. Kann ich's, muß ich's überleben?

U g o l i n o. Ach nein! nein! du bist nicht tot! Beim Himmel! ich will's nicht glauben! *(Er faßt Francesco vor die Brust.)* Verderben ergreife dich, du Todesbote! Warum ließest du mich nicht zweifelhaft? Warum brachtest du diese unseligste Gewißheit vor meine Augen? Warum kamst du, wie das Grab gerüstet, meine goldnen Träume zu verscheuchen?

F r a n c e s c o. Dein Raub – und des Todes – zerreiße mich vollends.

U g o l i n o. Nicht einsam stand ich da und schaute von meinem Turme herab. Ich war stolz: denn ich hoffte. Ein lieblicher Betrug. Verderben ergreife dich, du Todesbote! *(Schüttelt ihn heftig.)*

F r a n c e s c o. Vollende dein Werk; du hast mich dem Verderben gezeugt.

U g o l i n o *(zum Sarge gehend).* Und ist sie tot? O Gianetta! bist du tot? Tot? tot?

F r a n c e s c o. Rede du zu unserm Vater, Anselmo. Rede zu ihm.

U g o l i n o. Was hier? Mein Bild an ihrem Herzen? Ach! sie war lauter Liebe und erhabne Gütigkeit! Sie vergab mir mit dem letzten stillen Seufzer ihres Busens. Es ist feucht, dies Bild; feucht von ihrem Sterbekuß. *(Er küßt das Bild.)* Und küßte meine Gianetta ihren Ugolino in der richterlichen Stunde? Wie freundlich war das! wie ganz Gianetta! Ihr Tod muß sanft gewesen sein, mein lieber Francesco.

F r a n c e s c o. Ihr Tod war ein sanfter Tod.

U g o l i n o. Gott sei gelobt! Ihr Tod war ein sanfter Tod. Ich danke dir, Francesco. Sie küßte ihren Ugolino in der Stunde ihres sanften Todes. Aber sieh her, Francesco. Dies Bild gleicht deinem Vater nicht recht. Das Auge ist zu hell, die Backe zu rot und voll. Ihr seid die Abdrücke dieses Bildes; aber keine Wange unter diesen Wangen ist rot und voll. Ihr seid blaß und hohl, wie die Geister der Mitternachtstunde. Ihr gleicht diesem Ugolino, nicht dem. Ah! ich muß *hieher* sehen.

F r a n c e s c o. Wir sind vergnügt, mein Vater, wenn du zu uns redest.

U g o l i n o. Daß sie mein Bild an ihrem Herzen trug; daß sie sich ihres Ugolino nicht schämte, mein Sohn, als sie vor ihre Schwester Engel hintrat; daß sie mit ihrem Sterbekusse meine Flecken abwusch: ach liebes Kind! wie erheitert mich das! wie gütig, wie herablassend war es! Aber sie hat mich immer geliebt. Kein pisanisches Mäd-

chen hat zärter geliebt. Sie war die liebreichste ihres
Geschlechts.

Francesco. Und hier diese diamantne Haarnadel, mein
Vater, mit der sie nur an dem Jahresfeste ihrer Vermäh-
lung ihr duftendes Haar zu schmücken pflegte –

Ugolino. Es ist mein Angebinde. Geschmückt wie eine
Braut entschlief meine Gianetta. Sie lud mich ein: hier
liegt ein Brief an ihrem keuschen Busen. Nie ist ein Lie-
besbrief geschrieben worden wie dieser. Ha! es ist meine
Hand! Der letzte Brief, den ich aus diesem elenden Auf-
enthalte an sie schrieb! *(Er will den Brief nehmen; Francesco springt zu und zerreißt ihn.)*

Francesco. Du mußt den Brief nicht sehn, mein Vater –

Ugolino. Den Brief?

Francesco. Er ist furchtbar wie der Tod! Die Natter
hat ihn getränkt.

Ugolino. Mein Brief?

Francesco. Tod ist sein Hauch.

Ugolino. Mein Brief?

Francesco. Er fiel durch die Treulosigkeit des Turm-
wärters in Ruggieris Hände: du weißt genug.

Ugolino. Richter im Himmel! –

Francesco. Nie hat die Hölle einen giftigern Aspik an
des Arno versengten Strand ausgeworfen, als der Gherardescas Worte zur Pest machte.

Ugolino. O ich erliege! Mein Brief?

Francesco. Sie trank die Züge deiner werten Hand in
sich – ah Getäuschte! Sie drückte den geliebten, verräitri-
schen, vergifteten Brief an ihr Herz –

Ugolino. Widerrufe, Francesco.

Francesco. Ungefürchtet wirkte die verborgne Natter
fort: in jede Nerve, in jede kleinste Blutader, in jeden
liebevollesten ihrer Blicke sandte Ruggieri seinen Tod,
und mit dem trübentfliehenden Tage, früher als der
Abend sich neigte, eilte ihr Geist zum Himmel auf.

U g o l i n o. Widerrufe, junger Mensch; widerrufe deine
Verleumdungen. Mein Brief, sagst du? – Wehe mir! dem
Gedanken erlieg ich!

F r a n c e s c o. Ich habe dir noch zu wenig gesagt. Daß ein
Blitz Gottes den Verruchten in den untersten Pfuhl der
Vergiftung hinunterschleudre! hinunter! wo scheußliche
Dünste siebenfachen Tod brüten; wo das Antlitz der
Natur von Vulkanen und Pestilenzen versehrt ist! daß
sein Leib verdorre wie eine Otterhaut, und eine Ge-
wissensangst nach der andern seine Seel' ergreife! Ach
mein Vater! mein Vater! *(Er umfaßt seines Vaters Knie
ängstlich.)*

U g o l i n o. Ich errate. Deine starren Blicke in wilder Ver-
wirrung, dein straubichtes Haar, deine schlotternden
Kniee, die aschgraue Verzweiflung deines Angesichts, jeder Ton, jede Bewegung lehrt mich, daß noch eine Nachricht ist, vor der die Menschlichkeit zurückbebt. Verbirg
sie, mein Sohn, verbirg sie diesen Schwachen. Und du,
Francesco, sei standhaft.

F r a n c e s c o. Mein Kelch ist geleert. Wie glücklich, wenn
deine und meiner Brüder Leiden mir in die Grube folgten! Könnt' ich sie mit dir teilen, mein Vater, so wär' ich
beneidenswürdig!

U g o l i n o. Du bist ein edler Jüngling. Vergib mir, ich
kannte deinen Wert nie bis itzt.

A n s e l m o *(greift Gaddo wild an)*. Wir sind betrogen!

G a d d o. Ist's denn meine Schuld?

U g o l i n o. Dieser Knabe ist heftig wie ein Mann.

(Anselmo geht ab.)

Rede, Francesco. Komm her. Erst laß uns diesen Sarg
verschließen. Ruhe wohl, heiliger Staub, bald will ich deiner würdiger sein. Genug. Nun rede.

F r a n c e s c o. Ah, Gherardesca! Du hast der Schritte noch
viele bis ans Ziel! und schwere!

U g o l i n o. Gherardesca soll sie tun. Sei nicht traurig. Wie
weiter?

F r a n c e s c o. Was kann ich? was darf ich sagen?

U g o l i n o. Ist das Todesurteil über dich und deine Brüder gesprochen?

F r a n c e s c o. Du wirst fallen, wie der Stamm einer Eiche, alle deine Äste um dich her gebreitet.

U g o l i n o. Ist es über dich und deine Brüder gesprochen?

F r a n c e s c o. Gesprochen über alle! Vollzogen an mir!

U g o l i n o. Wie meinst du das?

F r a n c e s c o. Ich bin zu glücklich. Ich habe meinen Kelch geleert.

U g o l i n o. Man hat dir einen Giftbecher gereicht?

F r a n c e s c o. Ich habe ihn geleert.

U g o l i n o *(mit starken Schritten auf und ab gehend)*. Es gibt mancherlei Todesarten, mein Sohn. Kein Geschöpf ist sinnreicher, Todesarten zu erfinden, als der Mensch. Ich will dir nur eine nennen. Der Erzfeind hätte seine Freude daran finden können, mir ein Glied nach dem andern absägen zu lassen, erst die Gelenke an den Zehen, dann die Füße, dann die Beine, dann die Schenkel; so stünde ich Torso da: und nun setzte man mir das zackichte Eisen an die Finger, die Hände, die Arme, eins nach dem andern, mit Ruhezeiten, daß der Zeitvertreib nicht zu kurz dauerte; ganz zuletzt zerstieße man mir, nicht aus Mitleid! das wunde Herz, bis ich in meinem Blute erläge, das mit viel Schweiß herabbränne, aber nicht mit Tränen! Wie könnt' ich weinen? Man sollte denken, dieser Tod sei schon unterhaltend genug: allein der Erzfeind hat's besser überlegt. Hier würde ich an meinem eignen Fleische leiden: eine Kleinigkeit! Ich soll in meinen Kindern langsam sterben, eine volle Weide an eurer Marter nehmen und dann fallen! Mein Weib mußte erst fallen, durch die Worte meiner Liebe fallen, in diesem Sarge hergeschickt werden, du ihr Vorläufer, dem Tode geopfert, aber später zum Grabe reif! O es ist der Hölle so würdig! Doch ich will nicht murren! Aber warum mußten diese Unschuldigen leiden? Warum du? warum mein Weib? warum durch den großen Verführer? womit hatt' ich ihn beleidigt? Pisa konnte mich strafen, um Pisa hatt' ich's verdient: aber womit um ihn? Ich hielt ihn für meinen Freund; ich hätt' ihn lieben können; allein sein teuflisches Herz enthüllte sich mir zu bald. O schändliche Eifersucht über einen dreimal schändlichern Gegenstand! Fürchtete er, daß ich Ruggieri sein könnte, wenn ich Ruggieris Macht hätte? Heimtückischer, zähneblöckender Neid! Erstgeborner der Hölle! und Erstgefallner! Aber warum mußt' ich durch den großen Neider fallen? warum er nicht? warum reichte die Vorsehung ihm, unter allen Verworfensten der Schöpfung nur ihm – nur ihm – nur ihm – o es verwundet jeden Gedanken meiner Seele! – warum nur ihm ihre Geißel?

Francesco. Um das Maß seiner Verdammnis ganz voll zu füllen.

Ugolino. Ist es denn wahr, himmlischer Vater! Doch nein! nein! ich will nicht murren! Rechtfertige du die Wege der Vorsicht.

Francesco. Innerhalb einer Stunde hoff' ich's zu können.

Ugolino. Innerhalb einer Stunde! Glücklicher Francesco! Ich sollte mich dieser Stunde freuen. Wie konnte Ruggieri den menschlichen Gedanken fassen, deinen Tod zu beschleunigen? Es ist wundervoll, ich gesteh es.

Francesco. Bist du stark genug, meine traurige Erzählung zu hören?

Ugolino. Ich glaube, daß ich sie hören kann.

Francesco. Im Taumel meiner Wonne, Pisas Pflaster noch einmal zu betreten, floh ich augenblicklich dem Palaste meiner Mutter zu. Alle Wände hallten von der Wehklage ihrer Frauen. Ich blieb nicht lange im Zweifel. Blind vom Schrecken stürzte ich vor der Schwelle nieder. Als ich erwachte, sah ich das Zimmer voll hagerer, hohnblickender Gesichter, Ruggieri war nicht unter ihnen. Ich wollt' entspringen, da ich mich umringt sah: allein ich

war von ihren Riechwassern, wie sie sie nannten, schwind-
licht und krank. Man riß mir die Kleider auf; man bot
mir einen Becher mit kühlem Getränke dar; ich trank;
meine Geister waren verwirrt. Neue Ohnmachten über-
fielen mich, und da ich endlich die Augen öffnete,
herrschte stille Nacht um mich her, ich fühlte mich
schweben, in einem engen Raume und atmete schwerer:
wo ich aber war, konnt' ich nicht erkennen. Lange vernahm ich nur ein undeutliches Geräusch in meinen Ohren:
zuletzt eine Stimme. O diese Stimme! Noch zittre ich. Sie
hatte mich versteinert, daß ich den Gebrauch meiner
Sinne verlor, bis ich wie im Traume Gaddo reden hörte.

U g o l i n o. Was sagte diese Stimme?

F r a n c e s c o. Verlange nicht, es zu erfahren.

U g o l i n o. Da ich das Ärgste weiß?

F r a n c e s c o. Wahr ist's. »Ich erwarte euch hier unten«,
zischelte sie. »Ich will den Turmschlüssel selbst in den
Arno werfen. Was droben ist, gehört der Verwesung:
kein lebendiger Mensch soll diese Stufen nach uns betreten. Es müssen noch Schlupfwinkel im Turm sein«, sprach
sie lauter; »verwahrt sie: *denn der Turm ist von dieser
Stund an verflucht! ein Gebeinhaus!*« –

U g o l i n o. Und verflucht die Stimme, die diese Un-
menschlichkeit aussprach! O Pisa! Schandfleck der Erde!
geschieht das in deinen Mauren? Ich will der unerhörten
Bosheit itzt nicht weiter nachsinnen. Es könnte die Weisheit selbst wahnsinnig machen. *(Geht gedankenvoll.)* Sollen meine armen Kinder zu meinen Füßen verhungern?
Verhungern? Hast du jemals dies greuliche Wort: Verhungern! recht überdacht, Francesco?

F r a n c e s c o. Sprich es nicht aus, mein Vater!

U g o l i n o. Selbst Verhungern zu milde! Verhungern sehn!
Meine Kinder verhungern sehn! Und dann verhungern!
Das ist das große Gericht! Und bin ich! ich Gherardesca!
ich der Sieger! ich, der ich einen Fürsten zu ehren schien,
wenn ich ihn meiner Rechten an meiner Tafel würdigte!

bin ich bestimmt den Tod des Hungers zu sterben? Doch
stille! Ich will, ich will des Schändlichsten, o dieses
Schändlichsten Freveltücke nicht nachsinnen! Aber ach!
wie bedaure ich dich, mein Francesco!

F r a n c e s c o. Mich?

U g o l i n o. Dich. Hast du mir alles erzählt?

F r a n c e s c o. Alles, alles.

U g o l i n o. Keinen kleinsten Umstand verschwiegen?

F r a n c e s c o. Keinen. Verlaß dich drauf.

U g o l i n o. Überlege es wohl.

F r a n c e s c o. Keinen, keinen, mein Vater; nicht den min-
desten.

U g o l i n o. So bedaure ich dich! Bei allem, was heilig ist,
ich bedaure dich!

F r a n c e s c o. Du setzest mich in Verwundrung.

U g o l i n o. Was für Grund hattest du, zu hoffen, daß der
Becher, den man dir reichte, ein Giftbecher sei?

F r a n c e s c o. Er kam von Ruggieri. Was konnt' er sonst
sein?

U g o l i n o. Siehst du? Du trautest Ruggieri Menschlichkeit und Gefühl zu. Nein, nein, mein Sohn, es war ein
Erquicktrank; ich kenn ihn besser.

F r a n c e s c o. Ha! wenn dem so wäre! ich dürfte mit
meinem Vater ganz ausdulden! gewürdigt sein, ihn zu
trösten und zu ermuntern! die Stütze seines reifern
Elends! der Teilnehmer seiner Leiden! Ach ich wäre beneidenswürdig! Ich kann's nicht glauben!

U g o l i n o. Francesco, was du mir itzt sagst, ist der emp-
findlichste Vorwurf, den mir je ein Sterblicher gemacht
hat.

F r a n c e s c o. Ich zittre.

U g o l i n o. Wie sehr hab ich dich verkannt! Dein Herz
ist ein erhabnes Herz, Francesco! Ich bewundre dich. Ich
betrachte dich mit Entzücken.

F r a n c e s c o. Nur dein Herz ist erhaben, mein Vater. Ich
bin eigennützig. Doch wage ich nicht, es zu hoffen. Mein

Leben neigt sich; ich fühl es zu sehr.

U g o l i n o. Überreste deiner Ohnmacht – Du warst in einen Sarg gepreßt.

F r a n c e s c o. Gesegnet, gesegnet seist du mir, bester Vater! Du machst mich noch einmal glücklich!

U g o l i n o. Laß uns diese Unterredung abbrechen, du große Seele; sie rührt mich zu sehr.

F r a n c e s c o. Wollen wir jenen Sarg nicht entfernen, der itzt meine Augen nur ärgert? Ich hoff ihn noch lange nicht zu bewohnen.

U g o l i n o. Ich bin's zufrieden. *(Sie tragen Francescos Sarg ab.)*

JOHANN WOLFGANG GOETHE

Götz von Berlichingen mit der eisernen Hand
(1. Akt. Herberge im Wald)

Zwischen Ende Oktober und Anfang Dezember 1771 schrieb Goethe das Schauspiel »Geschichte Gottfriedens von Berlichingen mit der eisernen Hand. Dramatisiert«, den sogenannten »Urgötz«, der erst 1833, nach Goethes Tod, im Druck erschien. Der hier wiedergegebene Text folgt der bekanntesten Fassung, die 1773 anonym und ohne Angabe des Druckortes als »Götz von Berlichingen mit der eisernen Hand. Ein Schauspiel« erschien. Die Uraufführung fand am 12. April 1774 in Berlin statt. Es existiert außerdem eine Bühnenbearbeitung, die Goethe 1804 in Weimar zur Aufführung brachte.
Die Fabel des Dramas geht auf die Autobiographie des fränkischen Reichsritters Götz von Berlichingen (um 1480 bis 1562) zurück, die 1731 bei Felßecker in Nürnberg erschien. Das Stück wurde mitverantwortlich für die Mode der Ritterdramen und -romane, die bis in die Romantik

*reichte. Wäre der Begriff nicht bereits durch Brecht besetzt,
so ließe sich von einem »epischen Theater« sprechen: ihm
fehlt die Zuspitzung einer dramatischen Konfrontation in
einer Pointe, die polyphone Verwicklung mehrerer Handlungen in einer Szene. Statt dessen werden Schauplätze und
Gespräche aneinandergereiht. Goethe vermeidet ihre Bezeichnung als »Szene« oder »Auftritt« – man kann von
»Bildern« sprechen – obschon er die Einteilung in Akte
(im »Urgötz« heißen sie noch »Aufzüge«) beibehält.*

*Das zweite Bild des ersten Aktes »Herberge im Wald«
unterscheidet sich denn auch nicht nur in seiner Bezeichnung von der klassischen Szene des Dramas, die eingeleitet
und beendet wurde durch den Auftritt oder Abgang einer
Person, sondern durch seinen Aufbau; es besteht eigentlich
aus drei Szenen und wirkt, isoliert betrachtet, fast wie ein
Dramenakt. Sein Mittelstück konfrontiert zwei Personen,
die man als Repräsentanten verschiedener Erziehungsideale
ansehen kann: man kann das im Klosterbruder Martin ver-
körperte, den mönchischen Regeln unterworfene Leben dem
Erziehungsideal des aufgeklärten 18. Jahrhunderts zuord-
nen, das in nicht ganz so schroffer, säkularisierter Weise die
Heranbildung möglichst beherrschter, uniformer Menschen
erstrebte. Hauptgegner dieser Pädagogik waren, wie im
Kloster, die natürlichen Triebe, und ihr Ziel war, überspitzt
gesagt, der Pedant. In Götz erscheint demgegenüber und
darüber hinaus eine »Persönlichkeit« auf der Bühne, die
gerade durch die Kultivierung angeborener (natürlicher),
individueller Eigenschaften überzeugt.*

Herberge im Wald

Götz (*vor der Tür unter der Linde*). Wo meine Knechte
 bleiben! Auf und ab muß ich gehen, sonst übermannt
 mich der Schlaf. Fünf Tag und Nächte schon auf der
 Lauer. Es wird einem sauer gemacht, das bißchen Leben

und Freiheit. Dafür, wenn ich dich habe, Weislingen, will ich mir's wohl sein lassen. *(Schenkt ein.)* Wieder leer! Georg! Solang's daran mir mangelt und an frischem Mut, lach ich der Fürsten Herrschsucht und Ränke. – Georg! – Schickt ihr nur euern gefälligen Weislingen herum zu Vettern und Gevattern, laßt mich anschwärzen. Nur immer zu. Ich bin wach. Du warst mir entwischt, Bischof! So mag denn dein lieber Weislingen die Zeche bezahlen. – Georg! Hört der Junge nicht? Georg! Georg!

D e r B u b e *(im Panzer eines Erwachsenen)*. Gestrenger Herr!

G ö t z. Wo stickst du? Hast du geschlafen? Was zum Henker treibst du für Mummerei? Komm her, du siehst gut aus. Schäm dich nicht, Junge. Du bist brav! Ja, wenn du ihn ausfülltest! Es ist Hansens Küraß?

G e o r g. Er wollt ein wenig schlafen und schnallt' ihn aus.

G ö t z. Er ist bequemer als sein Herr.

G e o r g. Zürnt nicht. Ich nahm ihn leise weg und legt ihn an, und holte meines Vaters altes Schwert von der Wand, lief auf die Wiese und zog's aus.

G ö t z. Und hiebst um dich herum? Da wird's den Hecken und Dornen gutgegangen sein. Schläft Hans?

G e o r g. Auf Euer Rufen sprang er auf und schrie mir, daß Ihr rieft. Ich wollt den Harnisch ausschnallen, da hört ich Euch zwei-, dreimal.

G ö t z. Geh! bring ihm seinen Panzer wieder und sag ihm, er soll bereit sein, soll nach den Pferden sehen.

G e o r g. Die hab ich recht ausgefüttert und wieder aufgezäumt. Ihr könnt aufsitzen, wann Ihr wollt.

G ö t z. Bring mir einen Krug Wein, gib Hansen auch ein Glas, sag ihm, er soll munter sein, es gilt. Ich hoffe jeden Augenblick, meine Kundschafter sollen zurückkommen.

G e o r g. Ach gestrenger Herr!

G ö t z. Was hast du?

G e o r g. Darf ich nicht mit?

G ö t z. Ein andermal, Georg, wann wir Kaufleute fangen

und Fuhren wegnehmen.

Georg. Ein andermal, das habt Ihr schon oft gesagt. O diesmal! diesmal! Ich will nur hintendreinlaufen, nur auf der Seite lauern. Ich will Euch die verschossenen Bolzen wiederholen.

Götz. Das nächstemal, Georg. Du sollst erst ein Wams haben, eine Blechhaube und einen Spieß.

Georg. Nehmt mich mit! Wär ich letzt dabei gewesen, Ihr hättet die Armbrust nicht verloren.

Götz. Weißt du das?

Georg. Ihr warft sie dem Feind an Kopf, und einer von den Fußknechten hob sie auf; weg war sie! Gelt ich weiß?

Götz. Erzählen dir das meine Knechte?

Georg. Wohl. Dafür pfeif ich ihnen auch, wann wir die Pferde striegeln, allerlei Weisen und lerne sie allerlei lustige Lieder.

Götz. Du bist ein braver Junge.

Georg. Nehmt mich mit, daß ich's zeigen kann!

Götz. Das nächstemal, auf mein Wort. Unbewaffnet wie du bist, sollst du nicht in Streit. Die künftigen Zeiten brauchen auch Männer. Ich sage dir, Knabe, es wird eine teure Zeit werden: Fürsten werden ihre Schätze bieten um einen Mann, den sie jetzt hassen. Geh, Georg, gib Hansen seinen Küraß wieder und bring mir Wein. *(Georg ab.)* Wo meine Knechte bleiben! Es ist unbegreiflich. Ein Mönch! Wo kommt der noch her?

(Bruder Martin kommt.)

Götz. Ehrwürdiger Vater, guten Abend! woher so spät? Mann der heiligen Ruhe, Ihr beschämt viel Ritter.

Martin. Dank Euch, edler Herr! Und bin vor der Hand nur demütiger Bruder, wenn's ja Titel sein soll. Augustin mit meinem Klosternamen, doch hör ich am liebsten Martin, meinen Taufnamen.

Götz. Ihr seid müde, Bruder Martin, und ohne Zweifel durstig! *(Der Bub kommt.)* Da kommt der Wein eben recht.

M a r t i n. Für mich einen Trunk Wasser. Ich darf keinen
Wein trinken.

G ö t z. Ist das Euer Gelübde?

M a r t i n. Nein, gnädiger Herr, es ist nicht wider mein
Gelübde, Wein zu trinken; weil aber der Wein wider
mein Gelübde ist, so trinke ich keinen Wein.

G ö t z. Wie versteht Ihr das?

M a r t i n. Wohl Euch, daß Ihr's nicht versteht. Essen und
trinken, mein ich, ist des Menschen Leben.

G ö t z. Wohl!

M a r t i n. Wenn Ihr gegessen und getrunken habt, seid Ihr
wie neu geboren; seid stärker, mutiger, geschickter zu
Euerm Geschäft. Der Wein erfreut des Menschen Herz,
und die Freudigkeit ist die Mutter aller Tugenden. Wenn
Ihr Wein getrunken habt, seid Ihr alles doppelt, was Ihr
sein sollt, noch einmal so leicht denkend, noch einmal so
unternehmend, noch einmal so schnell ausführend.

G ö t z. Wie ich ihn trinke, ist es wahr.

M a r t i n. Davon red ich auch. Aber wir –

(Georg mit Wasser.)

G ö t z *(zu Georg heimlich)*. Geh auf den Weg nach Dachs-
bach, und leg dich mit dem Ohr auf die Erde, ob du
nicht Pferde kommen hörst, und sei gleich wieder hier.

M a r t i n. Aber wir, wenn wir gegessen und getrunken
haben, sind wir grad das Gegenteil von dem, was wir
sein sollen. Unsere schläfrige Verdauung stimmt den
Kopf nach dem Magen, und in der Schwäche einer über-
füllten Ruhe erzeugen sich Begierden, die ihrer Mutter
leicht über den Kopf wachsen.

G ö t z. Ein Glas, Bruder Martin, wird Euch nicht im
Schlaf stören. Ihr seid heute viel gegangen. *(Bringt's ihm.)*
Alle Streiter!

M a r t i n. In Gottes Namen! *(Sie stoßen an.)* Ich kann die
müßigen Leute nicht ausstehen; und doch kann ich nicht
sagen, daß alle Mönche müßig sind; sie tun, was sie können. Da komm ich von St. Veit, wo ich die letzte Nacht

schlief. Der Prior führte mich in den Garten; das ist nun ihr Bienenkorb. Vortrefflicher Salat! Kohl nach Herzens Lust! und besonders Blumenkohl und Artischocken, wie keine in Europa!

G ö t z. Das ist also Eure Sache nicht. *(Er steht auf, sieht nach dem Jungen und kommt wieder.)*

M a r t i n. Wollte, Gott hätte mich zum Gärtner oder Laboranten gemacht! ich könnte glücklich sein. Mein Abt liebt mich, mein Kloster ist Erfurt in Sachsen; er weiß, ich kann nicht ruhn; da schickt er mich herum, wo was zu betreiben ist. Ich geh zum Bischof von Konstanz.

G ö t z. Noch eins! Gute Verrichtung!

M a r t i n. Gleichfalls.

G ö t z. Was seht Ihr mich so an, Bruder?

M a r t i n. Daß ich in Euern Harnisch verliebt bin.

G ö t z. Hättet Ihr Lust zu einem? Es ist schwer und beschwerlich ihn zu tragen.

M a r t i n. Was ist nicht beschwerlich auf dieser Welt! und mir kommt nichts beschwerlicher vor, als nicht Mensch sein dürfen. Armut, Keuschheit und Gehorsam – drei Gelübde, deren jedes, einzeln betrachtet, der Natur das Unausstehlichste scheint, so unerträglich sind sie alle. Und sein ganzes Leben unter dieser Last, oder der weit drückendern Bürde des Gewissens mutlos zu keuchen! O Herr! was sind die Mühseligkeiten Eures Lebens, gegen die Jämmerlichkeiten eines Standes, der die besten Triebe, durch die wir werden, wachsen und gedeihen, aus mißverstandener Begierde Gott näher zu rücken, verdammt?

G ö t z. Wär Euer Gelübde nicht so heilig, ich wollte Euch bereden, einen Harnisch anzulegen, wollt Euch ein Pferd geben, und wir zögen miteinander.

M a r t i n. Wollte Gott, meine Schultern fühlten Kraft, den Harnisch zu ertragen, und mein Arm Stärke, einen Feind vom Pferd zu stechen! – Arme schwache Hand, von jeher gewohnt, Kreuze und Friedensfahnen zu führen und Rauchfässer zu schwingen, wie wolltest du Lanze

und Schwert regieren! Meine Stimme, nur zu Ave und
Halleluja gestimmt, würde dem Feind ein Herold meiner
Schwäche sein, wenn ihn die Eurige überwältigte. Kein
Gelübde sollte mich abhalten wieder in den Orden zu
treten, den mein Schöpfer selbst gestiftet hat!

Götz. Glückliche Wiederkehr!

Martin. Das trinke ich nur für Euch. Wiederkehr in
meinen Käfig ist allemal unglücklich. Wenn Ihr wieder-
kehrt, Herr, in Eure Mauern, mit dem Bewußtsein Eurer
Tapferkeit und Stärke, der keine Müdigkeit etwas an-
haben kann, Euch zum erstenmal nach langer Zeit, sicher
vor feindlichem Überfall, entwaffnet auf Euer Bette
streckt und Euch nach dem Schlaf dehnt, der Euch besser
schmeckt als mir der Trunk nach langem Durst: da
könnt Ihr von Glück sagen!

Götz. Dafür kommt's auch selten.

Martin *(feuriger)*. Und ist, wenn's kommt, ein Vor-
schmack des Himmels. – Wenn Ihr zurückkehrt, mit der
Beute Eurer Feinde beladen, und Euch erinnert: den
stach ich vom Pferd, eh er schießen konnte, und den
rannt ich samt dem Pferde nieder, und dann reitet Ihr zu
Euerm Schloß hinauf, und –

Götz. Was meint Ihr?

Martin. Und Eure Weiber! *(Er schenkt ein.)* Auf Gesundheit Eurer Frau! *(Er wischt sich die Augen.)* Ihr
habt doch eine?

Götz. Ein edles vortreffliches Weib!

Martin. Wohl dem, der ein tugendsam Weib hat! des
lebt er noch eins so lange. Ich kenne keine Weiber, und
doch war die Frau die Krone der Schöpfung!

Götz *(vor sich)*. Er dauert mich! Das Gefühl seines Standes frißt ihm das Herz.

Georg *(gesprungen)*. Herr! ich höre Pferde im Galopp!
Zwei! Es sind sie gewiß.

Götz. Führ mein Pferd heraus! Hans soll aufsitzen. –
Lebt wohl, teurer Bruder, Gott geleit Euch! Seid mutig

und geduldig. Gott wird Euch Raum geben.

M a r t i n. Ich bitt um Euern Namen.

G ö t z. Verzeiht mir. Lebt wohl! *(Er reicht ihm die linke Hand.)*

M a r t i n. Warum reicht Ihr mir die Linke? Bin ich die ritterliche Rechte nicht wert?

G ö t z. Und wenn Ihr der Kaiser wärt, Ihr müßtet mit dieser vorliebnehmen. Meine Rechte, obgleich im Kriege nicht unbrauchbar, ist gegen den Druck der Liebe unempfindlich: sie ist eins mit ihrem Handschuh; Ihr seht, er ist Eisen.

M a r t i n. So seid Ihr Götz von Berlichingen! Ich danke dir, Gott, daß du mich ihn hast sehen lassen, diesen Mann, den die Fürsten hassen und zu dem die Bedrängten sich wenden! *(Er nimmt ihm die rechte Hand.)* Laßt mir diese Hand, laßt mich sie küssen!

G ö t z. Ihr sollt nicht.

M a r t i n. Laßt mich! Du, mehr wert als Reliquienhand, durch die das heiligste Blut geflossen ist, totes Werkzeug, belebt durch des edelsten Geistes Vertrauen auf Gott!

G ö t z *(setzt den Helm auf und nimmt die Lanze).*

M a r t i n. Es war ein Mönch bei uns vor Jahr und Tag, der Euch besuchte, wie sie Euch abgeschossen ward vor Landshut. Wie er uns erzählte, was Ihr littet, und wie sehr es Euch schmerzte, zu Eurem Beruf verstümmelt zu sein, und wie Euch einfiel, von einem gehört zu haben, der auch nur *eine* Hand hatte und als tapferer Reitersmann doch noch lange diente – ich werde das nie vergessen.

(Die zwei Knechte kommen.)

G ö t z *(zu ihnen. Sie reden heimlich).*

M a r t i n *(fährt inzwischen fort).* Ich werde das nie vergessen, wie er im edelsten einfältigsten Vertrauen auf Gott sprach: »Und wenn ich zwölf Händ hätte und deine Gnad wollt mir nicht, was würden sie mir fruchten? So kann ich mit *einer*« –

G ö t z. In den Haslacher Wald also. *(Kehrt sich zu Martin.)* Lebt wohl, werter Bruder Martin. *(Küßt ihn.)*

M a r t i n. Vergeßt mich nicht, wie ich Euer nicht vergesse.

(Götz ab.)

M a r t i n. Wie mir's so eng ums Herz ward, da ich ihn sah. Er redete nichts, und mein Geist konnte doch den seinigen unterscheiden. Es ist eine Wollust, einen großen Mann zu sehn.

G e o r g. Ehrwürdiger Herr, Ihr schlaft doch bei uns?

M a r t i n. Kann ich ein Bett haben?

G e o r g. Nein, Herr! ich kenne Betten nur vom Hörensagen, in unsrer Herberg ist nichts als Stroh.

M a r t i n. Auch gut. Wie heißt du?

G e o r g. Georg, ehrwürdiger Herr!

M a r t i n. Georg! da hast du einen tapfern Patron.

G e o r g. Sie sagen, er sei ein Reiter gewesen; das will ich auch sein.

M a r t i n. Warte! *(Zieht ein Gebetbuch hervor und gibt dem Buben einen Heiligen.)* Da hast du ihn. Folge seinem Beispiel, sei brav und fürchte Gott! *(Martin geht.)*

G e o r g. Ach ein schöner Schimmel! wenn ich einmal so einen hätte! – und die goldene Rüstung! – Das ist ein garstiger Drach – Jetzt schieß ich nach Sperlingen – Heiliger Georg! mach mich groß und stark, gib mir so eine Lanze, Rüstung und Pferd, dann laß mir die Drachen kommen!

Götter, Helden und Wieland. Eine Farce

Die literatursatirische Farce entstand nach Goethes Aussage in »Dichtung und Wahrheit« im Herbst 1773 »eines Sonntags Nachmittags [...] bei einer Flasche guten Burgunders in Einer Sitzung«. Sie wurde im März 1774 veröffentlicht. Anlaß ist Wielands »Alceste«, ein Singspiel, das er auf Veranlassung der Herzogin Anna Amalia 1773 geschrieben hatte. Es geht zurück auf die Tragödie »Alkestis« (438 v. Chr.) von Euripides und verfolgt die Absicht, griechische Traditionen für das 18. Jahrhundert nach den geltenden klassizistischen Normen fruchtbar zu machen. In seiner vom 1. Januar 1773 an erscheinenden Zeitschrift »Der Teutsche Merkur« hatte Wieland fünf »Briefe an einen Freund über das Singspiel« veröffentlicht, in denen er die Vorzüge seines Werkes gegenüber der Tragödie des Euripides hervorhob. Hiergegen wendet sich Goethes Satire: er sieht in den Änderungen Wielands eine Verkleinerung antiker Kraft und Größe, eine Verfälschung der Substanz. Was die Sturm und Drang-Autoren an der Antike bewunderten, war etwas anderes, als der in ihren Augen verzärtelte Rokokogeschmack in ihr erblicken konnte. Die Farce macht das Aufeinanderprallen zweier grundsätzlich verschiedener Positionen hinsichtlich eines der wichtigsten Themen der Zeit deutlich.

Das Wort Farce stammt etymologisch von lat. farcire, ›stopfen‹; frz. farce, soviel wie ›Füllsel‹. Als Bezeichnung einer literarischen Gattung fand das Wort erstmals Anwendung auf derb-komische Einlagen in mittelalterlichen geistlichen Dramen. Man kann ›farce‹ mit ›Schwank‹ oder ›Posse‹ annähernd zutreffend übersetzen. Goethes literatursatirische Farce verwendet die Form des Totengesprächs, die den Gegner durch die (fiktive) Aussage bedeutender Verstorbener vernichten will. Das Stück steckt voll von Anspielungen auf Wielands Schriften. So wird zum Beispiel die mythologische Gestalt Merkur in Zusammenhang mit Wielands Zeitschrift oder die Titelvignette des »Teutschen Merkur« in Beziehung zu einer Tabaksdose gebracht.

Merkurius am Ufer des Cozytus[1] *mit*
zwey Schatten.

M. Charon! he Charon! Mach dass du rüber kommst. Geschwind. meine Leutgen da beklagen sich zum Erbarmen wie ihnen das Gras die Füsse netzt und sie den Schnuppen kriegen.

Ch. Saubre Nation! Woher! das ist einmal wieder von der rechten Race. Die könnten immer leben.

M. Droben reden sie umgekehrt. Doch mit allem dem war das Paar nicht unangesehn auf der Oberwelt. Dem Herrn Litterator hier fehlt nichts als seine Perrücke und seine Bücher, und der Megäre[2] da nur Schminke und Dukaten. Wie stehts drüben?

Ch. Nimm dich in Acht sie haben dirs geschworen wenn du hinüber kommst.

M. Wie so?

Ch. Admet und Alzeste isn dübel auf dich zu sprechen, am ärgsten Euripides. Und Herkules hat dich im Anfall seiner Hitze einen dummen Buben geheisen der nie gescheidt werden würde.

M. Ich versteh kein Wort davon

Ch. Ich auch nicht. Du hast in Deutschland ietzt ein Geträtsch mit einem gewissen Wieland?

M. Ich kenn so keinen.

Ch. Was schiert's mich gnug sie sind fuchs wild.

M. Lass mich in Kahn, ich will mit hinüber muss doch sehn was giebt.

/:Sie fahren über:/

Euripides Es ist nicht fein dass du's uns so spielst. Alten guten Freunden und deinen Brüdern und Kindern. Dich mit Kerls zu gesellen die keine Ader griechisch Blut im Leibe haben, und an uns zu necken und neidschen, als wenn uns noch was übrig wäre ausser dem Bissgen Ruhm

---

1. *Fluß in der Unterwelt.*
2. *eine der Furien, hier metaphorisch verwendet.*

und dem Respeckt den die Kinder droben für unserm Bart haben.

M. Beym Jupiter ich versteh euch nicht.

Literator. Sollte etwa die Rede vom deutschen Merkur seyn.

Eurip. Kommt ihr daher? Ihr bezeugts also?

Litt. O ja das ist ietzo die Wonne und Hoffnung von ganz Deutschl. was der Götterbote für goldne Papiergen der Aristarchen[3] und Aoiden[4] herumträgt.

Eurip. Da hört ihrs! Und mir ist übel mitgespielt in denen goldnen Blätgens.

Litt. Das nicht sowohl. Herr W. zeigt nur, dass er nach Ihnen habe wagen dürfen eine Alzeste zu schreiben. Und dass wenn er Ihre Fehler vermieden und grössere Schönheiten aufempfunden man die Schuld ihrem Jahrhunderte und dessen Gesinnungen zuschreiben müsse.

Eurip. Fehler! Schuld! Jahrhundert! O du hohes herrliches Gewölbe des unendlichen Himmels, was ist aus uns geworden! Merkur und du trägst dich damit!

Merk. Ich stehe versteinert.

Alzeste Du bist in übler Gesellschafft und ich werde sie nicht verbessern. Pfuy

Admet Merkur das hätt ich dir nicht zugetraut.

M. Redt deutlich oder ich gehe fort was hab ich mit Rasenden zu thun!

Alzeste Du scheinst betroffen. So höre denn. Wir gingen neulich, mein Gemahl und ich in dem Hayn ienseits des Cozytus, wo wie du weist die Gestalten der Träume sich lebhafft darstellen und hören lassen. Wir hatten uns eine Weile an den phantastischen Gestalten ergötzt, als ich auf einmal meinen Nahmen mit einem unleidlichen Tone ausrufen hörte. Wir wandten uns. Da erschienen zwey abgeschmackte gezierte hagre blasse Püppgens, die sich einander Alzeste! Admet! nannten, vor einander

3. *Aristarch: griech. Grammatiker des 2. Jh.s v. Chr.*
4. *Sänger, Dichter.*

sterben wollten, ein Geklingele mit ihren Stimmen machten als die Vögel und zuletzt mit einem traurigen Gekrächz verschwanden.

A d m e t. Es war lächerlich anzusehen. Wir verstunden das nicht. Bis erst kurz ein iunger Studiosus herunter kam, der uns die grose Neuigkeit brachte: ein gewisser Wieland, habe uns ungebeten wie Euripides die Ehre angethan dem Volcke unsre Masken zu prostituiren. Und der sagte das Stück auswendig von Anfang bis zu Ende her. Es hats aber niemand ausgehalten als Euripides der neugierig und Autor genug dazu war.

E u r i p. Ja und was das schlimmste ist so soll er in eben den Wischen die du herumträgst seine Alzeste vor der meinigen herausgestrichen, mich herunter und lächerlich gemacht haben.

M e r k. Wer ist der Wieland?

L i t t e r a t o r Hofrath und Prinzenhofmeister zu Weimar.

M. Und wenn er Ganimeds Hofmeister wäre sollt er mir her. Es ist iust Schlafenszeit und mein Stab führt eine Seele leicht aus ihrem Körper.

L i t t e r a t o r Mir wird's angenehm seyn, solch einen grosen Mann bey dieser Gelegenheit kennen zu lernen.

　　　Wielands Schatten in der Nachtmütze.

W i e l. Lassen Sie uns mein lieber Jakobi.

A l z. Er spricht im Traum.

E u r i p. Man sieht doch mit was für Leuten er umgeht.

M. Ermuntert euch. Es ist hier von keinen Jakobis die Rede. Wie ists mit dem Merkur? Ihrem Merkur. dem deutschen Merckur?

W i e l. *(kläglich)* Sie haben mir ihn nachgedruckt.

M. Was thut uns das. So hört denn und seht.

W i e l. Wo binn ich? Wohin führt mich der Traum?

A l z. Ich binn Alzeste.

A d m. Und ich Admet.

E u r i p. Solltet ihr mich wohl kennen?

M. Woher? Das ist Euripides und ich binn Merkur. Was
steht ihr so verwundert?

W. Ist das Traum, was ich wie wachend fühle? Und doch
hat meine Einbildungskrafft niemals solche Bilder hervorgebracht. Ihr Alzeste? Mit dieser Taille! Verzeiht! Ich
weis nicht was ich sagen soll.

Merk. Die eigentliche Frage ist. Wa[rum] ihr meinen
Nahmen prostituirt und diesen ehrlichen Leuten zusammen so übel begegnet.

Wiel. Ich binn mir nichts bewusst. Was euch betrifft, ihr
könntet dünckt mich wissen, dass wir euerm Nahmen
keine Achtung schuldig sind. Unsre Religion verbietet
uns, irgend eine Wahrheit, Grösse, Güte, Schönheit, an-
zuerkennen und anzubeten ausser ihr. Daher sind eure
Nahmen wie eure Bildsäulen zerstümmelt und Preis gegeben. Und ich versichre euch, nicht einmal der griechische Hermes, wie ihn uns die Mythologen geben, ist mir
ie dabei in Sinn gekommen. Man denckt gar nichts dabey. Es ist als wenn einer sagte Recueil. Portefeuille⁵.

Merck. Es ist doch immer mein Nahme.

Wiel. Haben Sie niemals ihre Gestalt mit Flügel an Haupt
und Füssen, den Schlangenstab in der Hand, sitzend auf
Waaren-Ballen und Tonnen, im Vorbeygehn auf einer
Tobacksbüchse figuriren sehn.

Merck. Das lässt sich hören. Ich sprech euch los. Und ihr
andern werdet mich künftig ungeplagt lassen. So weis ich
war auf dem letzten Maskenballe ein gnädiger [Herr]
der über seine Hosen und Weste noch einen fleischfarbe-
nen Jobs⁶ gezogen hatte, und vermittelst Flügeln an
Haupt und Solen seine Molchsgestalt für einen Merkurius
an Mann bringen wollte.

Wiel. Das ist die Meynung. So wenig mein Vignetten-
schneider auf eure Statue Rücksicht nahm, die Florenz

---

5. *Recueil, Portefeuille: frz., Sammlung, Brieftasche; Bezeichnungen
für Anthologien.*
6. *Joppe.*

aufbewahrt. So wenig auch ich.

M e r c k. So gehabt euch wohl. Und so seyd ihr überzeugt dass der Sohn Jupiters noch nicht so bankrutt gemacht hat um sich mit allerley Leuten zu assoziiren.

|:Merkurius ab:|

W i e l a n d. So empfehl ich mich dann.

E u r i p i d e s Nicht uns so. Wir haben noch erst ein Glas zusammen zu leeren.

W i e l. Ihr seyd Euripides, und meine Hochachtung für euch hab ich öffentlich gestanden.

E u r. Viel Ehre! Es fragt sich in wiefern euch eure Arbeit berechtigt von der meinigen Übels zu reden. Fünf Briefe zu schreiben um euer Drama, das so mittelmäsig ist, dass ich als compromittirter Nebenbuhler fast drüber eingeschlafen binn, euern Herrn und Damen nicht allein vorzustreichen das man euch verzeihen könnte; sondern den guten Euripides als einen verunglückten Mitstreiter hinzustellen, dem ihr den Rang abgelauffen habt.

A d m e t. Ich wills euch gestehn. Euripides ist auch ein Poet, und ich habe mein Tage die Poeten für nichts mehr gehalten als sie sind. Aber ein braver Mensch ist er und unser Landsmann. Es hätte euch doch sollen bedencklich scheinen, ob der Mann der gebohren wurde, da Griechenland den Xerxes bemeisterte, der ein Freund des Sokrates war, dessen Stücke eine Würckung auf sein Jahrhundert hatten wie eure wohl schweerlich; ob der Mann nicht eher die Schatten von Alzeste und Admet habe herbey beschwören können als ihr. Das verdiente einige ahndungsvolle Ehrfurcht. Der zwar euer ganzes aberweises Jahrhundert von Litteratoren nicht fähig ist.

E u r. Wenn eure Stücke einmal so viel Menschen das Leben gerettet haben als meine, dann sollt ihr auch reden.

W i e l. Mein Publikum Euripides ist nicht das eurige.

E u r. Das ist die Sache nicht. Von meinen Fehlern und Unvollkommenheiten ist die Rede die ihr vermieden habt.

A l z e s t e. Dass ich's euch sage als ein Weib, die eh ein

Wort reden darf dass es nicht auffällt. Eure Alzeste mag
gut seyn und eure Weibgen und Männgen amüsirt auch
wohl gekützelt haben was ihr Rührung nennt. Ich binn
drüben weggegangen wie man von einer verstimmten Zit-
ter wegweicht. Des Euripides seine hab ich doch ganz
ausgehört, mich manchmal drüber gefreut, und auch drüber gelächelt.

W i e l a n d. Meine Fürstin[7].

A l z e s t e. Ihr solltet wissen, dass Fürsten hier nichts gelten. Ich wünschte ihr könntet fühlen wie viel glücklicher
Euripides in Ausführung unsrer Geschichte gewesen als
ihr. Ich binn für meinen Mann gestorben; wie und wo
das ist nicht die Frage. Die Frage ist von eurer Alzeste,
von Euripides Alzeste.

W i e l. Könnt ihr mir absprechen dass ich das Ganze deli-
kater behandelt habe?

A l z e s t e Was heist das! Genug Euripides hat gewusst
warum er eine Alzeste aufs Theater bringt. Ihr nicht. So
wenig ihr die Grösse des Opfers das ich meinem Manne
taht darzustellen wusstet.

W i e l a n d. Wie meynt ihr das?

E u r i p i d e s Lasst mich reden Alzeste. Sieh her das sind
meine Fehler. Ein iunger blühender König ersterbend mitten im Genuss aller glückseeligkeit. Sein Haus, sein Volck
in Verzweiflung den guten trefflichen zu verliehren und
über dem Jammer Apoll bewegt, den Parzen einen Wech-
seltod abdringend. Und nun – alles verstummt und Vater
und Mutter und Freunde und Volck – alles – und er
lechzend am Rande des Todts umherschauend nach
einem willigen Auge, und überall Schweigen – biss sie
auftritt die Einzige ihre Schönheit und Krafft aufzu-
opfern dem Gatten, hinunterzusteigen zu den hoffnungs-
losen Todten.

---

[7]. *Gemeint ist Anna Amalia (1739–1807), Herzogin von Sachsen-Wei-*
mar, die 1772 Wieland als Prinzenerzieher nach Weimar berufen
hatte.

W i e l. Das hab ich alles auch.

E u r i p. Nicht gar. Eure Leute sind erstlich alle zusammen aus der grosen Famielie, der ihr Würde der Menschheit ein Ding das Gott weis woher abstrahirt ist, zum Erbe gegeben habt, ihr Dichter auf unsern Trümmern. Sie sehr einander änlich wie die Eyer, und ihr habt sie zum unbedeutenden Breye zusammen gerührt. Da ist eine Frau die für ihren Mann sterben will, ein Mann der für seine Frau sterben will, ein Held der für sie beyde sterben will, das nichts übrig bleibt als das langweilige Stück Parthenia[8] die man gerne wie den Widder aus 'em Busche bey den Hörnern kriegte, um dem Elend ein Ende zu machen.

W i e l. Ihr seht das anders an als ich.

A l z e s t e Das vermuth ich. Nur sagt mir: Was war Alzestens Taht wenn ihr Mann sie mehr liebte als sein Leben? Der Mensch der sein ganzes Glück in seiner Gattin genösse wie euer Admet würde durch ihre Taht in den doppelt bittern Todt gestürzt werden. Philemon und Baucis erbaten sich zusammen den Todt, und euer Klopstock der doch immer unter euch ein Mensch ist, lässt seine Liebenden wetteiffern – Daphnis ich sterbe zuletzt. Also muste Admet gerne leben, sehr gerne leben oder ich war – was – eine Commödiantinn – ein Kind – genug mach aus mir was euch gefällt.

A d m e t. Und den Admet der euch so eckelhafft ist weil er nicht sterben mag. Seyd ihr iemals gestorben? Oder seyd ihr iemals ganz glücklich gewesen? Ihr redt wie grosmüthige Hungerleider

W i e l a n d. Nur Feige fürchten den Todt

A d m e t. Den Heldentodt ia! Aber den Hausvater Tod fürchtet ieder selbst der Held. So ists in der Natur. Glaubt ihr denn ich würde mein Leben geschont haben meine Frau dem Feinde zu entreissen, meine Besitztümer

---

8. »Wieland hatte sich in den Briefen der Veredelung gerühmt, die e der technischen Figur des Bedienten durch die Erfindung der Partheni als Schwester Alcestis' habe angedeihen lassen« (W. Kayser).

zu vertheidigen und doch –

W i e l a n d Ihr redet wie leute einer andern Welt, eine
Sprache deren Worte ich vernehme, deren Sinn ich nicht
fasse.

A d m e t. Wir reden Griechisch. Ist euch das so unbegreiflich. Admet –

E u r i p. Ihr bedenckt nicht dass er zu einer Seckte[9] gehört die allen Wassersüchtigen, Auszehrenden an Hals
und Bein tödlich Verwundeten einreden will: todt würden ihre Herzen voller ihre Geister mächtiger, ihre Knochen marckiger seyn. Das glaubt er.

A d m e t. Er tuht nur so. Nein ihr seyd noch Mensch genug euch zu Euripides Admeten zu versetzen.

A l z e s t e Merckt auf, und fragt eure Frau drüber.

A d m e t. Ein iunger, ganz glücklicher, wohlbehaglicher
Fürst, der von seinem Vater Reich und Erbe und Heerde
und Güter empfangen hatte, und drinne sass mit Genüg-
lichkeit und genoss und ganz war, und nichts bedurfte
als Leute die mit ihm genossen, und sie wie natürlich
fand, und des Hergebens nicht satt wurde, und alle liebte
dass sie ihn lieben sollten, und sich Götter und Menschen
so zu Freunden gemacht hatte, und Apoll den Himmel
an seinem Tische vergass. Der sollte nicht ewig zu leben
wünschen! – Und der Mensch hatte auch eine Frau –

A l z e s t e. Ihr habt eine und begreifft das nicht. Ich wollte
das dem schwarzaugigen iungen Ding dort begreiflich
machen. Schöne Kleine willst du ein Wort hören.

D a s M ä d g e n Was verlangt ihr.

A l z e s t e. Du hattest einen Liebhaber.

M ä d g e n. Ach ia!

A l z e s t e Und liebtest ihn von Herzen, so dass du in
mancher guten Stunde Beruf fühltest für ihn zu sterben.

M ä d g e n. Ach und ich binn um ihn gestorben. Ein feind-
seeliges Schicksal trennte uns das ich nicht lang überlebte.

---

9. *Gemeint ist das Christentum.*

A l z e s t e. Da habt ihr eure Alzeste Wieland. Nun sage
mir liebe kleine, du hattest Eltern die sich zärtlich liebten?

M ä d g e n. Gegen unsre Liebe wars kein Schatten. Aber
sie ehrten einander von Herzen.

A l z e s t e. Glaubst du wohl wenn deine Mutter in Todts-
gefahr gewesen wäre, und dein Vater hätte für sie mit
seinem Leben bezahlt, dass sie s mit Danck angenommen
hätte?

M ä d g e n. Ganz gewiss.

A l z e s t e. Und wechselsweise Wieland eben so, da habt
ihr Euripidens Alzeste.

A d m e t. Die eurige wäre denn für Kinder, die andre für
ehrliche Leute die schon ein biss zwey Weiber begraben
haben. Dass ihr nun mit eurem Auditorio sympatisirt ist
nötig und billig.

W i e l a n d. Lasst mich, ihr seyd widersinnige rohe Leute,
mit denen ich nichts gemein habe.

E u r i p. Erst höre mich noch ein Paar Worte.

W i e l. Machs kurz.

E u r i p. Keine fünf Briefe aber Stoff dazu. Das worauf
ihr euch so viel zu gute thut ein Theaterstück so zu
lencken und zu runden dass es sich sehen lassen darf, ist
ein Talent, ia, aber ein sehr geringes.

W i e l. Ihr kennt die Mühe nicht dies kostet.

E u r i p. Du hast ia genug davon vorgeprahlt, das alles
wenn manns beym Licht besieht, nichts ist als eine Fähigkeit nach Sitten und theater Conventionen und nach und
nach aufgeflickten Statuten, Natur und Wahrheit zu ver-
schneiden und einzugleichen.

W i e l. Ihr werdet mich das nicht überreden.

E u r i p. So geniesse deines Ruhms unter den deinigen und
lass uns in Ruh.

A d m e t. Begib dir zur Gelassenheit Euripides. Die Stellen an denen er deiner spottet sind so viel Flecken mit
denen er sein eigen Gewand beschmitzt. Wär er klug und

er könnte sie und die Noten zum Schäkespear mit Blut
abkaufen er würde es thun. So stellt er sich dar, und be-
kennt: da hab ich nichts gefühlt.

E u r i p. Nichts gefühlt bey meinem Prolog der ein Meisterstück ist. Ich darf wohl von meiner Arbeit so reden,
thust du's ia. Du fühlst nichts da du in den gastoffnen
Hof Admetens trittst.

A l z e s t e. Er hat keinen Sinn für Gastfreyheit hörst du
ia.

E u r i p i d e s. Und auf der Schwelle begegnet dir Apollo
die freundliche Gottheit des Hauses, die ganz voll Liebe
zum Admet, ihn erst dem Todt entreisst, und nun o Jammer sein bestes Weib für ihn dahingegeben sieht. Er kann
nichts weiter retten, und entfernt sich wehmütig dass
nicht die Gemeinschafft mit Todten seine Reinigkeit be-
flecke. Da tritt herein schwarzgehüllt, das Schwert ihrer
heimtückischen Macht in der Faust die Königinn der
Todten, die Geleiterinn zum Orkus, das unerbittliche
Schicksaal, und schilt auf die gütig verweilende Gottheit,
droht schon der Alzeste und Apoll verlässt das Haus und
uns. Und wir mit dem verlassenen Chor seufzen: ach dass
Eskulap noch lebte, der Sohn Apollos, der die Kräuter
kannte und ieden Balsam, sie würde gerettet werden.
Denn er erweckte die Todten; aber er ist erschlagen vom
Jupiters Blitz, der nicht duldete dass er erweckte vom
ewigen Schlaf die in Staub gestreckt hatte nieder sein un-
erbittlicher Rathschluss.

A l z e s t e. Bist du nicht ganz entrückt gewesen in die
Phantasie der Menschen, die aus ihrer Väter Munde ver-
nommen hatten, von einem so wundertätigen Manne,
dem Macht gegeben war über den allmächtigen Todt. Ist
dir nicht da Wunsch, Hoffnung Glaube aufgegangen:
Käme einer aus diesem Geschlechte! Käme der Halbgott
seinen Brüdern zu hülfe.

E u r i p i d e s. Und da er nun kommt, nun Herkules auftritt, und ruft sie ist todt! Todt! hast sie weggeführt,

schwarze grässliche Geleiterinn zum Orkus, hast mit deinem verzehrenden Schwerdte abgeweihet ihre Haare. Ich binn Jupiters Sohn, und traue mir Krafft zu über dich. An dem Grabe will ich dir auflauschen wo du das Blut trinckst der abgeschlachteten Todtenopfer, fassen will ich dich Todesgöttin, umknüpfen mit meinen Armen die kein Sterblicher und kein unsterblicher löst, und du sollst mir herausgeben das Weib, Admetens liebes Weib, oder ich binn nicht Jupiters Sohn.

H e r k u l e s *tritt auf.*

Was redt ihr von Jupiters Sohn! Ich binn Jupiters Sohn.

A d m e t Haben wir dich in deinem Rauschschläfgen gestört?

H e r k. Was soll der Lärm?

A l z e s t e Ey da ist der Wieland

H e r c k. Ey wo?

A d m. Da steht er.

H e r k. Der! Nun der ist klein genug. Hab ich mir ihn doch so vorgestellt. Seyd ihr der Mann der den Herkules immer im Munde führt?

W i e l. Ich habe nichts mit euch zu schaffen Coloss.

H e r c k. Binn ich dir als Zwerg erschienen?

W i e l. Als wohlgestalter Mann, mittlerer Grösse tritt mein Herkules auf.

H e r c k. Mittlerer Grösse! Ich!

W i e l. Wenn ihr Herkules seyd so seyd ihrs nicht gemeynt.

H e r c k. Es ist mein Nahme und auf den binn ich stolz. Ich weis wohl wenn ein Fratze keinen Schildhalter unter den Bären, Greiffen und Schweinen finden kann, so nimmt er einen Herkules dazu. Denn meine Gottheit ist dir niemals im Traum erschienen.

W i e l. Ich gestehe das ist der erste Traum den ich so habe.

H e r c k. So geh in dich, und bitte den Göttern ab, deine Noten übern Homer wo wir dir zu gros sind. Das glaub ich zu gros!

W i e l. Wahrhaftig ihr seyd ungeheuer. Ich hab mir euch

niemals so immaginirt.

H e r c k. Was kann ich davor dass er so eine engbrüstige
Immagination hat. Wer ist denn sein Herkules auf den er
sich so viel zu Gute thut? Und was will er? F ü r d i e
T u g e n d ! Was heisst die Devise? Hast du die Tugend
gesehn, Wieland? Ich binn doch auch in der Welt herum-
gekommen und ist mir nichts so begegnet.

W i e l. Die Tugend für die mein Herck. alles thut, alles
wagt, ihr kennt sie nicht!

H e r c k. Tugend! Ich hab das Wort erst hierunten von ein
paar albernen Kerls gehört. Die keine Rechenschaft davon zu geben wussten.

W i e l. Ich binns eben so wenig im Stande. Doch lasst uns
darüber keine Worte verderben. Ich wollte ihr hättet
meine Gedichte gelesen. Und ihr würdet finden dass ich
selbst die Tugend wenig achte. Sie ist ein zweydeutiges
Ding.

H e r k. Ein Unding ist sie, wie alle Phantasie die mit dem
Gang der Welt nicht bestehn kann. Eure Tugend kommt
mir vor wie ein Centaur. Solang der vor eurer Immagination herumtrabt, wie herrlich, wie kräfftig, und wenn
der Bildhauer euch ihn hinstellt, welch übermenschliche
Form! Anatomirt ihn und findet Vier Lungen, zwey Herzen, zwey Mägen. Er stirbt im Augenblicke der Geburt
wie ein andres Misgeschöpf, oder ist nie ausser eurem
Kopf erzeugt worden.

W i e l. Tugend muss doch was seyn, sie muss wo seyn.

H e r c k. Bey meines Vaters ewigem Bart! Wer hat daran
gezweifelt. Und mich dünckt, bey uns wohnte sie Halb-
göttern und Helden. Meynst du wir lebten wie das Vieh
weil eure Bürger sich vor den Faustrechtszeiten kreuzi-
gen! Wir hatten die bravsten Kerls unter uns.

W i e l. Was nennt ihr brave Kerls.

H e r c k. Einen der mitteilt was er hat. Und der reichste
ist der bravste. Hatte einer Überfluss an Kräfften so prü-
gelte er die andern aus. Und versteht sich ein rechter

Mann giebt sich nie mit geringern ab, nur mit seines Gleichen, auch grössern wohl. Hatte einer denn Überfluss an Säfften, machte er den Weibern so viel Kinder als sie begehrten, auch wohl ungebeten. Wie ich denn selbst in einer Nacht funfzig Buben ausgearbeitet habe. Fehltes einem denn an beyden, und der Himmel [hatte] ihm, oder auch wohl dazu, Erb und Hab vor tausenden gegeben. Eröffnete er seine Tühren und hies Tausende willkommen, mit ihm zu geniessen. Und da steht Admet der wohl der bravste in diesem [Stücke] genannt werden kann.

W i e l. Das meiste davon wird zu unsern Zeiten für Laster gerechnet.

H e r k. Laster das ist wieder ein schönes Wort. Dadurch wird eben alles so halb bey euch dass ihr euch Tugend und Laster als zwey Extrema vorstellt zwischen denen ihr schwanckt. Anstatt euern Mittelzustand als den positiven anzusehn, und den besten, wies eure Bauren und Knechte und Mägde noch thun.

W i e l. Wenn ihr diese Gesinnungen in meinem Jahrhunderte mercken liesset, man würde euch steinigen. Haben sie mich wegen meiner kleinen Angriffe an Tugend und Religion so entsetzlich verketzert.

H e r k. Was ist da viel anzugreiffen. Die Pferde Menschenfresser, und Drachen, mit denen hab ichs aufgenommen, mit Wolcken niemals, sie wollten eine Gestalt haben wie sie mogten. Die überlässt ein gescheidter Mann dem Winde der sie zusammen geführt hat wieder zu verwehen.

W i e l. Ihr seyd ein Unmensch! Ein Gotteslästrer.

H e r k. Will dir das nicht in Kopf. Aber des Prodikus[10]

---

10. Xenophon berichtet in seinen Memorabilien von einer Allegorie des Sophisten Prodikus, nach der die Wollust und die Tugend um die Seele des Herkules stritten. Wieland hatte das als Quelle für seine Kantate »Die Wahl des Herkules« benutzt, die 1773 im Merkur erschien (W. Kayser).

Herkules, das ist dein Mann. Eines Schulmeisters Herkules. Ein unbärtiger Sylvio[11] am Scheideweg. Wären mir
die Weiber begegnet, siehst du eine unter den Arm, eine
unter den, und alle beyde hätten mit fortgemusst. Darinn
ist dein Amadis kein Narr ich lass dir Gerechtigkeit wie-
derfahren.

W i e l. Kennet ihr meine Gesinnungen ihr würdet noch
anders dencken.

H e r k. Ich weis genug. Hättest du nicht zu lang unter der
Knechtschafft deiner Religion und Sittenlehre geseufzt,
es hätte noch was aus dir werden können. Denn jetzt
hängen dir immer noch die scheelen Ideale an. Kannst
nicht verdauen dass ein halbgott sich betrinckt und ein
Flegel ist seiner Gottheit ohnbeschadet. Und wunder
meynst wie du einen Kerl prostituirt hättest wenn du ihn
untern Tisch, oder zum Mädel auf die Streu bringst.
Weil eure Hochwürden das nicht Wort haben wollen.

W i e l. Ich empfele mich.

H e r c k. Du mögtest aufwachen. Noch ein Wort. Was soll
ich von eines Menschen Verstand dencken, der in seinem
vierzigsten Jahr ein gros Wercks und Wesens draus
machen kann, und fünf, sechs Bücher voll schreiben, davon, dass ein Maidel mit kaltem Blut kann bey drey vier
Kerls liegen, und sie eben in der Reihe herum liebhaben.
Und dass die Kerls sich drüber beleidigt finden, und
doch wieder anbeissen. Ich sehe gar nicht –

P l u t o *(inwendig).* He! Ho! Was für ein verfluchter Lärm
dadraussen. Herkules dich hört man überall vor. Kann
man nicht einmal ruhig liegen bey seinem Weibe wenn sie
nichts dagegen hat.

H e r k u l e s. So gehabt euch wohl Herr Hofrath.

W i e l a n d *(erwachend).* Sie reden was sie wollen, mögen
sie doch reden was kümmerts mich.

---

11. *Held von Wielands Roman »Don Sylvio von Rosalve« (1764).*

FRIEDRICH MAXIMILIAN KLINGER

Geb. 17. Februar 1752 in Frankfurt a. M., gest. 3. März 1831 in Dorpat, Sohn eines Stadtsoldaten. 1760 Tod des Vaters, Jugend in ärmlichen Verhältnissen, Freistelle am Frankfurter Gymnasium bis 1772, Bekanntschaft mit Goethe, 1774–76 Studium der Jurisprudenz in Gießen, 1775 Bekanntschaft mit den Brüdern Stolberg, 1776 in Weimar, 1776–78 Theaterdichter der Seylerschen Gesellschaft, 1778–80 Versuch, sich der amerikanischen Freiheitsarmee anzuschließen, kurze Zeit Leutnant in österreichischen Diensten, ab 1778 in russischen, Gardeoffizier und Vorleser beim Großfürsten Paul, 1780 geadelt, 1783–85 Teilnahme am russischen Türkenfeldzug, Kadettenleutnant, 1801 Direktor des 1. Kadettenkorps, 1802 Mitglied der Hauptschulverwaltung beim Ministerium für Volksbildung, 1803–16 Kurator der Universität und des Schulbezirks Dorpat.
Werke: *Die Zwillinge* Tr. (1775); *Sturm und Drang* Sch. (1776); *Stilpo* Dr. (1780); *Plimplamplasko* Dr. (1780); *Fausts Leben, Taten und Höllenfahrt* R. (1791); *Der Weltmann und der Dichter* R. (1798).

Sturm und Drang (1. Akt, 1. Szene)

Klinger schrieb das Drama mit dem ursprünglichen Titel »Wirrwarr« 1776 in Weimar; er wollte sich damit im Weimarer Kreis als Dichter etablieren. Der »Genieapostel« Christian Kaufmann aus Winterthur legte Klinger den Titel »Sturm und Drang« nahe, der sich dann als Epochenbezeichnung einbürgerte. Das Stück wurde am 1. April 1777 durch die Seylersche Truppe anläßlich der Ostermesse in Leipzig uraufgeführt. Eine verschlungene Handlung voller Unwahrscheinlichkeiten, Überraschungen, Verkennungen und Entdeckungen soll vor allem Gelegenheit zu Gefühlsäußerungen bieten. Die Charaktere sind auf heftige Emotionen hin angelegt, die oft mehrmals innerhalb eines Auftritts umschlagen. Vor allem die männlichen Gestalten neigen zu Kraftäußerungen, die auszuleben ihre dramaturgische Funktion zu erschöpfen scheint. Dem entspricht ihre Sprache: sie strotzt von Kraftausdrücken und Hyperbeln, die eine im klassizistischen Theater der höfischen Aufklä-

*rung oder auf der bürgerlichen Bühne kaum vorstellbare
Vitalität an die Stelle der dort kultivierten Rationalität treten lassen. Klingers dramatis personae präludieren Karl
Moors Ekel »über das schlappe Kastratenjahrhundert«.*
*Das Drama stellt den »Sturm« von Leidenschaften und den
»Drang« von Empfindungen dar, die die handelnden Personen durchtoben. Schon Georg Gottfried Gervinus hat
darauf hingewiesen, daß hier der »Zwiespalt« der »edlere[n] Natur« des Menschen »mit der wirklichen Welt« dargestellt werde. Insofern repräsentiert das Stück ein zentra-
les Problem der Epoche.*

Erster Akt.

Erste Scene.

(Zimmer im Gasthofe.)

Wild. La Feu. Blasius. (treten auf in Reisekleidern.)

W i l d. Heyda! nun einmal in Tumult und Lermen, daß
die Sinnen herumfahren wie Dach-Fahnen beym Sturm.
Das wilde Geräusch hat mir schon so viel Wohlseyn entgegen gebrüllt, daß mir's würklich ein wenig anfängt besser zu werden. So viel Hundert Meilen gereiset um dich
in vergessenden Lermen zu bringen – Tolles Herz! du
sollst mirs danken! Ha! tobe und spanne dich dann aus,
labe dich im Wirrwar! – Wie ists Euch?
B l a s i u s. Geh zum Teufel! Kommt meine Donna nach?
L a F e u. Mach dir Illusion Narr! sollt' mir nicht fehlen,
sie von meinem Nagel in mich zu schlürfen, wie einen
Tropfen Wasser. Es lebe die Illusion! – Ey! ey, Zauber
meiner Phantasie, wandle in den Rosengärten von Phillis[1]
Hand geführt –
W i l d. Stärk dich Apoll närrischer Junge!

---

1. *Typenname der herkömmlichen Schäferdichtung.*

L a F e u. Es soll mir nicht fehlen, das schwarze verrauchte
Haus gegen über, mit sammt dem alten Thurm, in ein
Feenschloß zu verwandeln. Zauber, Zauber Phantasie! –
(lauschend) Welch lieblich, geistige Symphonien treffen
mein Ohr? – – Beym Amor! ich will mich in ein alt Weib
verlieben, in einem alten, baufälligen Haus wohnen, meinen zarten Leib in stinkenden Mistlachen baden, bloß um
meine Phantasie zu scheren. Ist keine alte Hexe da mit
der ich scharmiren könnte? Ihre Runzeln sollen mir zu
Wellenlinien der Schönheit werden; ihre herausstehende
schwarze Zähne, zu marmornen Säulen an Dianens Tempel; ihre herabhangende lederne Zizzen, Helenens Busen
übertreffen. Einen so aufzutrocknen, wie mich! – He
meine phantastische Göttin! – Wild, ich kann dir sagen,
ich hab mich brav gehalten die Tour her. Hab Dinge gesehen, gefühlt, die kein Mund geschmeckt, keine Nase
gerochen, kein Aug' gesehen, kein Geist erschwungen –
W i l d. Besonders wenn ich dir die Augen zuband. Ha!
Ha!
L a F e u. Zum Orkus! du Ungestüm! – Aber sag' mir nun
auch einmal, wo sind wir in der würklichen Welt jetzt
In London doch?
W i l d. Freylich. Merktest du denn nicht daß wir uns ein-
schiften? Du warst ja Seekrank.
L a F e u. Weiß von allem nichts, bin an allem unschul-
dig? – Lebt denn mein Vater noch? Schick doch einmal
zu ihm Wild, und laß ihm sagen, sein Sohn lebe noch.
Käme so eben von den Pyrenäischen Gebürgen aus Frieß-
land. Weiter nichts.
W i l d. Aus Frießland? –
L a F e u. In welchem Viertel der Stadt sind wir dann?
W i l d. In einem Feenschloß la Feu! Siehst du nicht den
goldnen Himmel? die Amors und Amouretten? die Da-
men und Zwerchen?
L a F e u. Bind mir die Augen zu! *(Wild bindet ihm zu)*
Wild! Esel! Wild! Ochse! nicht zu hart! *(Wild bindet*

ihn los) He! Blasius, lieber bißiger, kranker Blasius, wo sind wir?

Blasius. Was weiß ich.

Wild. Um euch auf einmal aus dem Traum zu helfen, so wißt; daß ich euch aus Rußland nach Spanien führte, weil ich glaubte, der König fange mit dem Mogol Krieg an. Wie aber die Spanische Nation träge ist, so wars auch hier. Ich packte euch also wieder auf, und nun seyd ihr mitten im Krieg in Amerika. Ha laßt michs nur recht fühlen auf Amerikanischen Boden zu stehn, wo alles neu, alles bedeutend ist. Ich trat ans Land – O! daß ich keine Freude rein fühlen kann!

La Feu. Krieg und Mord! o meine Gebeine! o meine Schutzgeister! – So gieb mir doch ein Feenmärchen! o weh mir!

Blasius. Daß dich der Donner erschlüg, toller Wild! was hast du wieder gemacht? Ist Donna Isabella noch? He! willst du reden! meine Donna!

Wild. Ha! Ha! Ha! du wirst ja einmal ordentlich aufgebracht.

Blasius. Aufgebracht? Einmal aufgebracht? Du sollst mirs mit deinem Leben bezahlen, Wild! Was? bin wenigstens ein freyer Mensch. Geht Freundschaft so weit, daß du in deinen Rasereyen einen durch die Welt schleppst wie Kuppelhunde[2]? Uns in die Kutsche zu binden, die Pistole vor die Stirn zu halten, immer fort, klitsch! klatsch! In der Kutsche essen, trinken, uns für Rasende auszugeben. In Krieg und Getümmel von meiner Paßion weg, das einzige was mir übrig blieb –

Wild. Du liebst ja nichts Blasius.

Blasius. Nein, ich lieb nichts. Ich habs so weit gebracht, nichts zu lieben, und im Augenblick alles zu lieben, und im Augenblick alles zu vergessen. Ich betrüg alle Weiber, dafür betrügen und betrogen mich alle Weiber. Sie haben

---

2. *aneinandergekoppelte Hunde.*

mich geschunden und zusammen gedrückt, das Gott er-
barm! Ich hab' alle Figuren angenommen. Dort war ich
Stutzer, dort Wildfang, dort tölpisch, dort empfindsam,
dort Engelländer, und meine größte Conquette[3] machte
ich, da ich nichts war. Das war bey Donna Isabella. Um
wieder zurück zu kommen – deine Pistolen sind geladen –

W i l d. Du bist ein Narr, Blasius, und verstehst keinen
Spaß.

B l a s i u s. Schöner Spaß dies! Greif zu! ich bin dein Feind
den Augenblick.

W i l d. Mit dir mich schießen! Sieh, Blasius! ich wünschte
jetzt in der Welt nichts als mich herum zu schlagen, um
meinem Herzen einen Lieblings-Schmauß zu geben. Aber
mit dir? Ha! Ha! *(hält ihm die Pistole vor)* Sieh ins
Mundloch und sag, ob dirs nicht größer vorkommt als
ein Thor in London? Sey gescheid Freund! Ich brauch
und lieb euch, und ihr mich vielleicht auch. Der Teufel
konnte keine größre Narren und Unglücks-Vögel zusammen führen, als uns. Deßwegen müssen wir zusammen
bleiben, und auch des Spaßes halben. Unser Unglück
kommt aus unserer eigenen Stimmung des Herzens, die
Welt hat dabey gethan, aber weniger als wir.

B l a s i u s. Toller Kerl! ich bin ja ewig am Bratspieß.

L a F e u. Mich haben sie lebendig geschunden, und mit
Pfeffer eingepökelt. – Die Hunde!

W i l d. Wir sind nun mitten im Krieg hier, die einzige
Glückseligkeit die ich kenne, im Krieg zu seyn. Genießt
der Scenen, thut was ihr wollt.

L a F e u. Ich bin nicht fürn Krieg.

B l a s i u s. Ich bin für nichts.

W i l d. Gott mach' Euch noch matter! – Es ist mir wieder
so taub vorm Sinn. So gar dumpf. Ich will mich über
eine Trommel spannen lassen, um eine neue Ausdehnung
zu kriegen. Mir ist so weh wieder. O könnte ich in dem

---

3. *Eroberung.*

Raum dieser Pistole existiren, bis mich eine Hand in die
Luft knallte. O Unbestimmtheit! wie weit, wie schief
führst du den Menschen!

B l a s i u s. Was solls aber hier am Ende noch werden?

W i l d. Daß Ihr nichts seht! Um aus der gräßlichen Un-
behaglichkeit und Unbestimmtheit zu kommen, mußt' ich
fliehen. Ich meinte die Erde wankte unter mir, so unge-
wiß waren meine Tritte. Alle gute Menschen, die sich für
mich intereßirten, hab ich durch meine Gegenwart geplagt, weil sie mir nicht helfen konnten. –

B l a s i u s. Sag lieber nicht wollten.

W i l d. Ja, sie wollten. Ich mußte überall die Flucht er-
greifen. Bin alles gewesen. Ward Handlanger um was zu
seyn. Lebte auf den Alpen, weidete die Ziegen, lag Tag
und Nacht unter dem unendlichen Gewölbe des Himmels,
von den Winden gekühlt und von innern Feuer gebrannt.
Nirgends Ruh, nirgends Rast. Die Edelsten aus Engelland
irren verlohren in der Welt. Ach! und ich finde die Herr-
liche nicht, die einzige, die da steht. – Seht, so strotze ich
voll Kraft und Gesundheit, und kann mich nicht aufrei-
ben. Ich will die Kampagne hier mit machen, als Volon-
tair, da kann sich meine Seele ausrecken, und thun sie
mir den Dienst, und schießen mich nieder; gut dann! Ihr
nehmet meine Baarschaft, und zieht.

B l a s i u s. Hohl mich der Teufel! Dich soll keiner todt
schießen, edler Wild.

L a F e u. Sie könntens doch thun.

W i l d. Können Sie's besser mit mir meynen? – Stellt Euch
vor, als wir uns einschifften, sah ich in der Ferne den
Schiffscapitain auf seinem Schiff.

B l a s i u s. Der die feindliche Antipathie auf Dich hat.
Ich meyn Du hätt'st ihn in Holland todt geschossen.

W i l d. Dreymal schon mit ihm auf Leben und Tod gestanden, und noch läßt er mir keine Ruhe, und nie beleidigte
ich den Menschen. Ich gab ihm eine Kugel, und er mir
einen Stoß. Es ist grausam wie er mich haßt ohne Ursach.

Und ich muß gestehen, ich lieb' ihn. Es ist ein braver, rauher Mann. Weiß der Himmel, was er mit uns vor hat. Laßt mich eine Stunde allein!

D e r   W i r t h. Die Zimmer sind bereit Mylords. Sonst was gefällig?

W i l d. Wo sind meine Leute?

W i r t h. Haben gessen und schlafen.

W i l d. Sie lassen sich wohl seyn.

W i r t h. Und Sie befehlen nichts?

W i l d. Den stärksten Punsch, Herr Wirth.

L a F e u. Der fehlt dir noch, Wild.

W i l d. Ist der General hier?

W i r t h. Ja, Mylord!

W i l d. Was für Fremde sind im Hause? Doch ich mags nicht wissen. *(Geht ab.)*

B l a s i u s. Mich schläfert.

L a F e u. Mich hungert.

B l a s i u s. Mach dir Illusion, Narr! – Alle Welt Teufel von meiner Donna weg! *(Alle gehen ab.)*

JAKOB MICHAEL REINHOLD LENZ

Geb. 23. Januar (12. Januar alten Stils) 1751 in Seßwegen (Livland), gest. 3./4. Juni (23./24. Mai) 1792 in Moskau, Sohn eines Geistlichen. 1759 nach Dorpat, 1768–71 Studium der Theologie in Königsberg, 1771 als Hofmeister der Brüder von Kleist nach Straßburg, dort Bekanntschaft mit Goethe, Herder, Jung-Stilling. Nach der Trennung von den Brüdern von Kleist 1774 Broterwerb durch Privatunterricht, 1776 nach Weimar, dort Zerwürfnis mit Goethe und Ausweisung, 1776/77 unstetes Wanderleben, erste Anzeichen der Geisteskrankheit, 1778 schwere Anfälle, Selbstmordversuche, Aufenthalt bei Pfarrer Oberlin in Waldbach (Elsaß), in verschiedenen Orten in Obhut, 1779 Heimreise nach Riga, 1780/81 Versuche, in Livland und Petersburg Fuß zu fassen, 1781 nach Moskau, zeitweise Erzieher in einem Pensionat, wurde nachts tot auf einer Straße gefunden.
Werke: *Der Hofmeister* K. (1774); *Lustspiele nach dem Plautus* (1774); *Anmerkungen übers Theater* (1774); *Das leidende Weib* Tr. (1775); *Der neue Menoza* K. (1776); *Die Soldaten* K. (1776).

Der Hofmeister oder Vorteile der Privaterziehung
(1. Akt)

Das Stück existierte bereits in einer ersten Fassung, als Lenz 1771 nach Straßburg kam; ein Brief spricht 1772 von einer neuen Bearbeitung, und 1774 erschien das Stück bei Weygand in Leipzig. Der erste Akt enthält die Exposition eines sich über mehrere Jahre erstreckenden in Handlung und Nebenhandlung verästelten dramatischen Geschehens. Die soziale Stellung des auf persönliches Wohlwollen angewiesenen Intellektuellen, die Arroganz der Adelsgesellschaft, ihre gesellschaftliche Überlegenheit und intellektuelle Unterlegenheit, die Ausbeutung des abhängigen Lehrers, der auf einer Stufe mit den »Domestiken« rangiert – der Name Läuffer bedeutet ›Bedienter‹ – all das wird hier mit sarkastischer, bisweilen grotesker Deutlichkeit gezeichnet. »Der Hofmeister« ist eines der ersten deutschen Dramen, in dem derart konkrete Sozialkritik geübt wurde; dies mag Brecht zu seiner Bearbeitung des Stückes veranlaßt haben. Die Kritik beschränkt sich nicht auf die Stellung der Hauptperson, sondern sie erstreckt sich auch auf die bereits in hohem Grade realistische Zeichnung der Charaktere. Es gibt keine ausgeprägten Charaktertypen mehr, wie in der Typenkomödie der Aufklärung, die nur schlecht oder gut wären; vielmehr stellen die meisten von ihnen Mischungen dar, die mehr zur einen oder zur anderen Seite hin tendieren. Lenz charakterisiert sie nicht nur durch ihre Handlungen, sondern auch durch spezifische Sprechweisen, die fast jeder Gestalt ihren eigenen Ton verleihen.

ERSTE SZENE

Zu Insterburg in Preußen.

L ä u f f e r. Mein Vater sagt: ich sei nicht tauglich zum Adjunkt. Ich glaube, der Fehler liegt in seinem Beutel; er

will keinen bezahlen. Zum Pfaffen bin ich auch zu jung,
zu gut gewachsen, habe zuviel Welt gesehn, und bei der
Stadtschule hat mich der Geheime Rat nicht annehmen
wollen. Mag's! Er ist ein Pedant, und dem ist freilich der
Teufel selber nicht gelehrt genug. Im halben Jahr hätt'
ich doch wieder eingeholt, was ich von der Schule mitgebracht, und dann wär' ich für einen Klassenpräzeptor
noch immer viel zu gelehrt gewesen, aber der Herr Geheime Rat muß das Ding besser verstehen. Er nennt mich
immer nur Monsieur Läuffer, und wenn wir von Leipzig
sprechen, fragt er nach Händels Kuchengarten und Richters Kaffeehaus, ich weiß nicht: soll das Satire sein,
oder – Ich hab ihn doch mit unserm Konrektor bisweilen
tiefsinnig genug diskurieren hören; er sieht mich vermutlich nicht für voll an. – Da kommt er eben mit dem Major; ich weiß nicht, ich scheu ihn ärger als den Teufel.
Der Kerl hat etwas in seinem Gesicht, das mir unerträglich ist. *(Geht dem Geheimen Rat und dem Major mit
viel freundlichen Scharrfüßen vorbei.)*

ZWEITE SZENE

Geheimer Rat. Major.

M a j o r. Was willst du denn? Ist das nicht ein ganz artiges
Männichen?

G e h. R a t. Artig genug, nur zu artig. Aber was soll er
deinen Sohn lehren?

M a j o r. Ich weiß nicht, Berg, du tust immer solche wun-
derliche Fragen.

G e h. R a t. Nein aufrichtig! Du mußt doch eine Absicht
haben, wenn du einen Hofmeister nimmst und den Beutel
mit einemmal so weit auftust, daß dreihundert Dukaten
herausfallen. Sag mir, was meinst du mit dem Geld aus-
zurichten; was foderst du dafür von deinem Hofmeister?

M a j o r. Daß er – was ich – daß er meinen Sohn in allen

Wissenschaften und Artigkeiten und Weltmanieren – Ich weiß auch nicht, was du immer mit deinen Fragen willst; das wird sich schon finden; das werd ich ihm alles schon zu seiner Zeit sagen.

G e h. R a t. Das heißt: du willst Hofmeister deines Hofmeisters sein; bedenkst du aber auch, was du da auf dich nimmst – Was soll dein Sohn werden, sag mir einmal?

M a j o r. Was er ... Soldat soll er werden; ein Kerl, wie ich gewesen bin.

G e h. R a t. Das letzte laß nur weg, lieber Bruder; unsere Kinder sollen und müssen das nicht werden, was wir waren: die Zeiten ändern sich, Sitten, Umstände, alles, und wenn du nichts mehr und nichts weniger geworden wärst als das leibhafte Konterfei deines Elternvaters – –

M a j o r. Potz hundert! Wenn er Major wird, und ein braver Kerl wie ich, und dem König so redlich dient als ich!

G e h. R a t. Ganz gut, aber nach funfzig Jahren haben wir vielleicht einen andern König und eine andre Art ihm zu dienen. Aber ich seh schon, ich kann mich mit dir in die Sachen nicht einlassen, ich müßte zu weit ausholen und würde doch nichts ausrichten. Du siehst immer nur der geraden Linie nach, die deine Frau dir mit Kreide über den Schnabel zieht.

M a j o r. Was willst du damit sagen, Berg? Ich bitt dich, misch dich nicht in meine Hausangelegenheiten, so wie ich mich nicht in die deinigen. – Aber sieh doch! Da läuft ja eben dein gnädiger Junker mit zwei Hollunken aus der Schule heraus. – Vortreffliche Erziehung, Herr Philosophus! Das wird einmal was Rechts geben! Wer sollt' es in aller Welt glauben, daß der Gassenbengel der einzige Sohn Sr. Exzellenz des königlichen Geheimen Rats – –

G e h. R a t. Laß ihn nur. – Seine lustigen Spielgesellen werden ihn minder verderben als ein galonierter[1] Müßiggänger, unterstützt von einer eiteln Patronin.

---

1. *betreßter.*

M a j o r. Du nimmst dir Freiheiten heraus. – Adieu.
G e h. R a t. Ich bedaure dich.

DRITTE SZENE

Der Majorin Zimmer.

*Frau Majorin auf einem Kanapee. Läuffer in sehr demütiger
Stellung neben ihr sitzend. Leopold steht.*

M a j o r i n. Ich habe mit Ihrem Herrn Vater gesprochen,
und von den dreihundert Dukaten stehenden Gehalts
sind wir bis auf hundertundfunfzig einig worden. Dafür
verlang ich aber auch, Herr – wie heißen Sie? – Herr
Läuffer, daß Sie sich in Kleidern sauber halten und
unserm Hause keine Schande machen. Ich weiß, daß Sie
Geschmack haben; ich habe schon von Ihnen gehört, als
Sie noch in Leipzig waren. Sie wissen, daß man heutzu-
tage auf nichts in der Welt so sehr sieht, als ob ein
Mensch sich zu führen wisse.

L ä u f f e r. Ich hoff, Euer Gnaden werden mit mir zufrieden sein. Wenigstens hab ich in Leipzig keinen Ball
ausgelassen und wohl über die funfzehn Tanzmeister in
meinem Leben gehabt.

M a j o r i n. So? Lassen Sie doch sehen. *(Läuffer steht auf.)*
Nicht furchtsam, Herr ... Läuffer! Nicht furchtsam!
Mein Sohn ist buschscheu genug; wenn der einen blöden[2]
Hofmeister bekommt, so ist's aus mit ihm. Versuchen Sie
doch einmal, mir ein Kompliment aus der Menuett zu
machen; zur Probe nur, damit ich doch sehe. – Nun,
nun, das geht schon an! Mein Sohn braucht vor der Hand
keinen Tanzmeister! Auch einen Pas, wenn's Ihnen be-
liebt. – Es wird schon gehen; das wird sich alles geben,
wenn Sie einmal einer unsrer Assembleen werden bei-
gewohnt haben ... Sind Sie musikalisch?

---

2. *hier im urspr. Sinn von* ›schüchtern, zaghaft‹.

L ä u f f e r. Ich spiele die Geige, und das Klavier zur Not.

M a j o r i n. Desto besser: wenn wir aufs Land gehn, und Fräulein Milchzahn besuchen uns einmal; ich habe bisher ihnen immer was vorsingen müssen, wenn die guten Kinder Lust bekamen zu tanzen: aber besser ist besser.

L ä u f f e r. Euer Gnaden setzen mich außer mich: wo wär' ein Virtuos auf der Welt, der auf seinem Instrument Euer Gnaden Stimme zu erreichen hoffen dürfte.

M a j o r i n. Ha ha ha, Sie haben mich ja noch nicht gehört ... Warten Sie; ist Ihnen die Menuett bekannt? *(Singt.)*

L ä u f f e r. Oh ... oh ... verzeihen Sie dem Entzücken, dem Enthusiasmus, der mich hinreißt. *(Küßt ihr die Hand.)*

M a j o r i n. Und ich bin doch enrhümiert dazu; ich muß heut krähen wie ein Rabe. Vous parlez français, sans doute?

L ä u f f e r. Un peu, Madame.

M a j o r i n. Avez vous déjà fait vôtre tour de France?

L ä u f f e r. Non Madame. ... Oui Madame.

M a j o r i n. Vous devez donc savoir, qu'en France, on ne baise pas les mains, mon cher ...

B e d i e n t e r *(tritt herein).* Der Graf Wermuth ...
(Graf Wermuth tritt herein.)

G r a f *(nach einigen stummen Komplimenten setzt sich zur Majorin aufs Kanapee. Läuffer bleibt verlegen stehen).* Haben Euer Gnaden den neuen Tanzmeister schon gesehn, der aus Dresden angekommen? Er ist ein Marchese aus Florenz, und heißt ... Aufrichtig: ich habe nur zwei auf meinen Reisen angetroffen, die ihm vorzuziehen waren.

M a j o r i n. Das gesteh ich, nur zwei! In der Tat, Sie machen mich neugierig; ich weiß, welchen verzärtelten Geschmack der Graf Wermuth hat.

L ä u f f e r. Pintinello ... nicht wahr? Ich hab ihn in Leipzig auf dem Theater tanzen sehen; er tanzt nicht sonderlich ...

G r a f. Er tanzt – on ne peut pas mieux. – Wie ich Ihnen
sage, gnädige Frau, in Petersburg hab ich einen Beluzzi
gesehn, der ihm vorzuziehen war: aber dieser hat eine
Leichtigkeit in seinen Füßen, so etwas Freies, Göttlich-
nachlässiges in seiner Stellung, in seinen Armen, in seinen
Wendungen – –

L ä u f f e r. Auf dem Kochischen Theater ward er ausge-
pfiffen, als er sich das letztemal sehen ließ.

M a j o r i n. Merk Er sich, mein Freund! daß Domestiken
in Gesellschaften von Standespersonen nicht mitreden.
Geh Er auf Sein Zimmer. Wer hat Ihn gefragt?

(Läuffer tritt einige Schritte zurück.)

G r a f. Vermutlich der Hofmeister, den Sie dem jungen
Herrn bestimmt? . . .

M a j o r i n. Er kommt ganz frisch von der hohen Schule. –
Geh Er nur! Er hört ja, daß man von Ihm spricht; desto
weniger schickt es sich, stehenzubleiben. *(Läuffer geht mit
einem steifen Kompliment ab.)* Es ist was Unerträgliches,
daß man für sein Geld keinen rechtschaffenen Menschen
mehr antreffen kann. Mein Mann hat wohl dreimal an
einen dasigen Professor geschrieben, und dies soll doch
noch der galanteste Mensch auf der ganzen Akademie gewesen sein. Sie sehen's auch wohl an seinem links bordier-
ten Kleide. Stellen Sie sich vor, von Leipzig bis Insterburg
zweihundert Dukaten Reisegeld und jährliches Gehalt
fünfhundert Dukaten, ist das nicht erschröcklich?

G r a f. Ich glaube, sein Vater ist der Prediger hier aus dem
Ort . . .

M a j o r i n. Ich weiß nicht – es kann sein – ich habe nicht
darnach gefragt, ja doch, ich glaub es fast: er heißt ja
auch Läuffer; nun denn ist er freilich noch artig genug.
Denn das ist ein rechter Bär, wenigstens hat er mich ein
für allemal aus der Kirche gebrüllt.

G r a f. Ist's ein Katholik?

M a j o r i n. Nein doch, Sie wissen ja, daß in Insterburg
keine katholische Kirche ist: er ist lutherisch oder prote-

stantisch, wollt' ich sagen; er ist protestantisch.

G r a f. Pintinello tanzt ... Es ist wahr, ich habe mir mein
Tanzen einige dreißigtausend Gulden kosten lassen, aber
noch einmal soviel gäb' ich drum, wenn ...

VIERTE SZENE

Läuffers Zimmer.

Läuffer. Leopold. Der Major. Erstere sitzen an einem Tisch,
ein Buch in der Hand, indem sie der letztere überfällt.

M a j o r. So recht; so lieb ich's; hübsch fleißig – und wenn
die Canaille nicht behalten will, Herr Läuffer, so schlagen Sie ihm das Buch an den Kopf, daß er's Aufstehen
vergißt, oder wollt' ich sagen, so dürfen Sie mir's nur
klagen. Ich will dir den Kopf zurechtsetzen, Heiduk[3]
du! Seht, da zieht er das Maul schon wieder. Bist empfindlich, wenn dir dein Vater was sagt? Wer soll dir's
denn sagen? Du sollst mir anders werden, oder ich will
dich peitschen, daß dir die Eingeweide krachen sollen,
Tuckmäuser! Und Sie, Herr, sein Sie fleißig mit ihm, das
bitt ich mir aus, und kein Feriieren und Pausieren und
Rekreieren, das leid ich nicht. Zum Plunder, vom Arbeiten wird kein Mensch das Malum hydropisiacum[4] kriegen.
Das sind nur Ausreden von euch Herren Gelehrten. –
Wie steht's, kann er seinen Cornelio[5]? Lippel! Ich bitt
dich um tausend Gotteswillen, den Kopf grad. Den Kopf
in die Höhe, Junge! *(Richtet ihn.)* Tausend Sakkerment,
den Kopf aus den Schultern! Oder ich zerbrech dir dein
Rückenbein in tausendmillionen Stücken.

---

3. Heidu(c)ken: urspr. ungar. Viehhirten; Söldnertruppe, Diener in
Tracht.
4. Wassersucht.
5. Gemeint ist Cornelius Nepos, röm. Historiograph (um 100 bis 25
v. Chr.).

L ä u f f e r. Der Herr Major verzeihen: er kann kaum lateinisch lesen.

M a j o r. Was? So hat der Racker vergessen. – Der vorige Hofmeister hat mir doch gesagt, er sei perfekt im Lateinischen, perfekt ... Hat er's ausgeschwitzt – aber ich will dir – Ich will es nicht einmal vor Gottes Gericht zu verantworten haben, daß ich dir keinen Daumen aufs Auge gesetzt habe, und daß ein Galgendieb aus dir geworden ist, wie der junge Hufeise oder wie deines Onkels Friedrich, eh' du mir so ein gassenläuferischer Taugenichts – Ich will dich zu Tode hauen – *(Gibt ihm eine Ohrfeige.)* Schon wieder wie ein Fragezeichen? Er läßt sich nicht sagen. – Fort, mir aus den Augen – fort! Soll ich dir Beine machen? Fort, sag ich. *(Stampft mit dem Fuß. Leopold geht ab. Major setzt sich auf seinen Stuhl. Zu Läuffern:)* Bleiben Sie sitzen, Herr Läuffer; ich wollte mit Ihnen ein paar Worte allein sprechen, darum schickt' ich den jungen Herrn fort. Sie können immer sitzenbleiben; ganz, ganz. Zum Henker, Sie brechen mir ja den Stuhl entzwei, wenn Sie immer so auf einer Ecke ... Dafür steht ja der Stuhl da, daß man drauf sitzen soll. Sind Sie so weit gereist und wissen das noch nicht? – Hören Sie nur: ich seh Sie für einen hübschen, artigen Mann an, der Gott fürchtet und folgsam ist, sonst würd' ich das nimmer tun, was ich für Sie tue. Hundertundvierzig Dukaten jährlich hab ich Ihnen versprochen: das machen drei – warte – dreimal hundertundvierzig: wieviel machen das?

L ä u f f e r. Vierhundertundzwanzig.

M a j o r. Ist's gewiß? Macht das soviel? Nun, damit wir gerade Zahl haben, vierhundert Taler preußisch Courant hab ich zu Ihrem Salarii bestimmt. Sehen Sie, das ist mehr als das ganze Land gibt.

L ä u f f e r. Aber mit Eurer Gnaden gnädigen Erlaubnis, die Frau Majorin haben mir von hundertfunfzig Dukaten gesagt; das machte gerade vierhundertfunfzig Taler, und auf diese Bedingungen hab ich mich eingelassen.

M a j o r. Ei, was wissen die Weiber! – Vierhundert Taler, Monsieur; mehr kann Er mit gutem Gewissen nicht fodern. Der vorige hat zweihundertfunfzig gehabt und ist zufrieden gewesen wie ein Gott. Er war doch, mein Seel! ein gelehrter Mann; auch und ein Hofmann zugleich: die ganze Welt gab ihm das Zeugnis, und Herr, Er muß noch ganz anders werden, eh' Er so wird. Ich tu es nur aus Freundschaft für Seinen Herrn Vater, was ich an Ihm tue, und um Seinetwillen auch, wenn Er hübsch folgsam ist, und werd auch schon einmal für Sein Glück zu sorgen wissen; das kann Er versichert sein. – Hör Er doch einmal: ich hab eine Tochter, das mein Ebenbild ist, und die ganze Welt gibt ihr das Zeugnis, daß ihresgleichen an Schönheit im ganzen Preußenlande nichts anzutreffen. Das Mädchen hat ein ganz anders Gemüt als mein Sohn, der Buschklepper. Mit dem muß ganz anders umgegangen werden! Es weiß sein Christentum aus dem Grunde und in dem Grunde, aber es ist denn nun doch, weil sie bald zum Nachtmahl gehen soll, und ich weiß, wie die Pfaffen sind, so soll Er auch alle Morgen etwas aus dem Christentum mit ihr nehmen. Alle Tage morgens eine Stunde, und da geht Er auf ihr Zimmer; angezogen, das versteht sich: denn Gott behüte, daß Er so ein Schweinigel sein sollte, wie ich einen gehabt habe, der durchaus im Schlafrock an Tisch kommen wollte. – Kann Er auch zeichnen?

L ä u f f e r. Etwas, gnädiger Herr. – Ich kann Ihnen einige Proben weisen.

M a j o r *(besieht sie)*. Das ist ja scharmant! – Recht schön; gut das: Er soll meine Tochter auch zeichnen lehren. – Aber hören Sie, werter Herr Läuffer, um Gottes willen ihr nicht scharf begegnet; das Mädchen hat ein ganz anders Gemüt als der Junge. Weiß Gott! Es ist, als ob sie nicht Bruder und Schwester wären. Sie liegt Tag und Nacht über den Büchern und über den Trauerspielen da, und sobald man ihr nur ein Wort sagt, besonders ich, von

mir kann sie nichts vertragen, gleich stehen ihr die Backen
in Feuer, und die Tränen laufen ihr wie Perlen drüber
herab. Ich will's Ihm nur sagen: das Mädchen ist meines
Herzens einziger Trost. Meine Frau macht mir bittre Tage
genug: sie will alleweil herrschen, und weil sie mehr List
und Verstand hat als ich. Und der Sohn, das ist ihr Liebling; den will sie nach ihrer Methode erziehen; fein säu-
berlich mit dem Knaben Absalom, und da wird denn einmal so ein Galgenstrick draus, der nicht Gott, nicht Menschen was nutz ist. – Das will ich nicht haben. – Sobald
er was tut, oder was versieht, oder hat seinen Lex[6] nicht
gelernt, sag Er's mir nur, und der lebendige Teufel soll
dreinfahren. – Aber mit der Tochter nehm Er sich in
acht; die Frau wird Ihm schon zureden, daß Er ihr scharf
begegnen soll. Sie kann sie nicht leiden, das weiß ich;
aber wo ich das Geringste merke. Ich bin Herr vom
Hause, muß Er wissen, und wer meiner Tochter zu nahe
kommt – Es ist mein einziges Kleinod, und wenn der
König mir sein Königreich für sie geben wollt': ich
schickt' ihn fort. Alle Tage ist sie in meinem Abendgebet
und Morgengebet und in meinem Tischgebet und alles in
allem, und wenn Gott mir die Gnade tun wollte, daß ich
sie noch vor meinem Ende mit einem General oder Staatsminister vom ersten Range versorgt sähe – denn keinen
andern soll sie sein Lebtage bekommen –, so wollt' ich
gern ein zehn Jahr' eher sterben. – Merk Er sich das –
Und wer meiner Tochter zu nahe kommt oder ihr worin
zu Leid lebt – die erste beste Kugel durch den Kopf. Merk
Er sich das. – *(Geht ab.)*

6. Lektion

FÜNFTE SZENE

Fritz von Berg. Augustchen.

Fritz. Sie werden nicht Wort halten, Gustchen: Sie werden mir nicht schreiben, wenn Sie in Heidelbrunn sind, und dann werd ich mich zu Tode grämen.

Gustchen. Glaubst du denn, daß deine Juliette so unbeständig sein kann? O nein; ich bin ein Frauenzimmer; die Mannspersonen allein sind unbeständig.

Fritz. Nein, Gustchen, die Frauenzimmer allein sind's. Ja, wenn alle Julietten wären! – Wissen Sie was? Wenn Sie an mich schreiben, nennen Sie mich Ihren Romeo; tun Sie mir den Gefallen: ich versichere Sie, ich werd in allen Stücken Romeo sein, und wenn ich erst einen Degen trage. O ich kann mich auch erstechen, wenn's dazu kommt.

Gustchen. Gehn Sie doch! Ja, Sie werden's machen, wie im Gellert steht: er besah die Spitz' und Schneide und steckt' ihn langsam wieder ein.

Fritz. Sie sollen schon sehen. *(Faßt sie an die Hand.)* Gustchen – Gustchen! Wenn ich Sie verlieren sollte oder der Onkel wollte Sie einem andern geben. – Der gottlose Graf Wermuth! Ich kann Ihnen den Gedanken nicht sagen, Gustchen, aber Sie könnten ihn schon in meinen Augen lesen. – Er wird ein Graf Paris[7] für uns sein.

Gustchen. Fritzchen – so mach ich's wie Juliette.

Fritz. Was denn? – Wie denn? – Das ist ja nur eine Erdichtung; es gibt keine solche Art Schlaftrunk.

Gustchen. Ja, aber es gibt Schlaftrünke zum ewigen Schlaf.

Fritz *(fällt ihr um den Hals).* Grausame!

Gustchen. Ich hör meinen Vater auf dem Gange. – Laß uns in den Garten laufen. – Nein; er ist fort. – Gleich nach dem Kaffee, Fritzchen, reisen wir, und sowie

7. *Gestalt in Shakespeares »Romeo und Julia«, von Julias Vater begünstigter Nebenbuhler Romeos.*

der Wagen dir aus den Augen verschwind't, werd ich dir
auch schon aus dem Gedächtnis sein.

Fritz. So mag Gott sich meiner nie mehr erinnern, wenn
ich dich vergesse. Aber nimm dich für den Grafen in
acht, er gilt soviel bei deiner Mutter, und du weißt, sie
möchte dich gern aus den Augen haben, und eh' ich
meine Schulen gemacht habe und drei Jahr' auf der
Universität, das ist gar lange.

Gustchen. Wie denn, Fritzchen? Ich bin ja noch ein
Kind: ich bin noch nicht zum Abendmahl gewesen, aber
sag mir – O wer weiß, ob ich dich sobald wieder spreche!
– Wart, komm in den Garten.

Fritz. Nein, nein, der Papa ist vorbeigegangen. – Siehst
du, der Henker! er ist im Garten. – Was wolltest du mir
sagen?

Gustchen. Nichts...

Fritz. Liebes Gustchen...

Gustchen. Du solltest mir – Nein, ich darf das nicht
von dir verlangen.

Fritz. Verlange mein Leben, meinen letzten Tropfen
Bluts.

Gustchen. Wir wollten uns beide einen Eid schwören.

Fritz. O komm! Vortrefflich! Hier laß uns niederknien;
am Kanapee, und heb du so deinen Finger in die Höh'
und ich so meinen. – Nun sag, was soll ich schwören?

Gustchen. Daß du in drei Jahren von der Universität
zurückkommen willst und dein Gustchen zu deiner Frau
machen; dein Vater mag dazu sagen, was er will.

Fritz. Und was willst du mir dafür wieder schwören,
mein englisches ... *(Küßt sie.)*

Gustchen. Ich will schwören, daß ich in meinem Leben
keines andern Menschen Frau werden will als deine, und
wenn der Kaiser von Rußland selber käme.

Fritz. Ich schwör dir hunderttausend Eide –

*(Der Geheime Rat tritt herein: beide springen mit lautem
Geschrei auf.)*

SECHSTE SZENE

G e h. R a t. Was habt ihr, närrische Kinder! Was zittert
ihr? – Gleich gesteht mir alles. Was habt ihr hier gemacht? Ihr seid beide auf den Knien gelegen. – Junker
Fritz, ich bitte mir eine Antwort aus; unverzüglich: –
Was habt ihr vorgehabt?

F r i t z. Ich, gnädigster Papa?

G e h. R a t. Ich? Und das mit einem so verwundrungsvol-
len Ton? Siehst du: ich merk alles. Du möchtest mir itzt
gern eine Lüge sagen, aber entweder bist du zu dumm
dazu oder zu feig, und willst dich mit deinem Ich? her-
aushelfen ... Und Sie, Mühmchen? – Ich weiß, Gustchen
verhehlt mir nichts.

G u s t c h e n *(fällt ihm um die Füße).* Ach, mein Vater – –

G e h. R a t *(hebt sie auf und küßt sie).* Wünschst du mich
zu deinem Vater? Zu früh, mein Kind, zu früh, Gustchen, mein Kind. Du hast noch nicht kommuniziert. –
Denn warum soll ich euch verhehlen, daß ich euch zugehört habe. – Das war ein sehr einfältig Stückchen von
euch beiden; besonders von dir, großer vernünftiger Junker Fritz, der bald einen Bart haben wird wie ich und
eine Perücke aufsetzen und einen Degen anstecken. Pfui,
ich glaubt' einen vernünftigern Sohn zu haben. Das macht
dich gleich ein Jahr jünger und macht, daß du länger auf
der Schule bleiben mußt. Und Sie, Gustchen, auch Ihnen
muß ich sagen, daß es sich für Ihr Alter gar nicht mehr
schickt, so kindisch zu tun. Was sind das für Romane, die
Sie da spielen? Was für Eide, die Sie da schwören, und
die ihr doch alle beide so gewiß brechen werdet, als ich
itzt mit euch rede. Meint ihr, ihr seid in den Jahren, Eide
zu tun, oder meint ihr, ein Eid sei ein Kinderspiel, wie es
das Versteckspiel oder die blinde Kuh ist? Lernt erst ein-
sehen, was ein Eid ist: lernt erst zittern davor, und alsdenn wagt's, ihn zu schwören. Wißt, daß ein Meineidiger
die schändlichste und unglücklichste Kreatur ist, die von

der Sonne angeschienen wird. Ein solcher darf weder den Himmel ansehen, den er verleugnet hat, noch andere Menschen, die sich unaufhörlich vor ihm scheuen und seiner Gesellschaft mit mehr Sorgfalt ausweichen als einer Schlange oder einem tückischen Hunde.

F r i t z. Aber ich denke meinen Eid zu halten.

G e h. R a t. In der Tat, Romeo? Ha! Du kannst dich auch erstechen, wenn's dazu kommt. Du hast geschworen, daß mir die Haare zu Berg standen. Also gedenkst du deinen Eid zu halten?

F r i t z. Ja, Papa, bei Gott! ich denk ihn zu halten.

G e h. R a t. Schwur mit Schwur bekräftigt! – Ich werd es deinem Rektor beibringen. Er soll Euch auf vierzehn Tage nach Sekunda heruntertransportieren, Junker: inskünftige lernt behutsamer schwören. Und worauf? Steht das in deiner Gewalt, was du da versicherst? Du willst Gustchen heiraten! Denk doch! Weißt du auch schon, was für ein Ding das ist, Heiraten? Geh doch, heirate sie: nimm sie mit auf die Akademie. Nicht? Ich habe nichts dawider, daß ihr euch gern seht, daß ihr euch liebhabt, daß ihr's euch sagt, wie lieb ihr euch habt; aber Narrheiten müßt ihr nicht machen; keine Affen von uns Alten sein, eh' ihr so reif seid als wir; keine Romane spielen wollen, die nur in der ausschweifenden Einbildungskraft eines hungrigen Poeten ausgeheckt sind, und von denen ihr in der heutigen Welt keinen Schatten der Wirklichkeit antrefft. Geht! ich werde keinem Menschen was davon sagen, damit ihr nicht nötig habt, rot zu werden, wenn ihr mich seht. – Aber von nun an sollt ihr einander nie mehr ohne Zeugen sehen. Versteht ihr mich? Und euch nie andere Briefe schreiben als offene, und das auch alle Monate oder höchstens alle drei Wochen einmal, und sobald ein heimliches Briefchen an Junker Fritz oder Fräulein Gustchen entdeckt wird – so steckt man den Junker unter die Soldaten und das Fräulein ins Kloster, bis sie vernünftiger werden. Versteht ihr mich? – Jetzt – nehmt

Abschied, hier in meiner Gegenwart. – Die Kutsche ist angespannt, der Major treibt fort; die Schwägerin hat schon Kaffee getrunken. – Nehmt Abschied: ihr braucht euch vor mir nicht zu scheuen. Geschwind, umarmt euch. *(Fritz und Gustchen umarmen sich zitternd.)* Und nun, mein Tochter Gustchen, weil du doch das Wort so gern hörst, *(hebt sie auf und küßt sie)* leb tausendmal wohl und begegne deiner Mutter mit Ehrfurcht; sie mag dir sagen, was sie will. – Jetzt geh, mach! – *(Gustchen geht einige Schritte, sieht sich um; Fritz fliegt ihr weinend an den Hals.)* Die beiden Narren brechen mir das Herz! Wenn doch der Major vernünftiger werden wollte oder seine Frau weniger herrschsüchtig! –

JOHANN ANTON LEISEWITZ

Geb. 9. Mai 1752 in Hannover, gest. 10. September 1806 in Braunschweig, Sohn eines Weinhändlers. 1770–74 Studium der Jurisprudenz in Göttingen, Mitglied des Hainbundes, 1774 Rechtsanwalt in Hannover, 1776 in Berlin, 1778 Landschaftssekretär in Braunschweig, 1786 Erzieher des Erbprinzen Karl von Braunschweig-Lüneburg, 1790 Kanonikus und Regierungsmitglied, 1801 Geheimer Justizrat, 1805 Präsident des Obersanitätskollegiums, Tätigkeit in der Armenfürsorge.

Die Pfandung

Diese dramatische Szene erschien im »Göttinger Musenalmanach für 1775« zusammen mit einer anderen, »Der Besuch um Mitternacht«. Pointiert wird die wirtschaftliche und soziale Lage einer Bauernfamilie in der Abhängigkeit von einem absolutistischen deutschen Fürsten dargestellt. Wichtig ist dabei die im Dialog artikulierte Antwort auf die bedrängenden Probleme von Elend und Abhängigkeit, sie verweist das Problem, wie fast allenthalben in Deutschland vor 1789, an eine außerweltliche Instanz.

Ein Bauer und seine Frau.

Abends in ihrer Schlafkammer.

D e r M a n n. Frau, liegst du? so thu' ich das Licht aus
Dehne dich zu guter letzt noch einmal recht in deinem
Bette. Morgen wird's gepfandet. Der Fürst hat's ver
prasst.

D i e F r a u. Lieber Gott!

D e r M a n n *(indem er sich niederlegt)*. Bedenk' einma
das wenige, was wir ihm gegeben haben, gegen das Geld
was er durchbringt; so reicht es kaum zu einem Trunk
seines köstlichen Weins zu.

D i e F r a u. Das ist erschrecklich, wegen eines Trunke
zwei Leute unglücklich zu machen! Und das thut einer
der nicht einmal durstig ist! Die Fürsten können ja ni
recht durstig seyn.

D e r M a n n. Aber wahrhaftig! wenn auch in dem Kir
chengebet das kommt: »Unsern durchlauchtigen Landes
herrn und sein hohes Haus,« so kann ich nicht mit beten
Das hieße Gott spotten, und er lässt sich nicht spotten.

D i e F r a u. Freilich nicht! – Ach! ich bin in diesem Bett
geboren, und, Wilhelm, Wilhelm! es ist unser Brautbett

D e r M a n n *(springt auf)*. Bedächte ich nicht meine arm
Seele, so nähm' ich ein Strumpfband, betete ein gläubig
Vaterunser und hinge mich an diesen Bettpfosten.

D i e F r a u *(schlägt ein Kreuz)*. Gott sey mit uns! – Da
hättest du dich schön gerächt!

D e r M a n n. Meinst du nicht? – Wenn ich so stürbe, se
würdest du doch wenigstens einmal seufzen!

D i e F r a u. Ach Mann!

D e r M a n n. Und unser Junge würde schreien! Nicht?

D i e F r a u. Gewiß!

D e r M a n n. Gut! An jenem Tage ich, dieses Seufzen und
Schreien auf einer Seite – der Fürst auf der andern! Ich
dächte, ich wäre gerächt.

D i e F r a u. Wenn Du an jenen Tag denkst, wie kannst

du so reden? Da seyd ihr, der Fürst und du, ja einander gleich.

D e r M a n n. Das wolle Gott nicht! Siehe, ich gehe aus der Welt, wie ich über Feld gehe, allein, als ein armer Mann. Aber der Fürst geht heraus, wie er reis't, in einem großen Gefolge. Denn alle Flüche, Gewinsel und Seufzer, die er auf sich lud, folgen ihm nach.

D i e F r a u. Desto besser! – So sieh doch dies Leben als einen heißen Erntetag an! – Darauf schmeckt die Ruhe so süß; und dort ist Ruhe von Ewigkeit zu Ewigkeit.

D e r M a n n *(legt sich wieder nieder)*. Amen! Du hast Recht, Frau. Lass' sie das Bette nehmen, die Unsterblichkeit können sie mir doch nicht nehmen! Schlaf wohl.

D i e F r a u. Und der Fürst und der Vogt sind ja auch unsterblich. – Gute Nacht! Ach, morgen Abend sagen wir uns die auf der Erde.

FRIEDRICH SCHILLER

Kabale und Liebe (2. Akt, 2. Szene)

Schiller begann mit der Arbeit an dem Drama 1782 auf der Flucht aus Stuttgart und schloß es Mitte Februar 1783 ab. Im April/Mai nahm er auf den Wunsch des Mannheimer Intendanten Wolfgang Heribert von Dalberg einige Änderungen daran vor. Die Änderung des ursprünglichen Titels »Luise Millerin« in »Kabale und Liebe« geht auf den Mannheimer Schauspieler und Dramatiker August Wilhelm Iffland (1759–1814) zurück. Am 15. April 1784 fand die Frankfurter Uraufführung statt, zwei Tage später die Mannheimer Aufführung in Anwesenheit Schillers. Im selben Jahr erschien das Stück zur Ostermesse in der Schwan'schen Hofbuchhandlung zu Mannheim. Erfahrungen Schillers, die er unter der Fuchtel des Herzogs

Karl Eugen sammeln mußte, haben »Kabale und Liebe« geprägt. Hier finden sich einige der wohl aggressivsten Anklagen gegen die absolutistische Regierungsform, Fürstenwillkür und Maitressenwirtschaft; für den Erfolg spricht neben den Übersetzungen ins Englische (1795) und Französische (1799) der Umstand, daß Karl Eugen das Drama in Stuttgart verbot. Die Satire auf die Schranzen – der Auftritt des Hofmarschalls Kalb I, 6 – die rücksichtslose Darstellung der verbrecherischen Machenschaften, die eine Karriere bei Hofe ermöglichen – in Präsident von Walter und seinem Sekretär Wurm – die Betonung der fast unüberbrückbaren Kluft zwischen Adel und Bürgertum und endlich die hier abgedruckte Szene, in der der Menschenhandel des Landesherrn gebrandmarkt wird: all das würde das Werk als revolutionäres, soziales Drama charakterisieren, wäre da nicht auf der anderen Seite die kleinbürgerliche Welt des Musikus Miller mit seiner christlich motivierten Moral, mit seiner von dieser Moral bestimmten Familie. Der Untertitel »Ein bürgerliches Trauerspiel« weist einerseits auf die sozialen Schranken hin, an denen die Liebe Ferdinands und Luises scheitert, artikuliert zugleich aber das Selbstbewußtsein des »Dritten Standes«, das sich vor allem aus seiner dem Adel überlegenen Moral herleitet.

Die Gestalt der Lady Milford illustriert, daß »Kabale und Liebe« kein politisches Drama im heutigen Sinne ist: die Besserung der Übel, die Beseitigung der Mißstände wird von einer individuellen moralischen Konversion erhofft. Eine Änderung der Machtverhältnisse oder auch nur der Herrschaftsformen wird nicht erwogen. Gerade hierin bestätigt sich der »bürgerliche« Charakter des Trauerspiels.

ZWEITE SZENE

Ein alter Kammerdiener des Fürsten, der ein Schmuckkästchen trägt. Die Vorigen.

K a m m e r d i e n e r. Seine Durchlaucht der Herzog empfehlen sich Mylady zu Gnaden und schicken Ihnen diese Brillanten zur Hochzeit. Sie kommen soeben erst aus Venedig.

L a d y *(hat das Kästchen geöffnet und fährt erschrocken zurück).* Mensch! was bezahlt dein Herzog für diese Steine?

K a m m e r d i e n e r *(mit finsterm Gesicht).* Sie kosten ihn keinen Heller.

L a d y. Was? Bist du rasend? *Nichts?* – und *(indem sie einen Schritt von ihm wegtritt)* du wirfst mir ja einen Blick zu, als wenn du mich durchbohren wolltest – *Nichts* kosten ihn diese unermeßlich kostbaren Steine?

K a m m e r d i e n e r. Gestern sind siebentausend Landskinder nach Amerika fort – Die zahlen alles.

L a d y *(setzt den Schmuck plötzlich nieder und geht rasch durch den Saal, nach einer Pause zum Kammerdiener).* Mann, was ist dir? Ich glaube, du weinst?

K a m m e r d i e n e r *(wischt sich die Augen, mit schrecklicher Stimme, alle Glieder zitternd).* Edelsteine wie *diese* da – Ich hab auch ein paar Söhne drunter.

L a d y *(wendet sich bebend weg, seine Hand fassend).* Doch keinen Gezwungenen?

K a m m e r d i e n e r *(lacht fürchterlich).* O Gott – Nein – lauter Freiwillige. Es traten wohl so etliche vorlaute Bursch' vor die Front heraus und fragten den Obersten, wie teuer der Fürst das Joch Menschen verkaufe? – aber unser gnädigster Landesherr ließ alle Regimenter auf dem Paradeplatz aufmarschieren und die Maulaffen niederschießen. Wir hörten die Büchsen knallen, sahen ihr Gehirn auf das Pflaster spritzen, und die ganze Armee schrie: *Juchhe nach Amerika!* –

L a d y *(fällt mit Entsetzen in den Sofa)*. Gott! Gott! -
Und ich hörte nichts? Und ich merkte nichts?

K a m m e r d i e n e r. Ja, gnädige Frau - warum mußtet
Ihr denn mit unserm Herrn gerad auf die Bärenhatz reiten, als man den Lärmen zum Aufbruch schlug? - Die
Herrlichkeit hättet Ihr doch nicht versäumen sollen, wie
uns die gellenden Trommeln verkündigten, es ist Zeit,
und heulende Waisen dort einen lebendigen Vater verfolgten, und hier eine wütende Mutter lief, ihr saugendes
Kind an Bajonetten zu spießen, und wie man Bräutigam
und Braut mit Säbelhieben auseinanderriß und wir Grau-
bärte verzweiflungsvoll dastanden und den Burscher
auch zuletzt die Krücken noch nachwarfen in die Neue
Welt - Oh, und mitunter das polternde Wirbelschlagen,
damit der Allwissende uns nicht sollte beten hören -

L a d y *(steht auf, heftig bewegt)*. Weg mit diesen Steiner
- sie blitzen Höllenflammen in mein Herz. *(Sanfter zum
Kammerdiener.)* Mäßige dich, armer alter Mann. Sie werden wiederkommen. Sie werden ihr Vaterland wieder-
sehen.

K a m m e r d i e n e r *(warm und voll)*. Das weiß der Himmel! Das werden sie! - Noch am Stadttor drehten sie sich
um und schrieen: »Gott mit euch, Weib und Kinder - E
leb' unser Landesvater - am Jüngsten Gericht sind wir
wieder da!« -

L a d y *(mit starkem Schritt auf und nieder gehend)*. Ab
scheulich! Fürchterlich! - *Mich* beredete man, ich habe
sie alle getrocknet, die Tränen des Landes - Schrecklich
schrecklich gehen mir die Augen auf - Geh du - Sag dei
nem Herrn - Ich werd ihm persönlich danken! *(Kammer
diener will gehen, sie wirft ihm ihre Goldbörse in der
Hut.)* Und das nimm, weil du mir Wahrheit sagtest -

K a m m e r d i e n e r *(wirft sie verächtlich auf den Tisch
zurück)*. Legt's zu dem übrigen. *(Er geht ab.)*

L a d y *(sieht ihm erstaunt nach)*. Sophie, spring ihm nach
frag ihn um seinen Namen. Er soll seine Söhne wieder

haben. *(Sophie ab. Lady nachdenkend auf und nieder. Pause. Zu Sophien, die wiederkommt.)* Ging nicht jüngst ein Gerüchte, daß das Feuer eine Stadt an der Grenze verwüstet und bei vierhundert Familien an den Bettelstab gebracht habe? *(Sie klingelt.)*

S o p h i e. Wie kommen Sie auf das? Allerdings ist es so, und die mehresten dieser Unglücklichen dienen jetzt ihren Gläubigern als Sklaven, oder verderben in den Schachten der fürstlichen Silberbergwerke.

B e d i e n t e r *(kommt)*. Was befehlen Mylady?

L a d y *(gibt ihm den Schmuck)*. Daß das ohne Verzug in die Landschaft gebracht werde! – Man soll es sogleich zu Geld machen, befehl ich, und den Gewinst davon unter die Vierhundert verteilen, die der Brand ruiniert hat.

S o p h i e. Mylady, bedenken Sie, daß Sie die höchste Ungnade wagen.

L a d y *(mit Größe)*. Soll ich den Fluch seines Landes in meinen Haaren tragen? *(Sie winkt dem Bedienten, dieser geht.)* Oder willst du, daß ich unter dem schrecklichen Geschirr solcher Tränen zu Boden sinke? – Geh, Sophie – Es ist besser, falsche Juwelen im Haar und das Bewußtsein dieser Tat im Herzen zu haben.

S o p h i e. Aber Juwelen wie diese! Hätten Sie nicht Ihre schlechtern nehmen können? Nein wahrlich, Mylady! Es ist Ihnen nicht zu vergeben.

L a d y. Närrisches Mädchen! Dafür werden in *einem* Augenblick mehr Brillanten und Perlen für mich fallen, als zehen Könige in ihren Diademen getragen, und schönere –

B e d i e n t e r *(kommt zurück)*. Major von Walter –

S o p h i e *(springt auf die Lady zu)*. Gott! Sie verblassen –

L a d y. Der erste Mann, der mir Schrecken macht – Sophie – Ich sei unpäßlich, Eduard – Halt – Ist er aufgeräumt? Lacht er? Was spricht er? O Sophie! Nicht wahr, ich sehe häßlich aus?

S o p h i e. Ich bitte Sie, Lady –

B e d i e n t e r.   Befehlen Sie, daß ich ihn abweise?

L a d y *(stotternd).* Er soll mir willkommen sein. *(Bediente* *hinaus.)* Sprich, Sophie – Was sag ich ihm? Wie empfang ich ihn? – Ich werde stumm sein. – Er wird meiner Schwäche spotten – Er wird – o was ahndet mir – Du verlässest mich, Sophie? – Bleib – Doch nein! Gehe! – So bleib doch.

    (Der Major kommt durch das Vorzimmer.)

S o p h i e.   Sammeln Sie sich. Er ist schon da.

Weiterführende Leseliste

Die ausgewählten Textbeispiele sind zentralen Werken entnommen, deren vollständige Lektüre empfohlen wird. Sie werden deshalb in dieser Rubrik nicht mehr einzeln aufgeführt. Genaue bibliographische Angaben hierzu im Quellenverzeichnis. Eigens zitiert werden die leicht zugänglichen Ausgaben von Reclams Universal-Bibliothek (UB).

Gottfried August Bürger: Wunderbare Reisen zu Wasser und Lande, Feldzüge und lustige Abenteuer des Freiherrn von Münchhausen. Nach der Ausgabe von 1788. Mit einem Anhang älterer Lügendichtungen. Hrsg. von Irene Ruttmann. Stuttgart 1969 [u. ö.]. (UB 121.)

Matthias Claudius: Ausgewählte Werke. Hrsg. von Walter Münz. Stuttgart 1990. (UB 1691.)

Wolfgang Doktor / Gerhard Sauder (Hrsg.): Empfindsamkeit. Theoretische und kritische Texte. Stuttgart 1976 [u. ö.]. (UB 9835.)

Heinrich Wilhelm von Gerstenberg: Auswahl aus den Briefen über Merkwürdigkeiten der Literatur. In: H. W. v. G.: Ugolino. Hrsg. von Christoph Siegrist. Stuttgart 1966 [u. ö.]. (UB 141.) S. 87–131.

Johann Wolfgang Goethe: Sesenheimer Lieder; Die großen Hymnen; Die Künstlergedichte; Balladen. In: Goethes Werke. Hrsg. von Erich Trunz. Bd. 1. Hamburg 1948 [u. ö.]. S. 25–85.
Gedichte. Ausw. und Einl. von Stefan Zweig. Neuausg. Stuttgart 1967 [u. ö.]. (UB 6782.)
Urfaust – Faust. Ein Fragment – Faust. Eine Tragödie. Paralleldruck der drei Fassungen. Hrsg. von Werner Keller. 2 Bde. Frankfurt a. M. 1985.
Urfaust. Goethes »Faust« in ursprünglicher Gestalt. Nachw. von Robert Petsch. Neuausg. Stuttgart 1987 [u. ö.]. (UB 5273.)
Prometheus. Dramatisches Fragment. In: Goethes Werke. Hrsg. von Erich Trunz. Bd. 4. Hamburg [7]1968. S. 73–175, 176–187.
Von deutscher Baukunst. D. M. Ervini a Steinbach, Aus Goethes Brieftasche, Brief des Pastors zu *** an den neuen Pastor zu ***. In: Goethes Werke. Hrsg. von Erich Trunz. Bd. 12. Hamburg [7]1967. S. 7–15, 21–30, 228–239.

Singspiele. Hrsg. von Hans-Albrecht Koch. Stuttgart 1974. (UB 9725.)

Johann Georg Hamann: Eine Auswahl aus seinen Schriften. Hrsg. von Martin Seils. Wuppertal ²1987.

Wilhelm Heinse: Ardinghello und die glückseligen Inseln. Kritische Studienausgabe. Hrsg. von Max L. Baeumer. Stuttgart 1975 [u. ö.]. (UB 9792.)

Johann Gottfried Herder: Auszug aus einem Briefwechsel über Oßian und die Lieder alter Völker; Shakespear. In: Herder/ Goethe/Frisi/Möser: Von deutscher Art und Kunst. Einige fliegende Blätter. Hrsg. von Hans Dietrich Irmscher. Stuttgart 1968 [u. ö.]. (UB 7497.) S. 5–62, 63–91.
Stimmen der Völker in Liedern. Volkslieder. Zwei Teile. Hrsg. von Heinz Rölleke. Stuttgart 1975. (UB 1371.)
Über die neuere deutsche Literatur. Erste bis dritte Sammlung von Fragmenten. Auszug. In: Sturm und Drang. Kritische Schriften. Heidelberg ²1962. S. 185–287, 289–397.
Journal meiner Reise im Jahr 1769. Historisch-kritische Ausgabe. Hrsg. von Katharina Mommsen unter Mitarb. von Momme Mommsen und Georg Wackerl. Stuttgart 1976 [u. ö.]. (UB 9793.)

Friedrich Maximilian Klinger: Das leidende Weib. Ein Trauerspiel; Die Zwillinge. Ein Trauerspiel in fünf Aufzügen. In: Sturm und Drang. Dramatische Schriften. Plan und Ausw. von Erich Loewenthal und Lambert Schneider. Bd. 2. Heidelberg 1959. S. 9–64, 65–123.
Die Zwillinge. Trauerspiel. Nachw. von Karl S. Guthke. Stuttgart 1972 [u. ö.]. (UB 438.)
Fausts Leben, Taten und Höllenfahrt. Anm. von Esther Schöler. Nachw. von Uwe Heldt. Stuttgart 1986. (UB 3524.)

Friedrich Gottlieb Klopstock: Hermanns Tod; Die deutsche Gelehrtenrepublik; Sprachwissenschaftliche und Ästhetische Schriften. In: F. G. K.: Ausgewählte Werke. Hrsg. von Karl August Schleiden. Darmstadt 1962. S. 801–872, 875–929, 968–1054.

Johann Anton Leisewitz: Julius von Tarent. Ein Trauerspiel. Hrsg. von Werner Keller. Stuttgart 1965 [u. ö.]. (UB 111.)

Jakob Michael Reinhold Lenz: Anmerkungen übers Theater. Shakespeare-Arbeiten und Shakespeare-Übersetzungen. Hrsg. von Hans-Günther Schwarz. Stuttgart 1976 [u. ö.]. (UB 9815.)
Der neue Menoza; Die Soldaten; Pandämonium Germanikum.

In: J. M. R. L.: Werke. Hrsg. von Friedrich Voit. Stuttgart 1992. [i. Vorb.]

Die Soldaten. Komödie. Nachw. von Manfred Windfuhr. Stuttgart 1957 [u. ö.]. (UB 5899.)

Gedichte. Hrsg. von Hellmut Haug. Stuttgart 1968 [u. ö.]. (UB 8582.)

Karl Philipp Moritz: Werke. Hrsg. von Horst Günther. 3 Bde. Frankfurt a. M. 1981.

Maler Müller: Fausts Leben. Hrsg. von Johannes Mahr. Stuttgart 1979. (UB 9949.)

Idyllen. Hrsg. von Peter-Erich Neuser. Stuttgart 1977. (UB 1339.)

Friedrich Schiller: Gedichte 1776–1788. In: F. S.: Sämtliche Werke. Hrsg. von Gerhard Fricke und Herbert G. Göpfert. Bd. 1. München 1958. S. 9–162, 481–638, 755–858.

Gedichte. Ausw. und Einl. von Gerhard Fricke. Stuttgart 1952 [u. ö.]. (UB 7714.)

Die Räuber. Schauspiel. Stuttgart 1969 [u. ö.]. (UB 15.)

Christian Friedrich Daniel Schubart: Gedichte. Aus der »Deutschen Chronik«. Hrsg. von Ulrich Karthaus. Stuttgart 1978. (UB 1821.)

Leben und Gesinnungen. Leipzig 1980. (Nachdr. der Ausg. Stuttgart 1791 und 1793.)

Johann Heinrich Voss: Idyllen und Gedichte. Hrsg. von Eva D. Becker. Stuttgart 1967 [u. ö.]. (UB 2332.)

Heinrich Leopold Wagner: Die Kindermörderin. Hrsg. von Jörg-Ulrich Fechner. Stuttgart 1969 [u. ö.]. (UB 5698.)

Ausgewählte Forschungsliteratur

I. Allgemeines und Gesamtdarstellungen

Auerbach, Erich: Mimesis. Dargestellte Wirklichkeit in der abendländischen Literatur. Bern 1946.

Barth, Karl: Die protestantische Theologie im 19. Jahrhundert. Ihre Vorgeschichte und ihre Geschichte. Zürich ³1960.

Blackall, Eric A.: Die Entwicklung des Deutschen zur Literatursprache 1700–1775. Mit einem Bericht über neue Forschungsergebnisse 1955–1964 von Dieter Kimpel. Stuttgart 1966.

Blinn, Hansjürgen (Hrsg.): Shakespeare-Rezeption. Die Diskussion um Shakespeare in Deutschland. Bd. 1. Berlin 1982.

Bohnen, Klaus [u.a.] (Hrsg.): Deutsch-dänische Literaturbeziehungen im 18. Jahrhundert. Akten des Colloquiums, am 9. und 10. Oktober 1978 vom Institut für germanische Philologie der Universität Kopenhagen in Zsarb. mit dem Deutschen Kulturinstitut Kopenhagen veranstaltet und geleitet von Klaus Bohnen, Sven-Aage Jørgensen, Friedrich Schmöe. München 1979.

Dilthey, Wilhelm: Studien zur Geschichte des deutschen Geistes. Leipzig/Berlin ²1942. (Gesammelte Schriften. Bd. 3.)

Dramen des Sturm und Drang. Interpretationen. Stuttgart 1987.

Engelsing, Rolf: Der Bürger als Leser. Die Bildung der protestantischen Bevölkerung Deutschlands im 17. und 18. Jahrhundert am Beispiel Bremens. In: Börsenblatt für den Deutschen Buchhandel. Frankfurter Ausgabe 16 (1960) S. 490–544, 857–884.

Goldfriedrich, Johann: Geschichte des Deutschen Buchhandels vom Beginn der klassischen Literaturperiode bis zum Beginn der Fremdherrschaft (1740–1804). Leipzig 1909.

Grantzow, Hans: Geschichte des Göttinger und des Vossischen Musenalmanachs. Berlin 1909.

Grappin, Pierre: La théorie du génie dans le préclassicisme allemand. Paris 1952.

Grathoff, Dirk (Hrsg.): Studien zur Ästhetik und Literaturgeschichte der Kunstperiode. Frankfurt a. M. / Bern 1985.

Griep, Wolfgang / Jäger, Hans-Wolf (Hrsg.): Reise und soziale Realität am Ende des 18. Jahrhunderts. Heidelberg 1983.

Grimm, Gunter E. / Max, Frank R. (Hrsg.): Deutsche Dichter. Leben und Werk deutschsprachiger Autoren. Bd. 3: Aufklärung und Empfindsamkeit. Stuttgart 1988. – Bd. 4: Sturm und Drang, Klassik. Ebd. 1989.

Gundolf, Friedrich: Shakespeare und der deutsche Geist. Berlin 1911.

Guthke, Karl S.: Literarisches Leben im 18. Jahrhundert in Deutschland und in der Schweiz. Bern/München 1975.

Haferkorn, Hans Jürgen: Der freie Schriftsteller. Eine literatursoziologische Studie über seine Entstehung und Lage in Deutschland zwischen 1750 und 1800. Diss. Göttingen 1959.

Hauser, Arnold: Sozialgeschichte der Kunst und Literatur. 2 Bde. München 1953.

Hettner, Hermann: Geschichte der Deutschen Literatur im achtzehnten Jahrhundert. 2 Bde. Neuausg. Berlin 1961.

[Hildebrand, Rudolf:] Geist, Genie. In: Jacob und Wilhelm Grimm: Deutsches Wörterbuch. Bd. 4,1,2. Leipzig 1897. Sp. 2623 bis 2741, 3396–3450.

Hinck, Walter (Hrsg.): Sturm und Drang. Frankfurt a. M. ²1989.

Jäger, Georg: Empfindsamkeit und Roman. Wortgeschichte, Theorie und Kritik im 18. und frühen 19. Jahrhundert. Stuttgart [u. a.] 1969.

Jentzsch, Rudolf: Der deutsch-lateinische Büchermarkt nach den Leipziger Ostermesskatalogen von 1740, 1770 und 1800 in seiner Gliederung und Wandlung. Leipzig 1912.

Kaiser, Gerhard: Pietismus und Patriotismus im literarischen Deutschland. Ein Beitrag zum Problem der Säkularisation. Wiesbaden 1961.

Kayser, Wolfgang: Geschichte der deutschen Ballade. Berlin 1936.

Kindermann, Heinz: Theatergeschichte Europas. Bd. 4. 5: Von der Aufklärung zur Romantik. Salzburg 1961–62.

Kommerell, Max: Der Dichter als Führer in der deutschen Klassik. Frankfurt a. M. 1982.

Korff, Hermann August: Geist der Goethezeit. Versuch einer ideellen Entwicklung der klassisch-romantischen Literaturgeschichte. Tl. 1: Sturm und Drang. Leipzig ⁴1958.

Krauss, Werner: Perspektiven und Probleme. Zur französischen und deutschen Aufklärung und andere Aufsätze. Neuwied/Berlin 1965.

Langen, August: Der Wortschatz des deutschen Pietismus. Tübingen 1954.

Lemberg, Eugen: Geschichte des Nationalismus in Europa. Stuttgart 1950.

Marholz, Werner: Der deutsche Pietismus. Berlin 1921.

Martini, Fritz: Von der Aufklärung zum Sturm und Drang. In: Annalen der deutschen Literatur. Hrsg. von Heinz Otto Burger. Stuttgart 1952. S. 405–463.

Mattenklott, Gert: Melancholie in der Dramatik des Sturm und Drang. Stuttgart 1968.

Meinecke, Friedrich: Die Entstehung des Historismus. 2 Bde. München/Berlin 1936.

Möller, Helmut: Die kleinbürgerliche Familie im 18. Jahrhundert. Verhalten und Gruppenkultur. Berlin 1969.

Newald, Richard: Von Klopstock bis zu Goethes Tod 1750–1832. Erster Teil: Ende der Aufklärung und Vorbereitung der Klassik. In: De Boor / Newald: Geschichte der deutschen Literatur von den Anfängen bis zur Gegenwart. Bd. 6,1. München 1957.

Nivelle, Armand: Kunst- und Dichtungstheorien zwischen Aufklärung und Klassik. Berlin 1960.

Pascal, Roy: Der Sturm und Drang. Stuttgart 1963.

Pott, Hans Julius: Harfe und Hain. Die deutsche Bardendichtung des 18. Jahrhunderts. Diss. Bonn 1976.

Price, Lawrence Marsden: Die Aufnahme englischer Literatur in Deutschland 1500–1960. Bern/München 1961.

Rasch, Wolfdietrich: Freundschaft und Freundschaftsdichtung im deutschen Schrifttum des 18. Jahrhunderts vom Ausgang des Barock bis zu Klopstock. Halle 1936.

Richter, Karl (Hrsg.): Gedichte und Interpretationen. Bd. 2: Aufklärung und Sturm und Drang. Stuttgart 1983.

Rumpf, Walter: Das literarische Publikum der 60er Jahre des 18. Jahrhunderts in Deutschland. In: Euphorion 28 (1927) S. 540–564.

Sauder, Gerhard: Empfindsamkeit. Bd. 1 ff. Stuttgart 1974 ff.

Schneider, Ferdinand Josef: Die deutsche Dichtung der Geniezeit. Stuttgart 1952.

Schöffler, Herbert: Deutscher Geist im 18. Jahrhundert. Essays zur Geistes- und Religionsgeschichte. Göttingen 1956.

Schöne, Albrecht: Säkularisation als sprachbildende Kraft. Studien zur Dichtung deutscher Pfarrersöhne. Göttingen 1958.

Schultz, Franz: Die Göttin Freude. Zur Geistes- und Stilgeschichte des 18. Jahrhunderts. In: Jahrbuch des Freien Deutschen Hochstifts 1926. S. 3–38.

Sombart, Werner: Der Bourgeois. Zur Geistesgeschichte des modernen Wirtschaftsmenschen. 5.–6. Tsd. München/Leipzig 1920.

Stadelmann, Rudolf / Fischer, Wolfram: Die Bildungswelt des deutschen Handwerkers um 1800. Studien zur Soziologie des Kleinbürgers im Zeitalter Goethes. Berlin 1955.

Viëtor, Karl: Geschichte der deutschen Ode. Darmstadt 1961. (Nachdr. der Ausg. München 1923.)

Wacker, Manfred: (Hrsg.): Sturm und Drang. Darmstadt 1985. (Wege der Forschung. 559.)

Wiese, Benno von (Hrsg.): Deutsche Dichter des 18. Jahrhunderts. Ihr Leben und Werk. Berlin 1977.

Wittmann, Walter: Beruf und Buch im 18. Jahrhundert. Ein Beitrag zur Erfassung und Gliederung der Leserschaft im 18. Jahrhundert, insbesondere unter Berücksichtigung des Einflusses auf die Buchproduktion, unter Zugrundelegung der Nachlaßinventare des Frankfurter Stadtarchivs für die Jahre 1695–1705, 1745–1755 und 1795–1805. Diss. Frankfurt a. M. 1934.

II. Zu einzelnen Autoren

Gottfried August Bürger

Häntzschel, Günter: Gottfried August Bürger. Münchem 1988.

Kaim-Kloock, Lore: Gottfried August Bürger. Zum Problem der Volkstümlichkeit in der Lyrik. Berlin 1963.

Schöne, Albrecht: Bürgers »Lenore«. In: Deutsche Vierteljahrsschrift für Literaturwissenschaft und Geistesgeschichte 28 (1954) S. 324–344.

Scott, Penelope E. A. L.: Gottfried August Bürgers Übersetzungen aus dem Englischen. Winterthur 1964.

Woodmansee, Martha: Die poetologische Debatte um Bürgers »Leonore«. In: Verlorene Klassik? Ein Symposium. Hrsg. von Wolfgang Wittkowski. Tübingen 1986. S. 13–34, 214–242.

Zaunert, Paul: Bürgers Verskunst. New York / London 1968. (Nachdr. der Ausg. Marburg 1911.)

Matthias Claudius

Burgert, Helmuth: Der Kalenderonkel Matthias Claudius. Verbrennung eines Pastorenfetischs. In: Almanach für Literatur und Theologie 4 (1970) S. 197–205.

Freund, Winfried: »Der Mond ist eingefangen«. Zeitgenössische

Parodien des »Abendlieds« von Matthias Claudius. In: Der Deutschunterricht 37 (1985) H. 6. S. 74–86.

Görisch, Reinhard: Matthias Claudius und der Sturm und Drang. Frankfurt a. M. 1981.

König, Burghard: Matthias Claudius. Die literarischen Beziehungen in Leben und Werk. Bonn 1976.

Stammler, Wolfgang: Matthias Claudius, der Wandsbecker Bothe. Ein Beitrag zur deutschen Literatur- und Geistesgeschichte. Halle 1915.

Stolte, Heinz: Matthias Claudius. Leben und Werk. Husum 1988.

Heinrich Wilhelm von Gerstenberg

Gerth, Klaus: Studien zu Gerstenbergs Poetik. Ein Beitrag zur Umschichtung der ästhetischen und poetischen Grundbegriffe im 18. Jahrhundert. Göttingen 1960.

Wagner, Albert Malte: Heinrich Wilhelm von Gerstenberg und der Sturm und Drang. 2 Bde. Heidelberg 1920–24.

Johann Wolfgang Goethe

Blumenberg, Hans: Momente Goethes. In: Akzente 29 (1982) H. 1. S. 43–55.

Braemer, Edith: Goethes Prometheus und die Grundpositionen des Sturm und Drang. Weimar 1959.

Chamberlain, Houston Stewart: Goethe. München 1912. ^{9}1938.

Clasen, Thomas / Leibfried, Erwin (Hrsg.): Goethe. Vorträge aus Anlaß seines 150. Todestages. Frankfurt a. M. / Bern 1984.

Conrady, Karl Otto: Goethe. Leben und Werk. Bd. 1: Hälfte des Lebens. Frankfurt a. M. 1988.

Emrich, Wilhelm: Goethes Tragödie des Genius. Vom »Götz« bis zur »Natürlichen Tochter«. In: Jahrbuch der Deutschen Schillergesellschaft 26 (1982) S. 144–162.

Friedenthal, Richard: Goethe. Sein Leben und seine Zeit. München 1963. ^{11}1982.

Friedrich, Theodor / Scheithauer, Lothar J.: Kommentar zu Goethes »Faust«. Stuttgart 1974 [u. ö.].

Gaier, Ulrich: Goethes Faust-Dichtungen. Ein Kommentar. Bd. 1: Urfaust. Stuttgart 1989.

Göres, Jörn: (Hrsg.): Goethes Leben in Bilddokumenten. München 1981.

Götting, Franz: Chronik von Goethes Leben. Leipzig 1953.

Gundolf, Friedrich: Goethe. Berlin 1916.

Hinderer, Walter (Hrsg.): Goethes Dramen. Neue Interpretationen. Stuttgart 1980.

Karthaus, Ulrich: Zweihundert Jahre »Werther«. In: Giessener Universitätsblätter 8 (1975) H. 2. S. 61–82.

Lützeler, Paul Michael / McLeod, James E. (Hrsg.): Goethes Erzählwerk. Interpretationen. Stuttgart 1985.

Müller, Peter: Zeitkritik und Utopie in Goethes »Werther«. Berlin 1969.

Müller-Salget, Klaus: Zur Struktur von Goethes »Werther«. In: Zeitschrift für deutsche Philologie 100 (1981) S. 527–544.

Nägele, Rainer: Johann Wolfgang Goethe: Götz von Berlichingen. In: Dramen des Sturm und Drang. Interpretationen. Stuttgart 1987. S. 7–31.

Neuhaus, Volker (Hrsg.): Erläuterungen und Dokumente: Johann Wolfgang Goethe, »Götz von Berlichingen«. Stuttgart 1973 [u. ö.].

Rothmann, Kurt (Hrsg.): Erläuterungen und Dokumente: Johann Wolfgang Goethe, »Die Leiden des jungen Werther«. Stuttgart 1971 [u. ö.].

Scherpe, Klaus: Werther und Wertherwirkung. Zum Syndrom bürgerlicher Gesellschaftsordnung im 18. Jahrhundert. Anhang: Vier Wertherschriften aus dem Jahre 1775 in Faksimile. Bad Homburg v. d. H. 1970.

Staiger, Emil: Goethe. Bd. 1: 1749–1786. Zürich / Freiburg i. Br. ³1960.

Vgl. auch: [*Götz von Berlichingen:*] Lebensbeschreibung des Ritters Götz von Berlichingen. Ins Neuhochdeutsche übers. von Karl Müller. Stuttgart 1962 [u. ö.].

Johann Georg Hamann

Bayer, Oswald / Gajek, Bernhard / Simon, Josef (Hrsg.): Hamann. Frankfurt a. M. 1987. (Insel Almanach auf das Jahr 1988.)

Gajek, Bernhard (Hrsg.): Johann Georg Hamann. Acta des Internationalen Hamann-Colloquiums in Lüneburg 1976. Frankfurt a. M. 1979.

Jørgensen, Sven-Aage: Hamann, Bacon and Tradition. In: Orbis Litterarum 16 (1961) S. 48–73.

Jørgensen, Sven-Aage: Johann Georg Hamann. Stuttgart 1976. (Sammlung Metzler. 143.)

Salmony, Hansjörg Alfred: Johann Georg Hamanns metakritische Philosophie. Zollikon 1958.

Unger, Rudolf: Hamann und die Aufklärung. Studien zur Vorgeschichte des romantischen Geistes im 18. Jahrhundert. 2 Bde. Jena 1911. Nachdr. Tübingen 1963.

Johann Gottfried Herder

Adler, Emil: Herder und die deutsche Aufklärung. Wien / Frankfurt a. M. / Zürich 1968.

Arnold, Günter: Johann Gottfried Herder. Leipzig 1979.

Bückeburger Gespräche über Johann Gottfried Herder, 1979. Rinteln 1980.

Gadamer, Hans Georg: Herder als Wegbereiter des historischen Bewußtseins. In: Geist der Zeit 19 (1941) S. 661–670.

Gillies, Alexander: Herder und Ossian. Berlin 1933.

Harich, Wolfgang: Herder und die bürgerliche Geisteswissenschaft. Diss. Berlin (Humboldt-Universität) 1951. [Masch.]

Haym, Rudolf: Herder. 2 Bde. Berlin 1880–85. Neuausg. Berlin 1954.

Kantzenbach, Friedrich Wilhelm: Johann Gottfried Herder in Selbstzeugnissen und Bilddokumenten. Reinbek bei Hamburg 1979.

Kelletat, Andreas F.: Herder und die Weltliteratur. Zur Geschichte des Übersetzens im 18. Jahrhundert. Frankfurt a. M. 1984.

Lohmeier, Dieter: Herder und Klopstock. Herders Auseinandersetzung mit der Persönlichkeit und dem Werk Klopstocks. Bad Homburg v. d. H. 1968.

Staiger, Emil: Der neue Geist in Herders Frühwerk. In: Jahrbuch der Deutschen Schillergesellschaft 6 (1962) S. 66–106.

Wedel, Max: Herder als Kritiker. Berlin 1928. Nachdr. Nendeln (Liechtenstein) 1967.

Wisbert, Rainer: Das Bildungsdenken des jungen Herder. Interpretation der Schrift »Journal meiner Reise im Jahr 1769«. Frankfurt a. M. / Bern 1987.

Wolf, Herman: Die Genielehre des jungen Herder. In: Deutsche Vierteljahrsschrift für Literaturwissenschaft und Geistesgeschichte 3 (1925) S. 401–430.

Ludwig Christoph Heinrich Hölty

Beißner, Friedrich: Geschichte der deutschen Elegie. Berlin ³1965.

Oberlin-Kaiser, Thymiane: Ludwig Christoph Heinrich Hölty. Zürich 1964.

Weigel, Marga Ingeborg: Elemente der Empfindsamkeit in der Lyrik Höltys. University of Waterloo (Canada) 1980.

Johann Heinrich Jung-Stilling

Günther, Hans R. G.: Jung-Stilling. Ein Beitrag zur Psychologie des Pietismus. München 1948.

Hahn, Otto W.: Jung-Stilling zwischen Pietismus und Aufklärung. Sein Leben und sein literarisches Werk 1778–1787. Frankfurt a. M. / Bern 1988.

Högy, Tatjana: Jung-Stilling und Rußland. Untersuchungen über Jung-Stillings Verhältnis zu Rußland und zum ›Osten‹ in der Regierungszeit Kaiser Alexanders I. Siegen 1984.

Willert, Albrecht: Religiöse Existenz und literarische Produktion. Jung-Stillings Autobiographie und seine frühen Romane. Frankfurt a. M. / Bern 1982.

Friedrich Maximilian Klinger

Hering, Christoph: Friedrich Maximilian Klinger. Der Weltmann als Dichter. Berlin 1966.

Osterwalder, Fritz: Die Überwindung des Sturm und Drang im Werk Friedrich Maximilian Klingers. Berlin 1979.

Rieger, Max: Klinger in der Sturm- und Drang-Periode. Darmstadt 1880.

Scheuer, Helmut: Friedrich Maximilian Klinger. Sturm und Drang. In: Dramen des Sturm und Drang. Interpretationen. Stuttgart 1987. S. 57–98.

Smoljan, Olga: Friedrich Maximilian Klinger. Leben und Werk. Weimar 1962.

Wyneken, Friedrich A.: Rousseaus Einfluß auf Klinger. In: University of California Publications in Modern Philology 3 (1912) Nr. 1. S. 1–85.

Friedrich Gottlieb Klopstock

Arnold, Heinz Ludwig (Hrsg.): Friedrich Gottlieb Klopstock. München 1981. (Text + Kritik. Sonderbd.)

Kaiser, Gerhard: Klopstock. Religion und Dichtung. Kronberg (Ts.) 1975.

Lühr, Rosemarie: Friedrich Gottlieb Klopstocks Fragmente über die deutsche Sprache. Von der Wortfolge. In: Sprachwissenschaft 13 (1988) S. 198–256.

Muncker, Franz: Friedrich Gottlieb Klopstock. Geschichte seines Lebens und seiner Schriften. Berlin ²1900.

Pape, Helmut: Friedrich Gottlieb Klopstock und die Französische Revolution. In: Euphorion 83 (1989) S. 160–195.

Schleiden, Karl August: Klopstocks Dichtungstheorie als Beitrag zur Geschichte der deutschen Poetik. Saarbrücken 1954.

Schneider, Karl Ludwig: Klopstock und die Erneuerung der deutschen Dichtersprache im 18. Jahrhundert. Heidelberg 1960.

Werner, Hans-Georg: (Hrsg.): Friedrich Gottlieb Klopstock. Werk und Wirkung. Wissenschaftliche Konferenz der Martin Luther-Universität Halle-Wittenberg 1974. Berlin 1978.

Johann Anton Leisewitz

Aichbergen, Gregor Kutschera von: Johann Anton Leisewitz. Hrsg. von Karl Tomaschek. Wien 1876.

Karthaus, Ulrich: Johann Anton Leisewitz: Julius von Tarent. In: Dramen des Sturm und Drang. Interpretationen. Stuttgart 1987. S. 99–127.

Kolb, Ines: Herrscheramt und Affektkontrolle: Johann Anton Leisewitz' »Julius von Tarent« im Kontext von Staats- und Moralphilosophie der Aufklärung. Frankfurt a. M. / Bern 1983.

Jakob Michael Reinhold Lenz

Becker-Cantarino, Barbara: Jakob Michael Reinhold Lenz: Der Hofmeister. In: Dramen des Sturm und Drang. Interpretationen. Stuttgart 1987. S. 33–56.

Höllerer, Walter: J. M. R. Lenz: Die Soldaten. In: Das deutsche Drama vom Barock bis zur Gegenwart. Hrsg. von Benno von Wiese. Bd. 1. Düsseldorf 1958. S. 127–146.

Krämer, Herbert (Hrsg.): Erläuterungen und Dokumente: J. M. R. Lenz, »Die Soldaten«. Stuttgart 1974 [u. ö.].

Lützeler, Paul Michael: Jakob Michael Reinhold Lenz: Die Soldaten. In: Dramen des Sturm und Drang. Interpretationen. Stuttgart 1987. S. 129–159.

Stephan, Inge / Winter, Hans-Gerd: ›Ein vorübergehender Meteor‹?

Jakob Michael Reinhold Lenz und seine Rezeption in Deutschland. Stuttgart 1984.

Voit, Friedrich: Erläuterungen und Dokumente: J. M. R. Lenz, »Der Hofmeister«. Stuttgart 1986.

Werner, Franz: Soziale Unfreiheit und ›bürgerliche Intelligenz‹ im 18. Jahrhundert. Der organisierende Gesichtspunkt in J. M. R. Lenz' Drama »Der Hofmeister oder Vorteile der Privaterziehung«. Frankfurt a. M. 1981.

Winter, Hans-Gerd: Jakob Michael Reinhold Lenz. Stuttgart 1987. (Sammlung Metzler. 233.)

Karl Philipp Moritz

Bezold, Raimund: Popularphilosophie und Erfahrungsseelenkunde im Werk von Karl Philipp Moritz. Würzburg 1984.

Bisanz, Adam John: Die Ursprünge der Seelenkrankheit bei K. Ph. Moritz. Heidelberg 1970.

Catholy, Eckehard: Karl Philipp Moritz und die Ursprünge der deutschen Theaterleidenschaft. Tübingen 1962.

Eybisch, Hugo: Anton Reiser. Untersuchungen zur Lebensgeschichte von K. Ph. Moritz und zur Kritik seiner Autobiographie. Leipzig 1909.

Günther, Horst (Hrsg.): Karl Philipp Moritz – Wer ist das? Frankfurt a. M. 1980. (Insel Almanach auf das Jahr 1981.)

Müller, Lothar: Die kranke Seele und das Licht der Erkenntnis. Karl Philipp Moritz' »Anton Reiser«. Frankfurt a. M. 1987.

Schrimpf, Hans Joachim: Karl Philipp Moritz. Stuttgart 1980. (Sammlung Metzler. 195.)

Friedrich Schiller

Binder, Wolfgang: Friedrich Schiller: Kabale und Liebe. In: Das deutsche Drama vom Barock bis zur Gegenwart. Hrsg. von Benno von Wiese. Bd. 1. Düsseldorf 1958. S. 248–268.

Buchwald, Reinhard: Schiller. 2 Bde. (1937.) Neu bearb. Ausg. Wiesbaden 1953–54.

Burschell, Friedrich: Schiller. Berlin/Darmstadt/Wien 1970.

Grawe, Christian (Hrsg.): Erläuterungen und Dokumente: Friedrich Schiller, »Die Räuber«. Stuttgart 1976 [u. ö.].

Grawe, Christian (Hrsg.): Erläuterungen und Dokumente: Friedrich Schiller, »Die Verschwörung des Fiesco zu Genua«. Stuttgart 1985.

Hinderer, Walter (Hrsg.): Schillers Dramen. Neue Interpretationen. Stuttgart 1979.

Karthaus, Ulrich: Friedrich Schiller. In: Karl Corino (Hrsg.): Genie und Geld. Vom Auskommen deutscher Schriftsteller. Nördlingen 1987. S. 151–164.

Karthaus, Ulrich: Schiller und die Französische Revolution. In: Jahrbuch der Deutschen Schillergesellschaft 33 (1989) S. 210 bis 239.

Koopmann, Helmut: Friedrich Schiller. Bd. 1: 1759–1794. Stuttgart 1966. (Sammlung Metzler. 50.)

Leibfried, Erwin: Schiller. Notizen zum heutigen Verständnis seiner Dramen. Frankfurt a. M. 1985.

Pörnbacher, Karl (Hrsg.): Erläuterungen und Dokumente: Friedrich Schiller, »Don Carlos«. Stuttgart 1973 [u. ö.].

Riedel, Wolfgang: Die Anthropologie des jungen Schiller. Zur Ideengeschichte der medizinischen Schriften und der »Philosophischen Briefe«. Würzburg 1985.

Schafarschik, Walter (Hrsg.): Erläuterungen und Dokumente: Friedrich Schiller, »Kabale und Liebe«. Stuttgart 1980 [u. ö.].

Scherpe, Klaus R.: Friedrich Schiller: Die Räuber. In: Dramen des Sturm und Drang. Interpretationen. Stuttgart 1987. S. 161–211.

Staiger, Emil: Friedrich Schiller. Zürich 1967.

Wiese, Benno von: Friedrich Schiller. Stuttgart 1959 [u. ö.].

Wittkowski, Wolfgang (Hrsg.): Friedrich Schiller. Kunst, Humanität und Politik in der späten Aufklärung. Ein Symposium. Tübingen 1982.

Christian Friedrich Daniel Schubart

Adamietz, Horst: Christian Friedrich Daniel Schubarts Volksblatt »Deutsche Chronik«. Diss. Berlin 1941.

Honolka, Kurt: Schubart: Dichter und Musiker, Journalist und Rebell. Sein Leben, Sein Werk. Stuttgart 1985.

Friedrich Leopold Graf zu Stolberg

Behrens, Jürgen: Friedrich Leopold Graf zu Stolberg. Porträt eines Standesherren. In: Staatsdienst und Menschlichkeit. Studien zur Adelskultur des späten 18. Jahrhunderts in Schleswig-Holstein und Dänemark. Hrsg. von Christian Degn und Dieter Lohmeier. Neumünster 1980. S. 151–165.

Janssen, Johannes: Friedrich Leopold Graf zu Stolberg. 2 Bde.
Freiburg i. Br. 1877.

Johann Heinrich Voß

Benning, Ludwig: J. H. Voß und seine Idyllen. Diss. Marburg 1926.
Boeschenstein, Renate: Idylle. Stuttgart 1967. (Sammlung Metzler.
63.)
Häntzschel, Günter: Johann Heinrich Voß: Seine Homer-Überset-
zung als sprachschöpferische Leistung. München 1977.
Herbst, Wilhelm: Johann Heinrich Voß. 3 Bde. Leipzig 1872–76.

Synoptische Tabelle

	Literatur	Geschichte	Künste, Wissenschaft und Technik
1762	Herder stud. theol. Königsberg Hamann: Kreuzzüge des Philologen Rousseau: Du contrat social; Emile (R.) Beginn von Wielands Shakespeare-Übersetzung (bis 1766) Macpherson: Ossian, Fingal (Ep.)	Zarin Elisabeth II. gest., Nachfolger Peter III. ermordet, Katharina II. Zarin (bis 1796)	Johann Gottlieb Fichte geb. Mozarts erste Konzertreise Gluck: Orfeo ed Euridice (O.)
1763	Macpherson: Ossian, Temora (Ep.) Jean Paul geb.	Friede zu Hubertusburg beendet Siebenjährigen Krieg Friede zu Paris zwischen England, Spanien, Frankreich	Erste Gewerbeausstellung in Paris M. Mendelssohn: Über die Evidenz der metaphysischen Wissenschaften Zimmermann: Von der Erfahrung in der Arzneikunst Generalschulreglement in Preußen
1764	Herder an die Domschule zu Riga berufen Wieland: Die Abenteuer des Don Sylvio von Rosalva (R.)	Deutsche Wolgakolonie Kaiserkrönung Josephs II. in Frankfurt a. M.	Voltaire: Philosophisches Wörterbuch J. J. Winckelmann: Geschichte der Kunst des Altertums

			Dampfmaschine (Watt) Holzpapier (Schäffer)
1765	Nicolai: Allgemeine deutsche Bibliothek (bis 1798) Goethe stud. jur. in Leipzig (bis 1768) Th. Percy: Reliques of Ancient Poetry	Franz I. von Lothringen gest.	
1766	Gerstenberg: Briefe über Merkwürdigkeiten der Literatur, 3 Bde. (bis 1767) Schubart: Zaubereien (G.); Die Baadcur (G.) Wieland: Agathon (R.) Lessing: Laokoon Goldsmith: The Vicar of Wakefield (R.)	Friedrich V. von Dänemark gest.	Entdeckung des Wasserstoffs (Cavendish) Kant: Träume eines Geistersehers
1767	Gerstenberg: Rezensionen in der Hamburgischen Neuen Zeitung (bis 1771) Herder: Fragmente »Über die neuere deutsche Literatur« (bis 1768) Lessing: Hamburgische Dramaturgie (bis 1769); Minna von Barnhelm (Lsp.) Schubart: Todesgesänge (G.) August Wilhelm Schlegel geb.	Gesetzesreform in Rußland durch Vertreter aller Stände von Katharina II. eingeleitet Jesuiten aus Spanien ausgewiesen	Wagenspinnmaschine »Jenny« (Hargreaves) Wilhelm v. Humboldt geb.

1768	Gerstenberg: Ugolino (Tr.) Herder: Über Thomas Abbts Schriften Klopstock: Messias, 3. Bd. M. Denis übersetzt Ossian L. Sterne: Sentimental Journey (R.) Winckelmann ermordet	Russisch-Türkischer Krieg (bis 1774)	J. Möser: Osnabrückische Geschichte Friedrich Ernst Daniel Schleiermacher geb.
1769	Herder: Kritische Wälder; Seereise nach Frankreich, Reisejournal Lessing: Wie die Alten den Tod gebildet Goethe: Neue Lieder (G.); Die Mitschuldigen (Lsp.) J. Th. Hermes: Sophiens Reise von Memel nach Sachsen (R., 5 Bde. bis 1773) C. F. Gellert gest. Boie und Hölty in Göttingen, erster Musenalmanach auf 1770	Napoleon Bonaparte geb. Marie Jeanne Dubarry Geliebte Ludwigs XV.	Straßendampfwagen (Cugnot) Alexander v. Humboldt geb.
1770	Goethe: Satyros (Dr.) Herder Erzieher beim Erbprinzen von Holstein-Gottorp. Begegnung Herders und Goethes Anfang Oktober in Straßburg Goethe in Sesenheim	Graf v. Bernstorff durch Struensee gestürzt Ludwig XVI. heiratet Marie Antoinette Cook nimmt Australien für die engl. Krone in Besitz	Kant Professor in Königsberg Georg Wilhelm Friedrich Hegel geb. Leonhard Euler: Vollständige Anleitung zur Algebra

Leisewitz stud. jur. in Göttingen	Friedrich Wilhelm III. (König von Preußen 1797–1840) geb. Französisch-Ostindische Kompagnie aufgelöst	Rechenmaschine für Multiplikationen (Hahn) Ludwig van Beethoven geb.
		Entdeckung des Sauerstoffgases (Scheele) Cook entdeckt Gesellschaftsinseln, Ostaustralien, Zweiteilung Neuseelands Sulzer: Allgemeine Theorie der Schönen Künste und Wissenschaften
1771 Sophie v. La Roche: Geschichte des Fräuleins von Sternheim (R., 2 Bde.) Goethe: Zum Shakespeares-Tag; Friederiken-Lieder (G.); Urgötz (Dr.). Promotion und Rückkehr nach Frankfurt Claudius: Wandsbecker Bote (bis 1775) Klopstock: Oden Herder Konsistorialrat in Bückeburg Lenz nach Straßburg	Struensee hingerichtet Erste Teilung Polens zwischen Österreich, Preußen, Rußland Gustav III. von Schweden stürzt Adelsmacht und beseitigt den Einfluß der Stände Ende der Inquisition in Frankreich	Entdeckung des Stickstoffgases (Rutherford) Cook entdeckt auf seiner zweiten Weltreise die Antarktis
1772 Lessing: Emilia Galotti (Tr.) Hamann: Des Ritters vom Rosenkreuz letzte Willensmeynung Hölty: Adelstan und Röschen (G.) Geßner: Neue Idyllen Herder: Über den Ursprung der Sprache Goethe: Von deutscher Baukunst; Wanderers Sturmlied (G.)		

Merck Leiter der »Frankfurter Gelehrten Anzeigen«
Voß in Göttingen
Mai–Oktober Goethe in Wetzlar
Gründung des Hainbundes
Die Grafen Stolberg in Göttingen
Klingers Bekanntschaft mit Goethe

Philadelphia-Museum in USA gegründet

1773   Herder: Briefwechsel über Ossian; Zum Shakespears-Tag; Von deutscher Art und Kunst
Bürger: Lenore (G.)
Wieland: Teutscher Merkur (bis 1810); Alceste (Singsp.)
Goethe: Götz von Berlichingen (Sch., 2. Fassung); Jahrmarktsfest zu Plundersweilern (Dr.); Mahomets-Gesang (G.)
Klopstock: Messias (Ep.) abgeschlossen
Nicolai: Sebaldus Nothanker (R., 3 Bde., bis 1776)
Schiller Karlsschüler (bis 1780)
Ludwig Tieck geb.

Clemens Fürst v. Metternich geb.
Auflösung des Jesuitenordens durch Papst Klemens XIV.
Bauernaufstand in Rußland unter Pugatschew

1774   Klopstock: Gelehrtenrepublik
Lenz: Der Hofmeister (Lsp.);

Ludwig XV. gest., Nachfolger Ludwig XVI. (bis 1792)

Johann Christoph Adelung: Deutsches Wörterbuch (bis 1786)

	Literatur	Geschichte	Naturwissenschaft
			Entdeckung des Ammoniaks (Priestley)
	Lustspiele nach dem Plautus; Anmerkungen übers Theater		
	Herder: Auch eine Philosophie der Geschichte; Älteste Urkunde des Menschengeschlechts		
	Goethe: Die Leiden des jungen Werthers (R.); Clavigo (Tr.); Götter, Helden und Wieland (Farce); Ganymed (G.); Prometheus (G.); An Schwager Chronos (G.); Der untreue Knabe (G.)		
	Friedrich von Blanckenburg: Versuch über den Roman		
	Wieland: Die Abderiten (R.)		
	Schubart: Deutsche Chronik (5 Bde., bis 1778)		
	Leisewitz nach Hannover		
	Klinger beginnt Studium in Gießen		
1775	Klinger: Otto (Tr.); Das leidende Weib (Tr.); Die Zwillinge (Tr.) Lenz: Pandaemonium Germanicum (Sat.) Herder: Ursachen des gesunkenen Geschmacks bei den verschiedenen Völkern	Beginn des nordamerikan. Unabhängigkeitskrieges gegen England Herzog Karl August übernimmt Regierung in Weimar	Erstes gußeisernes Gleis in Deutschland (Friedrichs) Entdeckung von Schwefel- und Salzsäure (Priestley) Elektrophor (Volta)

Nicolai: Freuden des jungen Werthers

J. M. Goeze: Kurze aber nothwendige Erinnerungen über die Leiden des jungen Werthers

Hamann: Hierophantische Briefe

J. C. Lavater: Physiognomische Fragmente

Goethe: Stella (Tr.); Beginn von Egmont (Tr.)

Maler Müller: Idyllen

M. Claudius: Asmus

J. J. Eschenburg beginnt Shakespeare-Übersetzung (bis 1782)

Voß geht nach Wandsbek

Goethes Schweizerreise mit den Grafen Stolberg; Goethes Ankunft in Weimar

Adam Smith: Natur und Ursachen des Volkswohlstandes

Cook: Dritte Weltreise

David Hume gest.

Hobelmaschine (Hatton)

Eröffnung des Burgtheaters in Wien

1776   Lenz April–Dezember in Weimar, Der neue Menoza (K.); Die Soldaten (Lsp.); Die Freunde machen den Philosophen (Lsp.)

Klinger Juni–Oktober in Weimar, Die neue Arria (Tr.); Sturm und Drang (Sch.); als Theaterdichter zur Seylerschen Truppe

Leisewitz: Julius von Tarent (Tr.)

Wagner: Die Kindermörderin (Tr.)

J. Necker Finanzminister in Frankreich

Unabhängigkeitserklärung vom amerikan. Kongreß angenommen. Erklärung der Menschenrechte

	Maler Müller: Situation aus Fausts Leben (Dr.) Goethe: Claudine von Villa Bella (Singsp.) Herder nach Weimar Hölty gest. Deutsche Erstaufführung von Hamlet (Schröder in Hamburg) J. M. Miller: Siegwart (R., 2 Bde.)		
1777	Herder: Von der Ähnlichkeit der mittleren englischen und deutschen Dichtkunst Klinger: Der verbannte Göttersohn (Dr.) Goethe: Beginn von »Wilhelm Meisters theatralischer Sendung« (R., bis 1785) Schubart in Blaubeuren verhaftet Jung-Stilling: Henrich Stillings Jugend (R.) A. v. Haller gest. Stolberg: Über die Fülle des Herzens	USA-Miliz schlägt englische Söldner bei Saratoga-Springs Alexander I. geb. (russ. Zar 1801 bis 1825)	Karl Friedrich Gauß geb.
1778	Herder: Volkslieder, 1. Teil Schiller: Brief an Scharffenstein	Friedrich von Steuben Generalinspekteur des amerikan. Heeres	Taucherglocke bei Unterwasserbauten

	Bodmer u. Stolberg: Ilias-Übersetzungen Lessing: Gespräche für Freimäurer; Anti-Goze Lenz: Schwere Anfälle und Selbstmordversuche bei Pfarrer Oberlin in Waldbach Klinger Leutnant in Rußland	res. Benjamin Franklin erreicht Bündnis der USA mit Frankreich Bayerischer Erbfolgekrieg	Karl von Linné gest. Voltaire gest. Rousseau gest.
1779	Herder: Volkslieder, 2. Teil Goethe: Beginn von »Iphigenie« (Sch.) Schiller: Erste Karlsschulrede Lessing: Nathan der Weise (Dr.) Wagner: Evchen Humprecht (Dr.) Jacobi: Woldemar (R.) Lenz' Heimreise nach Riga Goethe mit Herzog Karl August in der Karlsschule	Napoleon Militärschüler in Brienne	Friedrich Karl von Savigny geb., Haupt der historischen Rechtsschule Cook erschlagen auf Hawaii
1780	Lessing: Die Erziehung des Menschengeschlechts Wieland: Oberon (Ep.) Friedrich II.: De la littérature allemande Voß: Der Siebzigste Geburtstag (Idylle) Schubart: Die Fürstengruft (G.)	Maria Theresia gest., Nachfolger Joseph II.	Herstellung von Rübenzucker (Achard) Füllfederhalter (Scheller) Gründung der amerikan. Akademie der Künste und Wissenschaften Erzeugung von Wassergas (Fon-)

	Klinger: Stilpo (Dr.); Plimplamplasko (Dr.). Schiller: Versuch über den Zusammenhang der tierischen Natur des Menschen mit seiner geistigen. Entlassung aus der Karlsschule		Kant: Kritik der reinen Vernunft. Dampfschiff (de Jouffroy). Entdeckung des Planeten Uranus (Herschel)
1781	Pestalozzi: Lienhard und Gertrud (R., 4 Bde., bis 1787). Maler Müller: Genoveva (Dr.). Schiller: Die Räuber (Sch.). Voß: Odyssee-Übersetzung. Lessing gest. Lenz in Moskau, zunehmende Verwirrung. A. v. Arnim geb. A. v. Chamisso geb.	Toleranzedikt Josephs II. in Österreich: »erweiterte Preßfreiheit«, Abschaffung von Leibeigenschaft und Folter, Aufhebung der Klöster. Washington besiegt mit frz. Hilfstruppen die Engländer bei Yorktown. Neue preuß. Prozeßordnung	
1782	Herder: Vom Geist der hebräischen Poesie, 1. Teil. Musäus: Volksmärchen der Deutschen (bis 1786). Schiller: Uraufführung der »Räuber«. Flucht aus Stuttgart. Goethe geadelt		Friedrich Fröbel geb.
1783	Goethe beendet Umarbeitung des »Werther«	Friede von Versailles beendet amerikan. Unabhängigkeitskrieg	Heißluftballon (Brüder Montgolfier)

	Schiller in Mannheim. Die Verschwörung des Fiesco zu Genua (Tr.)	William Pitt d. Jüngere engl. Premierminister	Herschel entdeckt Eigenbewegung des Sonnensystems Jean le Rond d'Alembert gest. Leonhard Euler gest.
1784	Hamann: Metakritik Schiller: Kabale und Liebe (Tr.); Vortrag: Was kann eine gute stehende Schaubühne eigentlich wirken? Klopstock: Hermann und die Fürsten (Dr.) Diderot gest.	Englische Ostindische Kompagnie unter staatlicher Aufsicht	Entdeckung des Zwischenkieferknochens (Goethe, d'Axyr) Herder: Ideen zur Philosophie der Geschichte der Menschheit (bis 1791)
1785	Gerstenberg: Minona oder die Angelsachsen (Dr.) Schubart: Gedichte aus dem Kerker Moritz: Anton Reiser (R., 4 Bde. bis 1790) Schiller: An die Freude (G.); Die Schaubühne als eine moralische Anstalt betrachtet Bettina von Arnim geb. Jacob Grimm geb.	Halsbandaffäre in Frankreich Gründung der »Times« Napoleon Artillerie-Leutnant	Kant: Grundlegung zur Metaphysik der Sitten Erste deutsche Dampfmaschine in Preußen
1786	Schubart: Friedrich der Einzige (G.)	Friedrich II. von Preußen gest., Nachfolger: Friedrich Wilhelm II. (bis 1797)	Mechanischer Webstuhl (Cartwright) Versuche mit Gasbeleuchtung für

Innenräume in Deutschland und
England
Erstbesteigung des Montblanc
(Balmat)
Moses Mendelssohn gest.
Mozart: Le nozze di Figaro (O.)

Burgers Munchhausen-Überset-
zung
Moritz: Über die bildende Nach-
ahmung des Schönen
Goethe: Italienreise (bis 1788),
Begegnung mit Moritz in Rom.
Iphigenie (Sch., Jambenfassung,
bis 1787)
Schiller: Philosophische Briefe
Wilhelm Grimm geb.

Schrauben-Dampfschiff (Fitch)
Entdeckung der Uranus-Monde
(Herschel)
Mozart: Don Giovanni (O.)

1787   Klopstock: Hermanns Tod (Dr.)
Schubart begnadigt. Vaterländi-
sche Chronik (bis 1791); Kaplied
(G.)
Schiller in Weimar. Buchausgabe
»Don Carlos« (Dr.); Der Gei-
sterseher (E.)
Heinse: Ardinghello (R.)

Zweiter Russisch-Türkischer
Krieg (bis 1792)
Karl Eugen von Württemberg ver-
mietet das Kap-Regiment an
die Holländisch-Ostindische
Kompagnie

Quellenverzeichnis

Gottfried August Bürger

Lenore. In: G. A. B.: Gedichte. Hrsg. von Jost Hermand. Stuttgart: Reclam, 1966. (Universal-Bibliothek. 227.) S. 3–10.
Des Pfarrers Tochter von Taubenhain. Ebd. S. 17–23.
Der Bauer. Ebd. S. 58.

Matthias Claudius

Der Schwarze in der Zuckerplantage. In: M. C.: Aus dem Wandsbecker Boten. Ausw. und Nachw. von Konrad Nussbächer. Stuttgart: Reclam, [1949] (Universal-Bibliothek. 7550.) S. 6 f.
Zufriedenheit. In: Der Göttinger Dichterbund. Hrsg. von August Sauer. Tl. 3. Berlin/Stuttgart: Spemann, [1886]. (Deutsche National-Litteratur. 50,2.) S. 255 f.
Abendlied. In: M. C.: Aus dem Wandsbecker Boten. S. 33 f.
Der Mensch. Ebd. S. 39 f.

Heinrich Wilhelm von Gerstenberg

Ugolino. Eine Tragödie in fünf Aufzügen. Hrsg. von Christoph Siegrist. Stuttgart: Reclam, 1966. (Universal-Bibliothek. 141.) S. 31–36.

Johann Wolfgang Goethe

Zum Shakespeares-Tag. In: Goethes Werke. Hrsg. von Erich Trunz. Bd. 12. Hamburg: Wegner, 1953. S. 224–227.
Willkommen und Abschied. Ebd. Bd. 1. ^{2}1952. S. 28 f.
Maifest. Ebd. S. 30 f.
Im Herbst 1775. Ebd. S. 103 f.
Das Veilchen. Ebd. S. 78 f.
Der untreue Knabe. Ebd. S. 81 f.
Mahomets-Gesang. Ebd. S. 42–44.
Prometheus. Ebd. S. 44–46.
Ganymed. Ebd. S. 46 f.
Die Leiden des jungen Werthers. Stuttgart: Reclam, 1969. (Universal-Bibliothek. 67.) S. 25–29, 127–130.
Götz von Berlichingen mit der eisernen Hand. Ein Schauspiel. Stuttgart: Reclam, 1975. (Universal-Bibliothek. 71.) S. 7–14.
Götter, Helden und Wieland. In: J. W. G.: Satiren, Farcen und Hanswurstiaden. Hrsg. von Martin Stern. Stuttgart: Reclam, 1968. (Universal-Bibliothek. 8565.) S. 28–47.

Johann Georg Hamann

Aesthetica in nuce. In: J. G. H.: Sokratische Denkwürdigkeiten. Aesthetica in nuce. Hrsg. von Sven-Aage Jørgensen. Stuttgart: Reclam, 1968. (Universal-Bibliothek. 926.) S. 119–147.

Johann Gottfried Herder

Auch eine Philosophie der Geschichte zur Bildung der Menschheit. In: J. G. H.: Sämtliche Werke. Hrsg. von Bernhard Suphan. Bd. 5. Berlin: Weidmann, 1891. S. 477–501.

Ludwig Christoph Heinrich Hölty

Die Nonne. In: Der Göttinger Hain. Hrsg. von Alfred Kelletat. Stuttgart: Reclam, 1967. (Universal-Bibliothek. 8789.) S. 33–36.
Elegie auf einen Dorfkirchhof. Ebd. S. 46–49.
Die Mainacht. Ebd. S. 80 f.
Das Landleben. Ebd. S. 86 f.

Johann Heinrich Jung-Stilling

Henrich Stillings Jugend. In: J. H. J.: Henrich Stillings Jugend, Jünglingsjahre, Wanderschaft und häusliches Leben. Hrsg. von Dieter Cunz. Stuttgart: Reclam, 1968. (Universal-Bibliothek. 662.) S. 47–55.

Friedrich Maximilian Klinger

Sturm und Drang. Ein Schauspiel. Hrsg. von Jörg-Ulrich Fechner. Stuttgart: Reclam, 1970. (Universal-Bibliothek. 248.) S. 5–10.

Friedrich Gottlieb Klopstock

An Fanny. In: F. G. K.: Oden. Hrsg. von Karl Ludwig Schneider. Stuttgart: Reclam, 1966. (Universal-Bibliothek. 1391.) S. 11 f.
Der Zürchersee. Ebd. S. 45–47.
Der Eislauf. Ebd. S. 90–92.
Die Frühlingsfeier. Ebd. S. 58–66.
Der Messias. In: F. G. K.: Ausgewählte Werke. Hrsg. von Karl August Schleiden. Darmstadt: Wissenschaftliche Buchgesellschaft, 1962. S. 195–203.

Johann Anton Leisewitz

Die Pfandung. In: J. A. L.: Sämmtliche Schriften. Hrsg. von Franz Ludwig Anton Schweiger. Braunschweig: Leibrock, 1838. S. 3–5.

Jakob Michael Reinhold Lenz

Der Hofmeister oder Vorteile der Privaterziehung. Eine Komödie. Hrsg. von Karl S. Guthke. Stuttgart: Reclam, 1963. (Universal-Bibliothek. 1376.) S. 5–17.

Karl Philipp Moritz

Anton Reiser. Ein psychologischer Roman. Hrsg. von Wolfgang Martens. Stuttgart: Reclam, 1972. (Universal-Bibliothek. 4813.) S. 56–64.

Friedrich Schiller

Die Räuber. Unterdrückte Vorrede. In: F. S.: Sämtliche Werke. Hrsg. von Gerhard Fricke und Herbert G. Göpfert. Bd. 1. München: Hanser, 1958. S. 481–484.
Brief an Friedrich Scharffenstein. In: Schillers Briefe. Hrsg. von Fritz Jonas. Bd. 1. Stuttgart/Leipzig: Deutsche Verlags-Anstalt, [1892]. S. 2–8.
Monument Moors des Räubers. In: F. S.: Sämtliche Werke. Bd. 1. S. 98–100.
Die Herrlichkeit der Schöpfung. Ebd. S. 43 f.
Kabale und Liebe. Ein bürgerliches Trauerspiel. Stuttgart: Reclam, 1975. (Universal-Bibliothek. 33.) S. 29–32.

Christian Friedrich Daniel Schubart

Freiheitslied eines Kolonisten. In: C. F. D. S.: Gedichte. Aus der »Deutschen Chronik«. Hrsg. von Ulrich Karthaus. Stuttgart: Reclam, 1978. (Universal-Bibliothek. 1821.) S. 30 f.
Die Fürstengruft. Ebd. S. 40–43.
Kaplied. Ebd. S. 58–60.

Friedrich Leopold Graf zu Stolberg

Über die Fülle des Herzens. In: F. L. S.: Über die Fülle des Herzens. Frühe Prosa. Hrsg. von Jürgen Behrens. Stuttgart: Reclam, 1970. (Universal-Bibliothek. 7901.) S. 3–17.
Mein Vaterland. In: Der Göttinger Hain. Hrsg. von Alfred Kelletat. Stuttgart: Reclam, 1967. (Universal-Bibliothek. 8789.) S. 187 f.
Die Freiheit. Ebd. S. 174.
An die Natur. Ebd. S. 178 f.

Johann Heinrich Voß

Luise. Zweite Idylle. Der Besuch. In: Der Göttinger Dichterbund. Hrsg. von August Sauer. Tl. 3. Berlin/Stuttgart: Spemann, [1886]. (Deutsche National-Literatur. 49,1.) S. 25–37.